Cántaro
Institute

CH00670138

LAS RAÍCES DE LA CULTURA OCCIDENTAL

Las opciones pagana, secular y cristiana

Autor: **Herman Dooyeweerd**   Traductores: **Adolfo García de la Sienra**

LAS RAÍCES DE LA CULTURA OCCIDENTAL

LAS OPCIONES PAGANA, SECULAR Y CRISTIANA

Herman Dooyeweerd

Traducción de
Adolfo García de la Sienra

cántaro
publications

Segunda edición, 2023

Dooyeweerd, Herman
Las Raices de La Cultura Occidental
Traducción de Adolfo y Luz María García de la Sienra
Jordan Station, Ontario, Cántaro Publications, 2023
Título original: *The Roots of Western Thought* (Paideia Press)
ISBN: 978-0888152-21-3
Cántaro Institute, Jordan Station, Ontario, Canada,
L0R 1S0

Este libro apareció originalmente como una serie de artículos en el semanario *Nieuw Nederland* desde agosto de 1945 hasta mayo de 1948. Fueron publicados primeramente como libro by J. A. Oosterhoff, compilador, en *Vernieuwing en bezinning om het reformatorisch grondmotief* (Zutphen: J.B. van den Brink, 1959). Con algunas modificaciones, apareció en inglés traducido por John Kraay y editado por Mark Vander Vennen y Bernard Zylstra (Toronto: Wedge Publishing Foundation, 1979).

PREFACIO DEL TRADUCTOR

La traducción de esta obra de Herman Dooyeweerd es importante porque su origen —notas periodísticas en el marco de una polémica con los humanistas holandeses después de la guerra— la hace accesible a un gran público, a la vez que constituye una magnífica introducción a la historia de las ideas, en particular a las ideas sociales y políticas, desde una perspectiva calvinista. En esta obra Dooyeweerd nos hace ver el drama de la historia cultural de Occidente como la lucha entre diversos motivos religiosos encontrados e irreductibles. En particular, la filosofía con su aturdidora diversidad de sistemas aparece como un resultado natural y coherente de esta lucha religiosa. *La filosofía como lucha religiosa en el terreno de la teoría* podría ser la visión que Dooyeweerd nos ofrece en estas inmortales páginas, a la vez amenas y profundas como el mar.

No quiero dejar de aprovechar este espacio para agradecer el trabajo de Carolina Pérez y Cicero (†1996) y Elsa Martínez en la revisión de la traducción. En la tediosa elaboración de los índices participaron Horacio y Leticia Ramírez, y de manera muy especial Andrés Torres del CIDE. Agradezco asimismo la aportación de recursos para esta traducción que hiciera el Seminario Juan Calvino a través del Instituto Reformado de Investigaciones Teológicas.

Dr. Adolfo García de la Sienra

CONTENIDO

Prólogo   vii

Prefacio del traductor   ix

Introducción   1

    El movimiento nacional holandés   1
    Diálogo genuino y superficial   4

1   Las raíces de la cultura occidental   7

    La antítesis religiosa   7
    Materia y forma   15
    El imperio romano   23
    Creación, caída y redención   29

2   La soberanía de las esferas   41

    Creación y soberanía de las esferas   41
    Historia y soberanía de las esferas   51
    Autonomía y soberanía de las esferas   56

3   Historia, historicismo y normas   63

    El aspecto histórico   64
    El poder cultural   68
    La tradición   72
    Apertura y diferenciación   75
    Individualización e identidad nacional   84
    El juicio de Dios en la historia   86

4   La fe y la cultura   91

La estructura de la fe   91
La fe en una cultura cerrada   102
La apertura de una fe apóstata   107
La apertura de una cultura apóstata   108
El desafío radical de la Palabra de Dios   112

5 La gran síntesis   **115**

Escenario temprano   115
El motivo básico catolicorromano   119
La visión católica romana de la sociedad natural   125
La desintegración de la síntesis   141

6 El humanismo clásico   **153**

El motivo básico de la naturaleza y la libertad   153
Teorías políticas de la era moderna   161
Separación entre ciencia y fe   176

7 Redirección romántica   **181**

El nuevo ideal de la personalidad   181
La ideología de la comunidad   184
El nuevo ideal de la ciencia   188
Contrarrevolución y cristianismo   191

8 El surgimiento del pensamiento social   **195**

Nacimiento de la moderna sociología   195
Distinción entre Estado y sociedad   198
Sociedad civil y conflicto de clase   202
El concepto de clase   205
Estamentos y clases   208
Problemas básicos en la sociología   212

Índice de personas   **227**

Índice temático   **231**

INTRODUCCIÓN

EL MOVIMIENTO NACIONAL HOLANDÉS

El 12 de mayo de 1945 el Movimiento Nacional Holandés [*Nederlandse Volks-beweging*] hizo un llamado al pueblo holandés en un manifiesto que rechazaba decisivamente la antítesis cristiana —la oposición entre la creencia y la incredulidad— como principio de demarcación para la formación de partidos políticos en el periodo de la posguerra. Asentó esta convicción:

> La segunda guerra mundial significa el fin de una vieja era y el surgimiento de una nueva para todas las naciones. El mundo ha cambiado profundamente en lo económico, lo social, lo político y lo espiritual, y confronta al individuo y a la comunidad con nuevas exigencias.
>
> Para promover su propia comunidad nacional y mantener un lugar digno entre las naciones, el pueblo de los Países Bajos necesita sobre todo una renovación espiritual nutrida en los manantiales del cristianismo y del humanismo, los que siempre han sido nuestras fuentes de fortaleza.
>
> Fundamentales a esta lucha por la renovación debieran ser el respeto y la responsabilidad del hombre, el que sólo se puede desarrollar sirviendo a una comunidad fuerte, justa e inspirada (socialismo personalista).
>
> Toda área de la vida humana está sujeta a normas absolutas tales como la caridad, la justicia, la verdad, y el amor al prójimo. De acuerdo con el evangelio, estas normas están enraizadas en la voluntad de Dios. Sin embargo, también están enraizadas en convicciones distintas de la cristiana. De esto se sigue un rechazo incondicional a la nación, el Estado, la raza o la clase como el más alto bien colectivo; así como a toda coerción espiritual como instrumento para la formación de una comunidad.

El manifiesto enfatizaba particularmente este asunto:

> Es necesario en este tiempo el mayor consenso posible entre los varios grupos religiosos y políticos para aliviar nuestras urgentes necesidades, reparar lo destruido, eliminar la corrupción, poner en movimiento la producción nuevamente, y especialmente basar la autoridad gubernamental sobre una nueva confianza...

> Nuestra vida política nacional debe moverse por caminos diferentes de aquellos de antes de 1940. Específicamente, la antítesis cristiana y la lucha de clases marxista ya no son principos fructíferos para la solución de los problemas sociales de hoy...
>
> Se requiere urgentemente un tiempo de discusión abierta, de modo que la renovación espiritual se haga visible también en la arena política.

El llamado fue firmado por representantes de los más diversos puntos de vista y creencias. Sus nombres por sí mismos garantizaban la sinceridad y honestidad de este intento.

Uno puede suponer que el manifiesto dio expresión a las aspiraciones de muchos en un país que deseaba romper las antiguas barreras que mantenían dividida a nuestra nación, un deseo incitado del modo más poderoso por el profundo sufrimiento de un pueblo bajo la ocupación enemiga. Estas esperanzas y aspiraciones requerían una formulación. El llamado del Movimiento Nacional Holandés les ha dado desde luego una forma específica. En vez de una *antítesis* entre las cosmovisiones cristiana y humanista, el llamado recomendaba una *síntesis*. Llamaba a la unificación más que a la oposición absoluta, de modo que la fortaleza nacional holandesa, que había sido nutrida por las tradiciones espirituales tanto del cristianismo como del humanismo, pudiera ser reagrupada nuevamente en la unidad nacional.

El manifiesto indicaba que el "socialismo personalista" debiera ser el camino hacia la renovación espiritual de nuestra nación. La antigua antítesis, argumentaba, debía ser superada por el principio de que la solidaridad y la responsabilidad humanas sólo se desarrollan sirviendo a una comunidad fuerte, justa e inspirada. Según el llamado, los cristianos y los humanistas por igual pueden ponerse de acuerdo sobre esta base común. La suposición era que ni la antítesis cristiana ni el viejo dogma marxista socialista de la lucha de clases puede ya servir como un fundamento fructífero para la solución de los problemas sociales de hoy.

Cualquiera que pretendiera lo contrario para la antítesis cristiana debiera por lo tanto demostrar que la religión cristiana traza en verdad una línea divisoria permanente y de esencial significado no sólo para la fe personal, sino para toda la visión de la sociedad de uno. Específicamente, tendría que demostrar el significado de esta antítesis espiritual para la solución de los agudos problemas de la posguerra.

Esta carga de la demostración no será cosa fácil para aquellos que siguen asumiendo su posición sobre la base de la antítesis. Hay dos caminos abiertos para ellos. Podrían revertir la carga de la prueba al Movimiento Nacional Holandés, y pedirle que explique cómo es que este nuevo principio constituye un fundamento fructífero para la solución de los problemas sociales y al mismo tiempo elimina el viejo conflicto entre cristianismo y humanismo. Pero esta no es una actitud sana. Uno no puede esconderse tras la posición del oponente cuando uno demuestra el valor de los propios principios en la vida práctica.

Más bien, uno debe mostrar que desde los días de Groen van Prinsterer [1801-1876] y Abraham Kuyper [1837-1920] el principio de la antítesis cristiana ha sido una fuerza vital espiritual. Uno debe dejar en claro tanto a los aliados como a los oponentes que los cristianos no han simplemente confiado en la autoridad que estos líderes ejercieron, sino que han trabajado productivamente con su herencia espiritual. Pues si el espíritu que movió a Groen van Prinsterer y a Kuyper ya no vive entre sus presentes seguidores entonces una apelación a los principios teóricos que confesaron no tendría ningún provecho. Entonces estaríamos confrontados con una canonización desangelada de una tradición que temerosa se guarda del brote de renuevos en el tronco del pasado. Quizá los *slogans* y las palabras son las mismas, pero los que los profieren ya no están inspirados. El que escucha no puede dejar de detectar que los *slogans* ya no encarnan ninguna realidad espiritual para sus promotores.

¿Entonces, qué hemos de decir? Entre las ruinas de la existencia de nuestra nación y los escombros de la civilización occidental difícilmente podríamos tocar los tambores. Seguramente, este no es el momento para que los proponentes de la antítesis den el grito de batalla. La antítesis sólo puede ser *confesada*, como siempre, bajo el reconocimiento de la completa solidaridad de los cristianos y no cristianos por igual en el pecado y culpa de la humanidad, el mismo pecado y culpa que recientemente condujo al mundo hacia el borde de la destrucción.

Reconocemos que la antítesis pasa justo a través de la misma vida cristiana. Dondequiera: en la vida personal, en la vida de la familia cristiana, en las organizaciones cristianas y los grupos políticos, incluso en la iglesia cristiana, ha habido grata evidencia de genuina vitalidad. Pero han habido también alarmantes síntomas de apostasía, discordia y cisma. Hay signos del turbulento espíritu de las tinieblas que hace la guerra de las maneras más repugnantes contra el Espíritu de Cristo.

La antítesis no es, por lo tanto, una línea divisoria entre los grupos cristianos y los no cristianos. Es la incesante batalla entre dos principios espirituales que pasan a través de la nación y a través de toda la humanidad. No respeta los seguros patrones y estilos de vida construidos por los cristianos.

Si la idea cristiana de la antítesis está enraizada en el hombre, entonces es una invención de Satanás y una fuente de hipocresía y orgullo farisaico. Pero si el impacto de la antítesis todavía puede ser sentido como la batalla entre el Espíritu de Dios y el espíritu de las tinieblas, entonces debemos humildemente agradecer a Dios cada día por la gracia de sus continuos tratos con el mundo y confesar que los cristianos mismos no son particularmente responsables de los mismos.

Pues, seguramente, ¡el principio cristiano no es la posesión permanente de unos cuantos elegidos que puedan manipularlo como si fuera una colección de fórmulas mágicas! Por el contrario. Es una fuerza dinámica, espiritual, que no puede ser detenida. Aquellos que la encierran dentro de los límites fijos de la tradición son irrevocablemente dejados atrás. Aquellos que afirman ser conducidos por el principio cristiano son puestos directamente ante la faz de Dios, quien conoce nuestros corazones y consume toda insinceridad en el fuego de su ira. Hoy el principio cristiano nos llena por encima de todo con una profunda preocupación por el sufrimiento espiritual y físico de nuestra nación y del mundo entero, que ha pasado por el fuego del juicio de Dios.

¿Qué tan amplio es el alcance de la antítesis? ¿Está limitado a las secretas regiones del corazón humano, o traza también una línea de demarcación de principio en la vida temporal? ¿Está limitado a lo individual, o penetra también la sociedad temporal en la ciencia, la cultura, la política y la economía? Y si lo segundo es verdadero, ¿se halla la antítesis limitada a unas cuantas "áreas específicamente cristianas" o es su importancia *fundamental* y *universal*?

En otras palabras, ¿estaremos de acuerdo con el Movimiento Nacional Holandés en que la antítesis cristiana ya no es un principio fructífero, al menos para la solución de los problemas sociales contemporáneos? ¿Estaremos de acuerdo en que su importancia para la vida política y social ha sido transitoria e histórica? Esta es la cuestión crucial.

Este es el asunto decisivo con el que iniciaremos una discusión abierta con el Movimiento Nacional Holandés en una serie de artículos, con la esperanza de que beneficie a toda la nación holandesa. Enseñados por la experiencia, hemos decidido seguir un camino diferente de los que generalmente se han seguido en un diálogo de este tipo. Esperamos que el Movimiento Nacional Holandés nos seguirá en este camino en aras de la discusión, pues creemos que nuestro camino no permite otra alternativa. Puesto que este asunto es de fundamental importancia para el desarrollo espiritual de la nación, más que antes el pueblo holandés tiene el derecho de esperar respuestas claras y explícitas de aquellos que afirman ser capaces de proveer guía espiritual.

DIÁLOGO GENUINO Y SUPERFICIAL

La antítesis no fue inventada por Groen van Prinsterer y Abraham Kuyper. Todo el que viva la religión cristiana y entienda las escrituras sabe eso. A pesar de ello, incluso entre aquellos que confiesan a Jesucristo no prevalece ningún acuerdo con respecto al impacto de la antítesis en la vida temporal. Lo que es peor, parece que no se ha encontrado ningún camino para develar la *forma* del desacuerdo en la discusión acerca de este problema fundamentalmente importante.

Seguramente, entonces, la primera pregunta es esta: ¿qué debemos esperar de una discusión acerca del significado de la antítesis? ¿Debemos esperar meramente que se introduzcan dos opiniones y que se dé a cada participante la oportunidad de presentar un número de argumentos en favor de su punto de vista? ¿Debemos dejar al lector con la impresión de que aparentemente algo puede ser dicho en favor de cada posición? Me parece que de este modo poco o nada se gana. Este tipo de debate permanece superficial. Los argumentos en ambos lados sólo aparentemente se tocan entre sí, porque los puntos de partida más profundos, los que determinan el argumento, permanecen escondidos. En tanto estos puntos de partida mismos no sean ubicados en una luz clara y nítida, en confrontación entre sí, el contacto real es simplemente imposible. Es incluso concebible que aquellos que defienden sus puntos de vista no sean concientes de sus propios puntos de partida más profundos. En ese caso ciertamente la discusión entera nunca se mueve hacia el diálogo, y el escucha queda en la oscuridad con respecto a los principios básicos en juego.

La comunicación genuinamente fructífera sólo es posible cuando ambos puntos de vista se desarrollan conjuntamente y cuando ambos lados tratan de penetrar en la raíz de sus diferencias. Entonces la discusión exhibirá el carácter de un diálogo en el que las personas verdaderamente cooperan para lograr una clarificación mutua de los principios en juego. Sólo entonces puede el lector empezar a reflexionar sobre la pregunta fundamental de a qué lado unirse.

La segunda pregunta puede ser planteada en la forma de una objeción: ¿no es este tipo de discusión demasiado difícil para el lector medio? ¿No es más apropiada para una discusión *científica* que para una exposición popular dirigida a todo mundo?

El que argumente de este modo es todavía víctima de un fatal malentendido, que constituyó uno de los más grandes obstáculos para el contacto real entre las varias corrientes espirituales en nuestra nación antes de la guerra. Es muy equivocado pensar que la búsqueda de la fuente más profunda de nuestras diferencias acerca de la antítesis sólo es apropiada en una investigación *científica*. La más profunda fuente de nuestra visión de los asuntos fundamentales de la vida no yace en la teoría científica, sino en la dirección *religiosa* de nuestra vida. Este es un asunto que concierne a todo ser humano y que ciertamente no puede ser delegado exclusivamente a la esfera teórica de la academia.

Puede ser cierto que un segmento del público lector prefiere no ocuparse de los motivos más profundos de la vida y busque la discusión sólo en aras del entretenimiento, en vez de la compenetración. Pero esta actitud es difícilmente un criterio para distinguir a los lectores con entrenamiento científico de aquellos que tienen poco o ninguno. Es un hecho que entre los científicos hay también aquellos que preferirían *escapar de sí mismos* y encontrar algún tipo de "diversión". Desde luego, la experiencia me dice que muchos en los círculos académicos pertenecen a esta clase. Desafortunadamente, muchos ven el ámbito de la ciencia como un santuario donde piensan que pueden escapar de sí mismos mediante la "diversión" de la investigación teórica, la que en su opinión está muy desligada de la raíz más profunda de su vida. Y precisamente la situación opuesta se encuentra entre los que no han sido científicamente educados: hacen que se avergüence la superficialidad de los educados.

Como quiera que fuere, la "renovación espiritual" se ha convertido en un eslogan para el periodo de la posguerra. Prontamente lo adoptaremos. Si hemos de tomarlo seriamente, sin embargo, no debemos contentarnos con la *superficialidad,* sino que debemos buscar la renovación a *fondo.* Si el "diálogo" de la posguerra ha de contribuir a la renovación espiritual de nuestra nación, debe penetrar en esa dimensión profunda de la vida humana *donde uno ya no puede escaparse.* Es precisamente ahí donde debemos desenmascarar las varias visiones concernientes a la importancia y alcance de la antítesis. Sólo cuando los hombres no tengan nada que esconder de sí mismos y de sus contrapartes en la discusión se abrirá el camino a un diálogo que busque convencer más que repeler.

Cualquiera que desee seriamente empezar por este camino, no desechará rápidamente mi discusión bajo el pretexto de que es demasiado "pesada" como para que pueda ser digerida por el lector ordinario. Si este es el único camino que promete en última instancia tener resultados, entonces ningún esfuerzo necesario para un verdadero entendimiento mutuo de los varios puntos de vista debe ser considerado demasiado grande. Este camino es desde luego accesible a todo lector serio y no meramente a una selecta compañía de "intelectuales". *Es el camino del autoexamen y no el camino de la investigación teórica abstracta.*

I

LAS RAÍCES DE LA CULTURA OCCIDENTAL

LA ANTÍTESIS RELIGIOSA

Tomada por sí misma, la palabra 'antítesis' significa no más que "oposición". En una etapa temprana se le dio un significado especial en la filosofía, particularmente en el modo dialéctico de pensar. Esto debe ser considerado desde el principio para evitar un posible malentendido con respecto a una discusión del lugar de la antítesis.

LA ANTÍTESIS TEÓRICA

Hay algunos que piensan que el pensamiento dialéctico elimina toda antítesis absoluta. Según ellos, el método dialéctico supera y relativiza todo lo que sea contradictorio, incluyendo el cristianismo y el humanismo. No quiero decir que esta idea prevalezca en el Movimiento Nacional Holandés, pero indudablemente tiene adherentes en ciertos círculos intelectuales, especialmente aquellos orientados hacia Hegel.

El modo dialéctico de pensar, el cual se originó ya en la antigüedad griega, no se contenta con opuestos simples, lógicamente determinados, tales como *movimiento* y *reposo*. Intenta reconciliarlos en una unidad más alta. Esta unidad es entonces entendida como la síntesis o conexión entre una tesis y una antítesis. El gran pensador griego Platón, por ejemplo, encontró la síntesis más alta de movimiento y reposo en la idea de "ser", argumentando que ambos, con el mismo derecho, "son". Y es por supuesto verdad que en la realidad concreta, confinada en el tiempo, el movimiento y el reposo continuamente aparecen juntos.

Tomada en este estricto sentido teórico, 'antítesis' no significa más que la oposición lógica de lo que en la realidad está junto. La clave para esta antítesis es que debe reconocer una síntesis más alta. Aunque uno obtiene el concepto de movimiento oponiendo lógicamente el movimiento al reposo, una distinción lógica de este tipo no puede conducir a una división en la realidad misma, ni tampoco reflejarla.

Déjenme que explique más. La reflexión consistente del método dialéctico demuestra que conceptos mutuamente opuestos se hallan juntos en una relación mutua. En esta relación son correlatos unos de los otros; esto es, en ella un concepto no puede existir sin los otros. Sin el pensamiento de algo en reposo es imposible determinar el movimiento, y viceversa. La premisa aquí es que los opuestos que el método resuelve son *relativos* y no *absolutos*. El método debe proceder bajo esa suposición. Como tal, es meramente de carácter teórico. Ciertamente, el modo dialéctico de pensamiento es legítimo si, usando las herramientas del contraste lógico, busca la síntesis más alta de los opuestos *relativos*. Cuando se usa correctamente, el método ilustra que nada en la vida temporal es absoluto.

LA ANTÍTESIS RELIGIOSA

Pero el caso es muy diferente con la antítesis que ha sido establecida en el mundo a través de la fe cristiana. Esta antítesis pertenece a la relación entre la criatura y su creador, de modo que toca la raíz religiosa de toda la vida temporal.

La antítesis religiosa no permite una síntesis más alta. No permite, por ejemplo, que puntos de partida cristianos y no cristianos sean sintetizados teóricamente. ¿Dónde podemos encontrar en la teoría un punto más alto que pudiera abarcar dos posturas religiosas, antitéticamente opuestas, cuando que precisamente porque estas posturas son religiosas se levantan por encima de la esfera de lo relativo? ¿Puede uno encontrar tal punto en la filosofía? La filosofía es teórica, y en su constitución permanece confinada a la relatividad de todo pensamiento humano. Como tal, la filosofía misma necesita un punto de partida absoluto. Deriva esto exclusivamente de la religión. La religión le otorga estabilidad y anclaje incluso al pensamiento teórico. Aquellos que piensan que encuentran un punto de partida absoluto en el pensamiento teórico mismo llegan a esta creencia a través de un impulso esencialmente religioso pero, debido a la falta de un verdadero autoconocimiento, permanecen inconscientes de su propia motivación religiosa.

Lo absoluto tiene derecho a existir sólo en la religión. Acordemente, un punto de partida verdaderamente religioso, o bien reclama absolutez o bien se autoelimina. Nunca es meramente teórico, pues la teoría siempre es relativa. El punto de partida religioso penetra tras la teoría hacia el fundamento seguro, absoluto, de toda la existencia temporal y por lo tanto relativa. Del mismo modo, la antítesis que asienta es absoluta.

Para llegar al significado verdadero y decisivo de esta antítesis y, al mismo tiempo, penetrar en la fuente real de las diferencias de opinión concernientes a su importancia, es necesario tomar en cuenta los *motivos religiosos básicos* de la civilización occidental. Éstos han sido las fuerzas motrices más profundas tras el entero desarrollo cultural y espiritual de Occidente.

Uno puede señalar tal motivo básico en toda religión. Es una fuerza espiritual que actúa como el resorte principal absolutamente central de la sociedad humana. Gobierna todas las expresiones temporales de la vida desde el centro religioso de la vida, dirigiéndolas al verdadero o supuesto origen de la existencia. Imprime así no sólo una estampa indeleble en la cultura, la ciencia y la estructura social de un periodo dado, sino que determina profundamente la cosmovisión completa de uno. Si uno no puede señalar este tipo de poder cultural guía en la sociedad, un poder que presta una clara dirección al desarrollo histórico, entonces una crisis real amenaza los fundamentos de la cultura. Tal crisis está siempre acompañada del desarraigo espiritual.

Hay un espíritu directamente operativo en el motivo religioso básico. Es el del Espíritu de Dios o el de un ídolo. El hombre lo mira como el origen y fundamento inamovible de su existencia, y se pone a su servicio. No controla al espíritu, sino que el espíritu lo controla a él. Por lo tanto, la religión nos revela específicamente nuestra completa dependencia respecto de un poder más alto. Confrontamos este poder como siervos, no como amos.

De este modo, un motivo religioso básico es un motivo *comunal*. Un motivo básico nunca puede ser establecido a través de las concepciones y creencias personales de un individuo. El espíritu establece una comunidad y gobierna a sus individuos, incluso cuando no son plenamente conscientes de ese espíritu, o cuando no dan cuenta de él.

Finalmente, el motivo religioso básico nunca puede ser objeto de una ciencia especial (como la sicología social, por ejemplo). El análisis y la explicación científicos nunca penetran a la raíz espiritual y centro religioso de la vida comunal. Las ciencias especiales sólo tocan las "ramas" temporales de la vida: el sentimiento, el pensamiento, el arte, la moralidad, el derecho, la fe y así consecutivamente. Sólo abordan las expresiones temporalmente distintas de la vida. El punto de partida para la ciencia está gobernado por un motivo religioso básico; la ciencia, así, nunca es neutral con respecto a la religión.

LOS MOTIVOS RELIGIOSOS BÁSICOS
DE LA CULTURA OCCIDENTAL

El desarrollo de la cultura occidental ha sido controlado por varios motivos religiosos básicos. Estos motivos adquirieron su influencia central sobre el desarrollo histórico de la humanidad a través de ciertas potencias culturales que, a través de los siglos, sucesivamente ganaron el liderazgo en el proceso histórico. Las más importantes de estas potencias han sido el espíritu de la civilización antigua (Grecia y Roma), la cristiandad, y el humanismo moderno. Una vez que cada una hizo su entrada en la historia, continuó en tensión con las otras. Esta tensión nunca fue resuelta mediante una especie de "equilibrio de poderes" pues el desarrollo cultural, si ha de ser sostenido, siempre requiere de una potencia líder.

La potencia líder en la civilización griega clásica fue la *polis*, la ciudad-Estado griega. Fue la portadora de la nueva religión cultural de los dioses olímpicos. En los tiempos de la Roma clásica fue la *res publica*, la república romana, y posteriormente el emperador como la figura que personificaba la idea religiosa del *imperium*. La idea del *sacrum imperium* (el sacro imperio) permaneció en el periodo bizantino, habiendo sido acomodada externamente al cristianismo. La tradición del "Sacro Imperio Romano" continuó bajo el gobierno cristiano de Carlomagno y sus sucesores. Para ese tiempo los pueblos germánicos habían aceptado la herencia de la civilización antigua y habían adoptado la religión cristiana. Debe notarse que la adaptación del cristianismo a la idea romana de *imperium* hacia finales del siglo tercero significó una crisis en los fundamentos de la cultura antigua.

Durante la Edad Media la Iglesia católica romana se las arregló para asegurar el papel de líder. Estableció una cultura unificada, poniendo todas las esferas de la vida bajo el dominio de la iglesia.

Pero en el siglo quince, una vez que la férula de la iglesia sobre la vida se hubo debilitado durante el decaimiento espiritual de la Edad Media tardía, el surgimiento del moderno movimiento renacentista anunció el declive de la iglesia y la siguiente gran crisis cultural. Cuando el contenido del motivo religioso básico del Renacimiento se transformó por la emergencia del humanismo, el componente clásico de la cultura occidental empezó a separarse de la guía de la iglesia. Al mismo tiempo, el gran movimiento de la Reforma desafió el poder eclesiástico del catolicismo romano, si bien desde una posición con principios diferentes.

Entretanto, en los países que se mantuvieron en gran medida fieles a la iglesia, el catolicismo romano reagrupó sus fuerzas en la Contrarreforma. Creó un espacio para la absorción de la cultura del Renacimiento, así como previamente se había adaptado a la civilización clásica. En los países protestantes, el liderazgo cultural pasó temporalmente a la Reforma.

Gradualmente, sin embargo, hizo su aparición una nueva dirección en el desarrollo de la civilización occidental. Tanto el catolicismo romano como la Reforma fueron desplazados como factores culturales líderes por el humanismo moderno. Inicialmente, el humanismo se había alineado parcialmente del lado de la Reforma y parcialmente del lado del catolicismo romano. Pero en la Ilustración rompió completamente con la fe de la iglesia cristiana. Entonces empezó a desplegar sus verdaderos colores y se convirtió en la fuerza cultural líder en el Occidente. Desde luego, el humanismo no eliminó ni el catolicismo romano ni la Reforma como factores en el desarrollo histórico y cultural; continuaron funcionando parcialmente en un esfuerzo por oponerse a la nueva cosmovisión que había transformado el cristianismo en una religión racional, personal, y parcialmente en un esfuerzo por sintetizar el cristianismo con las nuevas ideas humanistas que estaban moldeando la historia. Pero a diferencia de lo que antes ocurrió, no pudieron imprimirle a la civilización occidental el sello del cristianismo. La lucha de poder por el *espíritu* de la cultura puso al catolicismo romano y al protestantismo a la defensiva por cerca de tres siglos. Durante ese tiempo el liderazgo estuvo en manos del humanismo.

Pero en las últimas décadas del siglo diecinueve la cosmovisión humanista entró en un proceso general de debilitamiento. De este decaimiento emergieron las potencias culturales antihumanistas (marxismo, darwinismo, la doctrina nietzscheana del superhombre), las cuales pusieron al mismo humanismo a la defensiva. Este cambio en los eventos pregonó un periodo tremendo de transición en la historia del mundo y detonó una feroz batalla por el liderazgo espiritual de la cultura occidental. Su resultado final todavía no se decide.

La primera guerra mundial, junto con el bolchevismo, el fascismo y el nacionalsocialismo, han acelerado en gran medida la degeneración interna del humanismo. El fascismo y el nacionalsocialismo combatieron la "ideología" humanista con sus religiosos "mitos del siglo veinte". El reaccionario e intensamente anticristiano poder del fascismo y el nacionalsocialismo fue roto por la segunda guerra mundial, al menos en el terreno político. No obstante, la crisis espiritual que se asentó mucho antes de la guerra no ha sido superada. Ahora la "nueva era" exhibe los rasgos de la confusión espiritual por doquier. Uno no puede apuntar todavía en una dirección definida que el desarrollo cultural vaya a seguir en el futuro próximo.

En esta aparentemente caótica etapa de transición las potencias más antiguas y espiritualmente consolidadas de Occidente, el catolicismo romano y la Reforma, han entrado nuevamente al combate espiritual. Esta vez pelean con armas modernas. Su meta no es meramente defender los fundamentos cristianos de la civilización moderna, sino reclamar el liderazgo para un futuro que es todavía desconocido y poco prometedor.

LA DIALÉCTICA RELIGIOSA

El desarrollo de los sistemas políticos, las estructuras sociales, las ciencias y las artes occidentales demuestra, una y otra vez, que todas las expresiones públicas de la sociedad dependen de potencias culturales espiritualmente dominantes.

Con mucho, son cuatro los motivos religiosos que han chocado en la historia occidental. Tres son internamente dualistas y fragmentarios. Su discordia empuja la postura vital de uno hacia extremos opuestos que no pueden resolverse en una verdadera síntesis. Llamamos a estos extremos "opuestos polares" porque son dos polos espiritualmente "cargados" que chocan dentro de un mismo motivo básico. Cada polo porta la semilla de una *dialéctica religiosa*.

Para analizar el significado de la "dialéctica religiosa" debemos contrastar nítidamente una vez más la antítesis teórica con la religiosa. A modo de orientación, recordemos brevemente nuestra anterior discusión. Observamos que las dos antítesis son enteramente diferentes. Notamos que la antítesis teórica es relativa mientras que la antítesis religiosa es absoluta. Concluimos que cualquier intento por resolver una antítesis absoluta con el método de la dialéctica teórica descansa sobre la ilusión de que existe una posición más alta fuera de la religión.

La dialéctica teórica se ocupa de opuestos relativos. En tanto que estos opuestos están conectados en una unidad más alta, resisten cualquier esfuerzo por parte del pensamiento teórico por absolutizarlos. Así, por ejemplo, la proposición de que el movimiento y el reposo se excluyen mutuamente de modo absoluto no tiene sentido; no es difícil determinar que el movimiento y el reposo simplemente hacen visible a la misma realidad temporal en dos modos diferentes. En vez de excluirse, se presuponen mutuamente. Su mutua dependencia apunta hacia un tercer elemento en el cual los dos están unidos, aunque sean mutuamente excluyentes desde un punto de vista puramente lógico.

La tarea de la dialéctica teórica es conducir en el pensamiento a una oposición lógica hacia una síntesis más alta. En ello se encuentra su justificación. El que alcance o no exitosamente esta síntesis depende de su punto de partida, el cual está gobernado por un motivo religioso básico.

La verdadera antítesis religiosa es establecida por la revelación que se encuentra en la Palabra de Dios. Venimos a entender esta revelación cuando el Espíritu Santo devela su significado radical y cuando obra redentivamente en la raíz de nuestra existencia caída. La clave de la revelación de Dios es el motivo religioso básico de la Sagrada Escritura. Este motivo resume el poder de la Palabra de Dios, la cual, a través del Espíritu Santo, no sólo revela al verdadero Dios y a nosotros mismos en profundidad inconmensurable, sino que convierte y transforma la raíz religiosa de nuestras vidas, penetra las expresiones temporales de la vida y nos instruye en la redención. El motivo básico bíblico, el cuarto en el desarrollo de la cultura occidental, consiste en la triada de creación, caída y redención a través de Jesucristo en comunión con el Espíritu Santo.

El motivo básico bíblico no es una doctrina que pueda ser elaborada teológicamente aparte de la guía del Espíritu de Dios. La teología por sí misma no puede descubrir el verdadero significado del motivo básico escritural. Si insiste en afirmarlo, se levanta contra la obra de Dios y se convierte en un poder satánico. La teología vuelve impotente la autorrevelación de Dios si reduce el motivo religioso básico de la revelación a un sistema teórico. Como ciencia, la teología también es totalmente dependiente de un motivo religioso básico. Si se sustrae al poder impulsor de la revelación divina cae en las garras de un motivo básico no cristiano, idólatra.

Desde el principio, la Palabra de Dios se halla en absoluta antítesis con toda forma de idolatría. La esencia de un espíritu idólatra es que separa al corazón del hombre del verdadero Dios y lo reemplaza con una criatura. Al deificar lo creado, la idolatría absolutiza lo relativo y considera como autosuficiente lo que no es autosuficiente. Cuando esta absolutización aparece en la ciencia, no es la ciencia misma, sino un impulso religioso lo que conduce al pensamiento teórico en una dirección idólatra. Como lo hemos enfatizado repetidamente, la ciencia siempre está determinada por un motivo religioso básico.

La dialéctica religiosa surge cuando un motivo religioso básico diviniza y absolutiza una parte de la realidad creada. Esta absolutización llama, con necesidad interna, los *correlatos* de lo que ha sido absolutizado; esto es, la absolutización de algo relativo simultáneamente absolutiza el opuesto o contraparte de lo que es relativo, puesto que una parte relativa de la creación necesariamente está relacionada con la otra. El resultado es una dialéctica religiosa: una polaridad o tensión entre dos extremos dentro de un mismo motivo básico. Por una parte, el motivo básico se rompe en pedazos; sus dos motivos antitéticos, cada uno reclamando la absolutez, se cancelan mutuamente. Pero, por otra parte, cada motivo también determina el significado religioso del otro, puesto que cada uno está necesariamente relacionado con el otro.

Debido a que es religiosa, la dialéctica religiosa trata desesperadamente de deshacerse de esta correlatividad. Sin cesar, impulsa al pensamiento y a la práctica de la vida de polo a polo, en la búsqueda de una síntesis más alta. En esta búsqueda, busca refugio en uno de los principios antitéticos dentro del motivo básico, dándole prioridad religiosa al mismo. Concomitantemente, rebaja y desprecia el principio opuesto. Pero la ambigüedad y la fragmentación del motivo dialéctico básico no le dan acceso a la reconciliación en una unidad verdaderamente más alta; la reconciliación está excluida por el motivo básico mismo. Finalmente debe hacerse una elección.

La dialéctica religiosa, en otras palabras, enreda a la vida y a la teoría en una dialéctica que es totalmente incomprensible, cuando se mide con la vara de la dialéctica teórica. A diferencia de la dialéctica teórica, la dialéctica religiosa carece de base para una síntesis real.

Que nadie trate de corregir, por lo tanto, la dialéctica religiosa mediante la dialéctica teórica —el método intentado por la escuela hegeliana. Ese enfoque es una forma totalmente acrítica de pensamiento dialéctico porque, en la raíz de su sobrestimación de la dialéctica teórica, yace una dialéctica religiosa oculta al pensador mismo. Es ciertamente verdadero que los dos motivos en un motivo básico dialéctico no son más que correlatos en la realidad temporal; no obstante, en el motivo básico se hallan en una antítesis absoluta entre sí. El impulso religioso de un espíritu idólatra absolutiza a ambos. Esta fuerza religiosa nunca puede ser controlada o corregida mediante una mera compenetración teórica.

Otro tipo de dialéctica religiosa surge cuando uno intenta lograr una síntesis religiosa entre el motivo básico del cristianismo y el motivo básico de la antigüedad clásica o el humanismo. En tal eventualidad, la tensión entre los dos polos antitéticos es diferente de la tensión dentro de un motivo básico estrictamente idólatra. Se origina en el esfuerzo por resolver la antítesis absoluta adaptando mutuamente la revelación divina y la idolatría. Su adaptación mutua requiere que ambas bajen de tono el significado original, puro, de sus motivos básicos. Pero la antítesis entre ellos permanece en efecto y continuamente aparta los dos motivos de esta aparente síntesis.

Aquellos que defienden esta síntesis frecuentemente reconocen la antítesis cristiana hasta cierto punto, por lo menos en las "esferas" de la fe y la religión. Generalmente, sin embargo, se hace una distinción entre los asuntos específicamente cristianos de la vida temporal, que involucran directamente a la fe cristiana, y los así llamados asuntos neutrales que no lo hacen. O, por contraste, ocasionalmente un motivo básico parcialmente cristiano es estructurado de tal modo que el polo cristiano controla casi completamente el polo no cristiano adaptado. Entonces, desde luego, se reconoce la importancia universal de la antítesis. No obstante, la antítesis hubiera sido entendida de modo diferente si el motivo básico escritural hubiera prevalecido completamente. Este es el caso del catolicismo romano, que desde el principio procuró asimilar el motivo básico griego (y luego el humanista) al cristianismo. El mismo malentendido surge cuando aquellos cuya vida y pensamiento han sido alimentados por la Reforma, se aferran al motivo básico del catolicismo romano.

La cuestión central en esta dialéctica religiosa es la *seudosíntesis* que, una y otra vez, amenaza con desbaratarse en una absoluta división u oposición entre "areas de la vida" cristianas y no cristianas. Debemos sujetar todos los intentos tales de síntesis a una investigación exhaustiva pues aquí, y sólo aquí, yace la real fuente del desacuerdo entre cristianos con respecto al alcance de la antítesis.

ADVERTENCIA FINAL

Cuatro motivos religiosos han controlado el desarrollo de la cultura occidental. Debemos enfocarnos en cada uno sucesivamente, pues no es posible penetrar al núcleo de las cuestiones actuales sobre la antítesis hasta que uno vea qué fuerzas religiosas han estado operando en nuestra cultura y entienda cómo estas fuerzas han sido centrales en la resolución de los problemas prácticos de la vida.

Debo advertir una vez más contra un posible malentendido. No vamos a involucrarnos en un discurso académico avanzado. Lo que está en juego en la cuestión de la antítesis es la relación entre religión y vida temporal. Éste no es un asunto puramente teórico de interés solamente para los teóricos. Puesto que la antítesis toca el más profundo nivel de nuestra existencia como seres humanos, es un problema que concierne a todos. Quien lo delegue a la teoría elude su responsabilidad personal. Uno no puede esconderse de uno mismo detrás de una ciencia impersonal, pues las únicas respuestas que la ciencia da a las cuestiones de la vida están religiosamente sesgadas.

La antítesis va a ser "discutida". Que sea una discusión seria. Esto no es posible si no estamos dispuestos a penetrar en los más profundos impulsos que determinan los puntos de vista. Ni es posible tampoco si lo que parezca ajeno y extraño en las motivaciones religiosas de nuestros prójimos es dejado de lado como siendo "irrelevante" o "de interés quizá meramente teórico". En un diálogo serio debemos apoyarnos lealmente unos a otros. Quizá algunos no estén conscientes de sus motivos más profundos en la vida; si es así, entonces debemos ayudar a sacar esos motivos a la luz. Nosotros, a la vez, debemos estar dispuestos a aprender de nuestros oponentes, puesto que somos responsables tanto por nosotros como por ellos.

Finalmente, cuando tracemos los motivos religiosos de la cultura occidental, debemos recordar constantemente que nos conciernen personalmente. Somos hijos de esta cultura; nos ha prohijado, criado y moldeado. Con mucho, el hombre moderno no ha considerado los motivos religiosos básicos de la cultura occidental ni su origen. Incluso en los círculos cristianos éstos han sido tomados demasiado a la ligera. Desafortunadamente, sin embargo, la falta de reflexión crítica sobre los fundamentos religiosos del desarrollo cultural es una de las causas más profundas del alejamiento entre las diferentes corrientes espirituales confrontadas en nuestro marco cultural. Es esencial para el bienestar de la cultura contemporánea que las raíces religiosas de sus varias corrientes sean develadas y exploradas.

MATERIA Y FORMA

Los motivos religiosos básicos en el desarrollo de la civilización occidental son básicamente los siguientes:

1. El motivo básico "forma-materia" de la antigüedad griega en alianza con la idea romana de *imperium*.

2. El motivo escritural básico de la religión cristiana: creación, caída, y redención a través de Jesucristo en comunión con el Espíritu Santo.

3. El motivo básico catolicorromano "naturaleza-gracia", el cual busca combinar los dos mencionados arriba.

4. El moderno motivo básico humanista "naturaleza-libertad", en el cual se intenta traer los tres motivos previos a una síntesis religiosa concentrada en el valor de la personalidad humana.

Es absolutamente necesario considerar el motivo básico griego primero puesto que, a pesar de sus modificaciones, continuó operando tanto en el catolicismo romano como en el humanismo.

Aunque el famoso filósofo griego Aristóteles fue el primero en acuñar el término "forma-materia", el motivo básico "forma-materia" controló el pensamiento y la civilización griegos desde el comienzo de las ciudades-Estado griegas. Se originó en el conflicto, irresuelto dentro de la conciencia religiosa griega, entre el motivo básico de las antiguas religiones de la naturaleza y el motivo básico de la más reciente religión cultural —la religión de las deidades olímpicas.

EL MOTIVO MATERIA

Fuera de su núcleo griego primigenio, las religiones de la naturaleza contuvieron mucho de origen pregriego e incluso extranjero. Estas religiones difirieron grandemente en los rituales locales y en su contenido fídico específico. La reconstrucción de todas las formas tempranas de las religiones de la naturaleza es en buena medida un trabajo de conjetura, debido a la falta de información,* pero está claro que al menos desde el principio de la así llamada era histórica (la era documentada por los registros escritos) el motivo básico comunal de estas religiones mantuvo una gran influencia sobre la cultura griega.

Lo que estaba en juego en este motivo básico era la deificación de un informe flujo de vida cíclico. De este flujo emergieron las formas individuales de planta, bestia y hombre, las cuales maduraban, perecían y volvían nuevamente a la vida. Debido a que el flujo de vida repetía sin cesar su ciclo y retornaba a sí mismo, todo lo que tuviera forma individual estaba destinado a desaparecer. El culto de la tribu y sus ancestros estaba completamente entretejido con esta concepción religiosa. Estrechamente relacionada con esta creencia estaba su visión del tiempo: el tiempo no era lineal, como en la moderna concepción de Newton, sino cíclico.

---

* Para algunos resultados ver Werner Jaeger, *La teología de los primeros filósofos griegos* (México: Fondo de Cultura Económica, 1992) y F. M. Cornford, *From Religion to Philosophy* (Princeton: Princeton University Press, 1991). [N. del T.]

Misteriosas fuerzas operaban en este flujo vital. No seguían su curso de acuerdo con un orden racional que pudiera ser trazado, sino de acuerdo con el *Anangké* (destino ciego, incalculable). Todo lo que tuviera vida propia estaba sujeto a él. Lo divino no era, así, una forma o personalidad concreta. Por el contrario, los dioses de la naturaleza eran siempre fluidos e invisibles. Los nombres materiales usados para indicarlos eran igual de indefinidos que las informes divinidades mismas. En vez de una deidad unificada, una incontable multiplicidad de potencias divinas, ligadas con una gran variedad de fenómenos naturales, fueron incorporadas en muchas concepciones fluidas y variables de deidades. El estado de variación constante se aplicaba no sólo a los dioses "menores" (los así llamados demonios: potencias síquicas informes) y a los "héroes" (adorados en conexión con la deificación de la vida en la tribu y la familia), sino con igual fuerza a los dioses "grandes" tales como Gaia (la madre tierra), Urano (dios de los cielos), Démeter (diosa del grano y el crecimiento) y Dionisio (dios del vino).

En este contexto, es comprensible que el surgimiento de formas individuales relativamente durables en la naturaleza fuera considerado como una injusticia. De acuerdo con el misterioso dicho del filósofo Jónico de la naturaleza Anaximandro (siglo sexto A.C.), estas formas individuales "encontrarían retribución en el curso del tiempo". Con una variante genuinamente griega del dicho de Mefistófeles en el *Fausto* de Goethe, uno podría expresar este pensamiento como sigue: "Denn alles, was ensteht,/Ist wert, daß es zugrund geht" (Pues todo lo que viene a ser/Merece perecer miserablemente).[1]

Por otra parte, es también comprensible que en esta religión de la naturaleza la fe de uno en la continuidad del divino flujo de la vida proporcionaba un cierto consuelo con respecto a la destrucción de toda la vida individual definida, visiblemente configurada y formada. La "madre tierra" mantenía esta religión; a partir de ella el flujo de la vida comenzaba su ciclo.

EL MOTIVO FORMA

La más nueva religión de la cultura, por otra parte, era una religión de la forma, la medida y la armonía. Se convirtió en la religión oficial de la ciudad-Estado griega, la cual estableció el Monte Olimpo como uno de los primeros centros religiosos nacionales de la historia. Los dioses olímpicos dejaron atrás a la "madre tierra" y su ciclo vital. Fueron dioses inmortales y radiantes de la forma: fuerzas culturales invisibles, personales e idealizadas. El Monte Olimpo era su hogar. Eventualmente la religión cultural encontró su expresión griega más alta en el dios délfico Apolo, el legislador. Apolo,

---

[1] *Goethe's Faust* [*El Fausto de Goethe*], trad. e intr. de Walter Kaufmann, edición bilingüe (Garden City: Doubleday & Company, 1961), líneas 1339, 1340.

dios de luz y señor de las artes, fue desde luego el supremo dios cultural griego.

Esta nueva religión, que recibiera su más espléndida formulación en la poesía heroica de Homero, trató de incorporar la antigua religión en su propio motivo básico de la forma, la medida y la armonía. Estuvo particularmente preocupada con poner un freno al culto salvaje y apasionado de Dionisio, el dios del vino, con el principio normativo de la forma que caracterizaba el culto a Apolo. En la ciudad de Delfos, Apolo (cultura) y Dionisio (naturaleza) se hicieron hermanos. Dionisio perdió su salvajismo y adoptó un papel más serio como el "cuidador de las almas".

Temprano en este periodo de transición, los antiguos "clarividentes" y poetas teólogos griegos (Hesíodo y Homero) buscaron convencer al pueblo de que los olímpicos mismos habían evolucionado a partir de los informes dioses de la naturaleza. La enseñanza de Hesíodo concerniente a la genealogía de los dioses, la cual influenció profundamente el pensamiento filosófico griego subsecuente, proporcionó al motivo básico de las más antiguas religiones de la naturaleza una formulación abstracta general: el principio básico de todo lo que viene a ser es el *caos* y la *carencia de forma*.

Pero la conexión interna entre la religión cultural y las más antiguas religiones de la naturaleza es más evidente en el peculiar papel jugado por la *Moira*. Originalmente, la *Moira* no era sino el antiguo *Anangké* de las religiones de la naturaleza: destino inexorable revelándose en el ciclo de la vida. Pero posteriormente fue adaptado un tanto al motivo forma de la religión cultural. *Moira* se relaciona con *meros*, una palabra que significa "parte" o "porción que se comparte". Entre los dioses olímpicos la *Moira* se convirtió en el destino que asigna a cada una de las tres más importantes deidades una "porción" o ámbito: los cielos a Zeus, el mar a Poseidón y el submundo a Hades (Plutón). Esto ya implicaba algo de propósito en vez de destino ciego. La *Moira* de hecho se convirtió en un principio de orden. Su orden, sin embargo, no se originaba en los dioses olímpicos, sino en una potencia divina más antigua, impersonal e informe. Así, la *Moira* todavía revelaba su ego original oscuro y siniestro cuando decretaba el destino de la muerte para los mortales. Incluso Zeus, señor del Olimpo, padre de dioses y hombres, era impotente ante la *Moira* (aunque a veces Homero designaba a Zeus como dispensador del destino). La *Moira*, el destino que mantenía la muerte para todas las formas individuales de la vida, era incalculable, ciega, pero no obstante irresistible.

LA TENSIÓN DIALÉCTICA

En este punto, donde ambas religiones se unieron en el tema de la *Moira*, la religión de la cultura reveló una coherencia dialéctica indisoluble con las religiones de la naturaleza. La religión de la cultura es inexplicable sin el trasfondo de las religiones de la naturaleza. Con necesidad intrínseca, el motivo básico de la religión cultural atrajo a su contraparte. La *Moira* era la expresión del conflicto irreconciliable entre ambas religiones. En la conciencia religiosa de los griegos este conflicto fue el acertijo irresoluto puesto en el centro tanto de la tragedia como de la filosofía. Del mismo modo, fue la amenazante antípoda del ideal cultural y político griego.

Ya hemos visto que la nueva religión cultural del Olimpo y las enseñanzas poéticas concernientes al origen de los dioses buscaban reconciliar los motivos antitéticos de las más antiguas religiones de la naturaleza y la más nueva religión de la cultura. Estos intentos fallaron por al menos tres razones, la primera de las cuales es decisiva.

1. La más nueva religión cultural desatendió las más profundas cuestiones de la vida y la muerte. Los dioses olímpicos protegían al hombre sólo en tanto estuviera sano y vigorosamente vivo. Pero tan pronto como el oscuro *Anangké* o la *Moira*, ante la cual incluso el gran Zeus era impotente, decidía el destino de muerte para un mortal, los dioses se retiraban:

> Pero la muerte es un destino que viene a todos por igual. Ni siquiera los dioses pueden mantenerla retirada de un hombre al que aman, una vez que el destino destructivo [*Moira*] de la muerte justiciera se ha asegurado de él.[2]

2. La religión cultural olímpica, a la que Homero dotó de forma mitológica, entró en conflicto con los estándares morales de los griegos. Incluso aunque los dioses olímpicos sancionaban y protegían la moralidad griega, los olímpicos mismos vivían más allá del bien y del mal. Fornicaban y robaban. Homero glorificaba el engaño en tanto que expresara la manera grandiosa de los dioses.

3. El entero arreglo espléndido de los dioses se hallaba demasiado lejos de la gente ordinaria. El mundo homérico de los dioses encajó en la civilización griega sólo durante su era feudal, cuando la relación entre Zeus y los otros servía como una perfecta analogía a la del señor y sus poderosos vasallos. Pero, una vez que pasó el feudalismo, el mundo divino perdió todo contacto con el pueblo común. Desde entonces sólo encontró apoyo en la históricamente formativa *polis* griega, la portadora de la cultura. Los años críticos de transición entre el feudalismo micénico y las guerras pérsicas marcaron una crisis religiosa. Las ciudades-Estado griegas resistieron la tremenda prueba brillantemente. Nilsson, el bien conocido especialista de la

---

[2] *The Odyssey of Homer* [*La Odisea de Homero*], trad. e intr. de Richmond Lattimore (New York: Harper & Row, 1965) 3:236-238.

religión griega, caracterizó esta crisis como un conflicto entre un movimiento extático (mítico) y un movimiento legalista.[3] El primero revivió y reformó las antiguas religiones suprimidas y el segundo, habiendo encontrado su representativo típico en el poeta teólogo Hesíodo, se puso del lado de la religión cultural olímpica.

A la luz de estas razones, es comprensible que los griegos observaran los antiguos ritos de las religiones de la naturaleza en privado, pero rindieran culto a los olímpicos como dioses oficiales del Estado en público. Esto explica también por qué los impulsos religiosos más profundos del pueblo se orientaron al "culto de los misterios", pues en este culto las cuestiones de la vida y la muerte eran centrales. Es por ende no sorprendente que la religión de la cultura en su forma homérica empezara a perder su vigor ya en el siglo sexto A.C. La crítica contra la misma se hizo cada vez más abierta en los círculos intelectuales y los sofistas, los pensadores griegos "ilustrados" del siglo quinto, disfrutaron de relativa popularidad, aunque hubo una reacción contra ellos en los juicios legales que trataron con el "ateismo".

El motivo básico dialéctico permaneció inconmovido por doquier. Nacido del encuentro entre las más antiguas religiones de la naturaleza y la más reciente religión olímpica de la cultura, este motivo básico mantuvo su vitalidad incluso después de que los mitos habían sido socavados. En los círculos filosóficos fue capaz de revestirse con las prendas de los credos que respondían a las necesidades religiosas de los tiempos. El viejo conflicto continuó caracterizando este motivo religioso básico; el principio del ciego destino, gobernando el flujo eterno de todas las formas individuales en el flujo cíclico de la vida, confrontó el principio de la forma sobrenatural, racional e inmortal, no gobernada por el flujo del devenir.

El mismo conflicto encontró aguda expresión en la escuela órfica, fundada por el legendario poeta y cantor Orfeo. Esta escuela, básicamente un movimiento de reforma religiosa, logró gran influencia en la filosofía griega. Siguiendo las antiguas religiones del flujo de la vida, los órficos rendían culto a Dionisio. Éste era, sin embargo, un Dionisio renacido. Después de que los titanes lo hubieron devorado, el Dionisio original, el indomado dios del vino, reapareció en forma personal como el hermano gemelo de Apolo, el dios olímpico de la luz. La transfiguración de Dionisio ilustra la nítida distinción en la religión órfica entre la vida en los cielos estrellados y la vida en la oscura tierra, la cual se movía en los ciclos de nacimiento, muerte y renacimiento.

La visión órfica de la naturaleza humana claramente expresaba la discordia interna del motivo básico griego. En un tiempo, según los órficos, el

---

[3] Muy probablemente, Dooyeweerd se refiere al capítulo seis (Misticismo y legalismo) del clásico libro de Martin P. Nilsson *A History of Greek Religion* (Nueva York: Norton & Company, 1964). El libro apareció originalmente en 1925.

hombre tuvo un alma inmortal, racional. Se originó en los cielos de luz, más allá del mundo. Pero en un cierto punto el alma cayó en la oscura tierra y quedó aprisionada o confinada en un cuerpo material. Este aprisionamiento del alma significaba que el alma estaba sujeta al ciclo constante del nacimiento, la muerte y el renacimiento. No era sino hasta que había sido limpiada de la contaminación de la materia que el alma podía cesar sus migraciones de cuerpo a cuerpo (incluyendo los cuerpos animales) y regresar a su verdadero hogar: la esfera divina, imperecedera, de la luz estelar. Como declara la inscripción órfica encontrada en Petelia: "Soy un hijo de la tierra y del cielo estrellado/Pero el cielo es mi hogar".

La esfera imperecedera de la luz en los cielos apunta a la combinación en la religión órfica del motivo de la cultura con la así llamada religión uránica de la naturaleza que rendía culto al cielo y a sus cuerpos dadores de luz. Como las más antiguas religiones de la naturaleza, la religión uránica no tenía noticia de una forma inmortal. Incluso el radiante sol surgía de la tierra y retornaba a su regazo después de su ocaso. El movimiento órfico transfirió el concepto olímpico de inmortalidad divina a las sustancias racionales del alma que hacen su hogar en el cielo estrellado. El alma tenía una forma imperecedera pero no los cuerpos terrenales, sujetos al ciclo del incesante flujo de la corriente de la vida. Claramente, el contraste religioso entre la forma y la materia determinó esta entera concepción del "alma" y el "cuerpo".

El motivo griego de la materia, el informe principio del devenir y el decaer, estuvo orientado al aspecto del movimiento en la realidad temporal. Le dio al pensamiento griego y a toda la cultura griega un aire de oscuro misterio que es extraño al pensamiento moderno. El motivo griego de la cultura, por otra parte, estuvo orientado al aspecto cultural de la realidad temporal ("cultura" significa esencialmente la libre conformación de la materia). Constantemente dirigió el pensamiento a una forma extrasensorial del ser, imperecedera, que trascendía el flujo cíclico de la vida.

La idea griega de *theoria* (pensamiento filosófico) estuvo estrechamente ligada al motivo de la cultura. La forma del ser no podía ser captada en un mero concepto, sino que requería la *contemplación* como una figura luminosa, suprasensible. Esta fue también una típica tendencia griega que nos es ajena en su sentido original. Así como los dioses olímpicos sólo podían ser concebidos como figuras imperecederas de luz ubicadas por encima de la percepción sensorial, así también el "ser inmutable" sólo podía ser concebido como una forma radiante. La *theoria* siempre fue contemplación dirigida hacia una forma de ser invisible e imperecedera que contenía lo divino. Desde el principio, el pensamiento filosófico griego se presentó como el camino hacia el verdadero conocimiento de dios. Ató la creencia a la esfera de la *doxa* (opinión incierta), la cual pertenecía a la percepción sensorial.

La forma y la materia estuvieron inseparablemente conectadas dentro del motivo religioso básico griego. Cada una presuponía a la otra y determinaba su sentido religioso. La tensión dialéctica entre ellos empujaba al pensamiento griego a extremos polares y lo forzaba a moverse en dos direcciones radicalmente conflictivas, las que no obstante revelaron una solidaridad más profunda en el motivo básico mismo. La concepción griega de la naturaleza (*physis*) de las cosas, por ejemplo, estuvo determinada por esta tensión. Los griegos vieron la naturaleza a veces como una forma puramente invisible y a veces como una animada corriente fluida de la vida, pero más frecuentemente como una combinación de ambas. De igual modo, esta tensión configuró la comunidad griega de pensamiento y cultura. La filosofía griega, que tan profundamente influenció la escolástica católicorromana, no puede ser entendida si se deja fuera de consideración este motivo básico. Lo mismo vale para el arte, la vida política y la moralidad griegas.

La conexión entre el motivo religioso básico griego y la idea griega del Estado puede servir como ilustración. En la era clásica de la civilización griega el Estado estaba limitado a la pequeña área de la ciudad-Estado (*polis*). La ciudad-Estado era la portadora de la religión cultural griega y por ende del ideal cultural griego. Un griego era verdaderamente humano sólo como un libre ciudadano de la *polis*. La *polis* dio forma a la existencia humana; fuera de esta influencia formativa la vida humana permaneció atascada en el salvajismo del principio materia. Todos los no griegos eran bárbaros. No fueron plenamente humanos puesto que carecían de la impronta de la formación cultural griega.

Las ideas de la ciudadanía mundial y de la igualdad natural de todos los hombres fueron lanzadas considerablemente más tarde en la filosofía griega por los cínicos y los estoicos. Estas ideas no fueron de origen griego. Fueron esencialmente hostiles a la idea griega del Estado y ejercieron poca influencia sobre ésta. El ala radical de los sofistas fue igualmente antagónica. Guiada por el motivo materia griego, le declaró la guerra a la ciudad-Estado. Incluso más radicalmente extraña al griego clásico fue la confesión cristiana de que la raíz comunitaria religiosa de la humanidad trasciende los límites de raza y nación.

El ideal griego de la democracia que emergió victorioso en la cultura jónica fue muy diferente del ideal democrático del moderno humanismo. La democracia en Grecia estuvo limitada a un pequeño número de "ciudadanos libres". Frente a ellos se encontraba una masa de esclavos y habitantes de las ciudades carentes de derechos. La "libertad" consistía en el total involucramiento en los asuntos del Estado, y la "igualdad" significaba sólo que la posesión de capital no era un prerrequisito para la plena ciudadanía. El trabajo y la industria eran despreciados y dejados a los trabajadores y los esclavos. Pronto toda aristocracia, sea material o espiritual, se volvió sospechosa y sujeta a toda suerte de reglamentaciones confinantes.

La idea de la soberanía de las esferas fue por ende completamente ajena a la mente griega. Enraizada en la concepción cristiana de que ninguna esfera social singular puede abarcar la totalidad de la vida del hombre, la soberanía de las esferas implica que cada esfera en la sociedad tiene una tarea y competencia dada por Dios, que están limitadas por la naturaleza intrínseca de la esfera. La idea griega del Estado, sin embargo, fue básicamente totalitaria. De acuerdo con su motivo religioso básico, demandó la lealtad del hombre entero. O, más bien, el hombre se volvía verdaderamente entero sólo como un ciudadano activo y libre. Toda la vida tenía que servir a esta ciudadanía, pues sólo ella concedía una forma cultural divina y racional a la existencia humana. El Estado griego, realizado en la ciudad-Estado "democrática", no fue fundado sobre el principio de que la autoridad del Estado está inherentemente limitada por su naturaleza interna. Tampoco fue gobernada por el principio de que el hombre tiene derechos inalienables frente al cuerpo político. Los griegos sólo tenían garantías formales contra el despotismo.

EL IMPERIO ROMANO

La cultura griega se convirtió en una cultura mundial cuando Alejandro Magno, el discípulo real de Aristóteles, creó el imperio macedonio. Este imperio (el *imperium*), el cual abarcaba desde Grecia hasta la India, tenía poca conexión con la pequeña ciudad-Estado. Conforme iba surgiendo, ciertos motivos religiosos orientales empezaron a mezclarse con motivos griegos. Alejandro hizo uso de la creencia asiática en la divina ascendencia de los monarcas para legitimar y dar sanción divina al imperio mundial grecomacedonio. Permitió que se le rindiera culto como a un *heros*, un semidiós, y posteriormente como a un dios pleno. De Oriente a Occidente, de Grecia a la India, el culto a Alejandro fue agregado a los cultos existentes. En 324 A.C., Atenas decidió incluir a Alejandro entre las deidades de la ciudad como Dionisio. El culto a Alejandro fue el fundamento de la idea religiosa del *imperium*, la cual se convirtió en la fuerza motriz tras la conquista romana del mundo y continuó en una forma cristianizada con la idea germánicorromana del *sacrum imperium*, el "Sacro Imperio Romano", después de la caída de Roma.

La idea religiosa del *imperium* se prestó a una combinación con el motivo básico de la cultura griega. No fue por casualidad que Alejandro fuera venerado como Dionisio en Atenas. Notamos antes que el culto de Dionisio expresaba el motivo materia de las más antiguas religiones de la naturaleza, el informe flujo vital moviéndose en el ciclo del nacimiento, la muerte y el renacimiento. Es incluso probable que este culto haya sido originalmente importado del Asia. En cualquier caso, la concepción fatalista del ciclo de la vida que impartía muerte a todo lo que existía en forma individual era eminentemente apropiada a la deificación del monarca como señor sobre la vida y la muerte. El monarca pronto exhibió el mismo poder misterioso que Dionisio, el demonio, el alma dinámica de la siempre fluyente corriente de la vida. Impulsado por un gobernante deificado, el *imperium* vino a estar rodeado de una especie de aura mágica. Al igual que combatir al inexorable destino de la muerte, era inútil resistir al *imperium*. La idea del *imperium* ya estaba bien establecida en la cultura helenista cuando, después de la muerte de Alejandro, su imperio mundial se resquebrajó, dando lugar a varios grandes reinos que eventualmente cedieron ante el poder de Roma.

Conforme el imperio romano se expandía, era comprensible que el motivo religioso básico de la cultura griega influenciara la cultura romana. Los romanos ya se habían familiarizado con los griegos cuando éstos conquistaron el sur de Italia. Los griegos habían establecido colonias ahí y habían llamado a esa parte de la península itálica *Magna Græcia*. Después de que los romanos ocuparon Grecia adaptaron el culto de sus propios dioses a la religión cultural griega. Más aún, la religión romana de la vida, que rendía culto a la vida comunal en la tribu y el clan, tenía mucho en común con las más antiguas religiones griegas de la naturaleza. Finalmente, la idea religiosa del *imperium* encontró un suelo fértil entre los conquistadores romanos.

EL MOTIVO DEL PODER

El motivo del poder penetró profundamente en el mundo del pensamiento romano. Sin embargo, no se encarnó en la persona de un gobernante antes de que el emperador Augusto reemplazara la antigua forma republicana de gobierno. Incluso entonces, sin embargo, la deificación del oficio del emperador fue asociada primeramente con la práctica romana común de culto a los ancestros. El emperador Tiberio, sucesor de Augusto, todavía se resistió a la veneración de un emperador vivo y sólo permitió el culto de su predecesor. Pero después de él el infame Calígula eliminó esta restricción y el gobernante existente vino a ser venerado como un dios.

En la conciencia religiosa de los romanos la deificación del *imperium* fue la contraparte y antípoda de la tendencia típicamente jurídica de su culto a los ancestros. El culto romano era sobrio y al estilo de un negocio. Tenía una severa inclinación jurídica. Los dioses del Estado tenían su propia esfera de competencia junto a los antiguos dioses del hogar y la tierra, que representaban la continuidad de la vida familiar a través de las generaciones. Las demandas de ambas esferas sobre los sacrificios y el culto fueron precisamente definidas y balanceadas.

El motivo religioso del poder y la ley impregnó plenamente la antigua ley civil (*ius civile*) del tribalismo romano. Este motivo descansó sobre una estricta delimitación jurídica de las diferentes esferas de autoridad. Cada esfera era religiosamente sagrada e inviolable. El gran clan patricio (*gens*) definió la esfera de autoridad, centrada en la vida comunal religiosa de la familia. Con la cabeza del clan como sacerdote, la familia deificó y rindió culto a sus ancestros. Esta esfera fue cuidadosamente distinguida de la esfera de autoridad perteneciente a la tribu romana (*civitas*), donde los dioses tribales públicos mantenían un inviolable equilibrio religioso. Cuando en el curso del tiempo el Estado romano como la *res publica* lentamente se separó de esta estructura social todavía primitiva e indiferenciada, el poder de los grandes clanes patricios se rompió. Los clanes entonces se disolvieron en esferas más estrechas de autoridad: las *familiæ* romanas o las comunidades domésticas.

La *familia* no era como nuestra familia moderna. Como el viejo *gens*, la familia era indiferenciada. Desplegó los rasgos de muchas esferas sociales diferentes que *divergen* en comunidades bien definidas, tales como la familia, el Estado, la industria y la iglesia, en una cultura más altamente desarrollada. Uno podría comparar esta estructura indiferenciada con la falta de especialización en animales inferiores tales como los gusanos, que no desarrollan órganos específicos para las varias funciones de la vida. Cada *familia* era una comunidad familiar, una unidad económica, un Estado en miniatura, y una comunidad de culto. Por sobre todo, fue la encarnación de la autoridad religiosa de los dioses del hogar, quienes representaban la comunión entre los miembros vivos y los muertos de la *familia*. La cabeza de la *familia* era usualmente el varón más anciano miembro de la misma, el *pater familias*, quien ejercía el poder de vida y muerte sobre todos —sobre su esposa, sus hijos, sus esclavos, y sus así llamados dependientes. También presidía como sacerdote.

La esfera de autoridad del *pater familias* era jurídicamente distinta de la del poder del Estado. Era religiosamente inviolable y absoluta y el Estado no podía interferir en ella. Su base territorial era la parcela de suelo italiano sobre la que estaba situada la *familia*, así como la esfera de autoridad del clan patricio más antiguo había estado basado en las tierras pertenecientes al clan. Sobre este pedazo de tierra que, bajo invocación solemne al dios Término, había sido ceremonialmente marcado con mojoneras, el *pater familias* tenía derechos de absoluta propiedad y uso exclusivo. Esta propiedad no era en lo absoluto como nuestro moderno derecho civil de propiedad, que es estrictamente un derecho a la propiedad y no incluye ninguna autoridad sobre las personas. El derecho a la propiedad absoluta sustentado por el *pater familias* romano estaba enraizado en la esfera de autoridad religiosa de la *familia*. Para aquellos que pertenecían a las tierras ancestrales era una autoridad que disponía de su vida y su muerte. Era exclusiva y absoluta. En esta aún indiferenciada forma de propiedad, la autoridad legal y los derechos de propiedad estaban indisolublemente ligados. El *pater familias*, por ejemplo, tenía poder para vender a los niños y esclavos que residían bajo su jurisdicción.

El Derecho civil romano (*ius civile*) nunca puede ser entendido aparte del motivo religioso básico de la cultura romana. Por ejemplo, este motivo permeó las leyes contractuales de la sociedad romana. Los cabezas de hogar eran iguales entre sí; ninguno tenía jurisdicción sobre el otro. Pero si uno entraba en deuda con otro y no pagaba su deuda de inmediato, entonces se establecía un contrato (*obligatio*). Originalmente esto significaba que el deudor era introducido dentro de la jurisdicción religiosa del acreedor. Una fórmula legal prescrita describía la severidad del castigo. El pago (*solutio*) lo libraba de esta esfera de poder que, como un vínculo mágico (*vinculum*), lo mantenía cautivo. Si no pagaba, entonces su persona entera pasaba al acreedor.

Como la germánica y otras antiguas leyes civiles, la ley civil romana (*ius civile*) era exclusiva. Hacía que dependiera el entero *status* legal de uno de la membresía en el *populus* romano. La expulsión de la comunidad resultaba en la pérdida total de los derechos legales de uno. Un extranjero tampoco tenía derechos y sólo podía asegurar su protección jurídica ubicándose bajo la tutela de un *pater familias* romano, quien lo admitía en la familia como "dependiente".

LEY PRIVADA Y LEY PÚBLICA

Cuando Roma se convirtió en un imperio surgió la necesidad de una ley más universal que pudiera aplicarse a las interrelaciones privadas tanto entre ciudadanos como entre extranjeros. Esta ley universal, el *ius gentium* era lo que hoy llamaríamos la ley civil de los romanos. No estaba ya más atada a la esfera religiosa de autoridad de la *gens* o *familia* indiferenciada. Elevó a toda persona libre, independientemente de su nacimiento o nacionalidad, al *status* de un sujeto legal, un *status* que lo dotó tanto con derechos como con obligaciones. Creó una esfera de libertad personal y autodeterminación que ofreció un saludable contrapeso a la jurisdicción de la comunidad (tanto el Estado como la *familia*). Fue producto del proceso de diferenciación en la antigua sociedad romana. Ciertamente el Estado romano como la *res publica*, aunque fundado sobre el poder de la espada, tuvo el bien público como meta cuando reconoció frente a sí mismo una esfera civil legal de libertad para la personalidad individual, en la que el individuo podía perseguir sus intereses privados.

Entonces la ley pública, como la esfera interna de jurisdicción en el Estado romano, empezó a distinguirse, de acuerdo con su *naturaleza interna*, de la ley civil, privada. Esta distinción ya había aparecido en la antigua ley civil (*ius civile*) pero, en tanto que la comunidad romana estaba aún indiferenciada, la ley privada y la pública no podían distinguirse conforme a su *naturaleza interna*. Ambas estaban enraizadas en una esfera religiosa de autoridad que, debido a su carácter absoluto, abarcó la entera vida temporal de sus subordinados. Ambas tenían potestad de vida y muerte. La diferencia entre ellas dependía estrictamente de quién o qué portaba la autoridad. Si era la comunidad romana, uno estaba sujeto a la esfera de la ley pública; si era el *pater familias*, uno estaba sujeto a la esfera de la ley privada. Este indiferenciado estado de vida comunal no hacía lugar ni a una ley constitucional ni a una ley personal, civil, diferenciada. Toda la ley era ley civil. Las diferencias dentro de esta ley se debían a diferencias respecto a quién ejercía la autoridad.

El desarrollo de una ley civil universal común a todas las gentes libres presentó a los legisladores romanos con un profundo problema religioso. La ley universal (*ius gentium*) no podía basarse sobre la autoridad religiosa del antiguo *gens*, la *familia* o la comunidad romana. ¿Dónde podían, entonces, encontrarse sus principios básicos? Aquí la filosofía griega proveyó asistencia con su doctrina de la ley natural (*ius naturale*). La ley natural no residía en las instituciones humanas, sino en la misma "naturaleza".

La filosofía estoica (influenciada por el pensamiento semítico) había introducido en el pensamiento griego la idea de la libertad e igualdad naturales de todos los hombres. Había roto con los estrechos límites de la *polis*. Los fundadores de la filosofía estoica vivieron durante el periodo cuando la cultura griega se volvió cosmopolita bajo el imperio macedonio. Su pensamiento acerca de la ley natural, sin embargo, no estaba determinada por la idea religiosa del *imperium*, sino por la antigua idea de una así llamada edad de oro. Esta edad, una edad sin esclavitud o guerra y sin distinción entre griego y bárbaro, había sido perdida por el hombre debido a su culpabilidad. La doctrina estoica de una ley natural absoluta se retrotraía a esta prehistórica edad de oro. Para los estoicos, todos los hombres eran libres e iguales ante la ley de la naturaleza.

Los juristas romanos basaban este *ius gentium* sobre esta *ius naturale*. Al hacerlo, hicieron un descubrimiento sobresaliente. Descubrieron los principios permanentes que se hallan en la base de la ley civil conforme a su propia naturaleza: la libertad civil y la igualdad de las personas como tales. La ley civil no es ley comunal y no puede convertirse en ley comunal sin distorsionar su esencia. Como dice uno en los tiempos modernos, la ley civil se funda sobre los derechos del hombre. El *ius gentium* romano, que todavía legitimaba la esclavitud, llevó a efecto estos principios sólo en parte, pero la doctrina del *ius naturale* y los principios puros de la ley civil vivían en la conciencia de los juristas romanos.

Hacia el fin de la Edad Media, la mayoría de los países germánicos de la Europa continental adoptaron esta ley romana como suplemento a la ley de la tierra. Fue así como se convirtió en una influencia duradera en el desarrollo de la ley occidental. El hecho de que el nacionalsocialismo resistiera esta influencia y proclamara el retorno a la ley civil germana en su mito de "la sangre y el suelo" sólo prueba el carácter reaccionario del régimen de Hitler. Fue incapaz de ver que el auténtico significado de la ley civil actúa como una contrafuerza a la presión aplastante de la comunidad sobre la libertad privada de la persona individual. Pero el proceso de socavamiento de la ley civil, que aún está con nosotros, empezó mucho antes de que surgiera el nacionalsocialismo.

El *ius gentium* romano fue un don de la gracia común de Dios a la cultura occidental. Los juristas romanos desarrollaron magistralmente su forma con una gran sensibilidad hacia las necesidades prácticas. Muchos principios profundos del Derecho nos son tan familiares hoy debido a que la moderna ley civil vino a expresarse aquí. Algunos de estos principios son la buena fe (*bona fide*) en las relaciones contractuales, la equidad y la protección de las buenas costumbres. Sin embargo, el motivo religioso básico de la cultura grecorromana mantuvo continuamente amenazado este fruto bendito de la gracia común de Dios. La ley civil romana estuvo a merced del motivo religioso de poder que había gobernado el desarrollo de la ley romana desde el principio. La libertad personal fue limitada por las exigencias del imperio. La ley civil ponía a la persona individual directamente en contra del todopoderoso mecanismo del Estado romano. Dentro de esta esfera privada de la libertad, el individuo estuvo opuesto al Estado, lo cual iba a promover el "bien común" del *imperium* romano.

La idea cristiana de la soberanía de las esferas diferenciadas de la vida fue tan extraña a los romanos como lo fue a los griegos. ¿Cómo podría la persona individual mantener su libertad privada ante el Leviatán romano? No fue por casualidad que la libertad individual pronto cayera víctima de la absoluta autoridad del *imperium*. Ciertamente este no fue el caso cuando Roma floreció. En ese tiempo uno encontraba una nítida demarcación entre la esfera del Estado y la esfera de la libertad individual. Esencialmente, sin embargo, esto sólo se debió al hecho de que la antigua *familia* indiferenciada aún se mantenía. En la estructura de la familia se encontraba la antigua división entre la autoridad religiosa absoluta e impenetrable del cabeza de hogar (*pater familias*) y la autoridad del Estado romano. A lo largo de la duración del imperio romano la *familia* continuó protegiendo la libertad de comercio e industria. Los talleres y plantaciones en Italia y más allá pertenecían a la *familia* y por ende caían fuera de la interferencia del Estado. Los romanos ricos eran así capaces de mantener las plantaciones con grandes números de esclavos. Esta delimitación mecánica de la jurisdicción privada y pública naturalmente condujo a una explotación capitalista del trabajo; la libertad personal era comprada por la cabeza del hogar.

En los días de los emperadores bizantinos (empezando en la última parte del tercer siglo A.D.), la idea grecoriental del *sacrum imperium* avanzó aún más. Esto significó el fin de la libertad civil para el individuo. Los griegos no tenían noticia de la *familia* romana, y la idea de marcar su jurisdicción religiosamente frente a la del Estado les era extraña. En esta época fue destruido el único baluarte de la idea romana de libertad. Fue reemplazada por un absolutismo estatal irrestricto, contra el cual ni siquiera el *ius gentium* pudo ofrecer resistencia. El comercio y la industria fueron atados con la camisa de fuerza de la estructura estatal romana, la cual estableció una "economía guiada" estrictamente jerárquica. Todo el mundo se convirtió en un empleado público. Después de que Constantino el Grande aceptara la fe cristiana, este absolutismo incluso subordinó a la iglesia cristiana al Estado. La iglesia se convirtió en una "iglesia estatal". Al estilo cristiano, el divino gobernante del mundo se autodenominó "César por la gracia de Dios", pero reclamó una absoluta autoridad temporal, incluso sobre la doctrina cristiana. El "cesaropapado" fue el fruto del motivo grecorromano de poder.

CREACIÓN, CAÍDA Y REDENCIÓN

El segundo motivo básico que conformó el desarrollo de la cultura occidental es el motivo de la creación, caída, y redención a través de Jesucristo en la comunión con el Espíritu Santo. La religión cristiana introdujo este motivo en el Occidente en su significado escritural puro como un nuevo motivo religioso comunitario.

EL MOTIVO DE LA CREACIÓN

Ya en su revelación de la creación, la religión cristiana se encuentra en una antítesis radical con el motivo religioso básico de la antigüedad griega y la grecorromana. A través de su integridad (abarca todas las cosas creadas) y radicalidad (penetra a la raíz de la realidad creada), el motivo de la creación se da a conocer como auténtica Palabra-revelación divina. Dios, el creador, se revela como el origen absoluto, completo e integral de todas las cosas. Ningún poder igualmente original se sostiene ante él a la manera en que el *Anangké* y la *Moira* (destino ciego) se sostuvieron contra los dioses olímpicos. Por ende, dentro del mundo creado uno no puede encontrar una expresión de dos principios contradictorios de origen.

Influenciada por su motivo de forma y materia, la filosofía griega no podía hablar de una creación real. Nada, argumentaron los griegos, puede provenir de la nada. Algunos pensadores griegos, notablemente Platón, sostuvieron que el mundo del devenir era el producto de la actividad formativa de un espíritu racional divino; pero, bajo la presión del motivo básico de la religión cultural, esta formación divina sólo podía ser entendida conforme al patrón de la formación cultural humana. Con Platón, por ejemplo, la mente divina, el Demiurgo, era el gran arquitecto y artista que concedía al mundo su existencia. El Demiurgo requería material para su actividad de formación. Debido a la influencia del motivo griego de la materia, Platón creía que este material era enteramente informe y caótico. Su origen no se encontraba en la Razón divina, puesto que el Demiurgo era sólo un dios de la forma o la cultura. El Demiurgo no crea; simplemente provee a la materia con una forma divina. La materia retenía el autodeterminante *Anangké* o destino ciego, el cual era hostil al divino trabajo de formación. En el famoso diálogo *El Timeo* de Platón, que trata del origen del mundo, el divino logos controlaba el *Anangké* meramente mediante la persuasión racional.

El mismo principio fue expresado por el gran poeta Esquilo. En su tragedia *Oresteia*, *Anangké* perseguía a Orestes por matricidio; Orestes había matado a su madre porque ella había asesinado a su padre. Del mismo modo, para Aristóteles, el gran discípulo de Platón, la forma pura era la mente divina (*nous*), pero la *Anangké*, que permeaba la materia, era todavía la causa peculiar de todo lo anómalo y monstruoso en el mundo.

Los primeros filósofos de la naturaleza dieron prioridad religiosa al motivo materia. Platón y Aristóteles, sin embargo, trasladaron la prioridad religiosa al motivo de la forma. Para ellos la materia no era divina. No obstante, el dios de la forma racional no era el origen de la materia. El dios de la forma no era el origen integral, único del cosmos. En ello yace el carácter apóstata de la idea griega de dios.

La noción griega de dios fue el producto de una absolutización de lo relativo. Surgió de una deificación ya sea del aspecto cultural, o del aspecto del movimiento de la creación. Estuvo así en una *antítesis absoluta* con la revelación de Dios en la Biblia y con Dios mismo, el creador del cielo y de la tierra. Consecuentemente, no es posible una síntesis entre el motivo creación de la religión cristiana y el motivo forma-materia de la religión griega.

La autorrevelación de Dios como creador de todas las cosas está inseparablemente ligada a la revelación de quién es el hombre en su relación fundamental con su creador. Al revelar que el hombre fue creado a imagen de Dios, Dios le reveló al hombre la identidad de éste en la unidad radical religiosa de su existencia como criatura. El significado completo del mundo temporal está *integralmente* (*i.e.* completamente) atado a y concentrado en esta unidad.

De acuerdo con su orden creado, Jehová es reflejado criaturalmente en el corazón, alma o espíritu del hombre.* Éste es el centro religioso y raíz espiritual de la existencia temporal del hombre en todos sus aspectos. Así como Dios es el origen de toda la realidad creada, así la plenitud de la existencia temporal fue concentrada en ese origen en el corazón del hombre antes de la caída en el pecado. Por lo tanto, en conformidad con el plan

---

* Dooyeweerd distingue el alma en sentido síquico del espíritu del hombre, pero por razones expositivas y polémicas que se verán más adelante (cuando discuta la distinción tradicional entre alma y cuerpo) aquí se permite usar 'alma' como sinónimo de 'espíritu' o 'corazón'. En lo subsecuente, el contexto hará evidente cuando la palabra 'alma' deberá entenderse como 'espíritu'. [N. del T.]

original de Dios, la vida humana en todos sus aspectos y relaciones debía estar dirigida hacia su origen absoluto, en una total autorrendición en el servicio de amor a Dios y al prójimo. Como dijera el apóstol Pablo: "Si, pues, coméis o bebéis, o hacéis otra cosa, hacedlo todo para la gloria de Dios".**

La Escritura nos enseña no sólo que el corazón o espíritu es el centro religioso de la entera existencia individual y temporal del hombre, sino también que cada hombre es creado en la comunidad religiosa de la humanidad. Ésta es una comunidad espiritual; es gobernada y mantenida por un espíritu religioso que funciona en la misma como una fuerza central. De acuerdo con el plan de la creación, este espíritu es el Espíritu Santo mismo, el cual conduce al hombre a la comunión y compañerismo con Dios.

No sólo la existencia temporal de los seres humanos, sino del mundo temporal entero fue concentrada en el servicio a Dios en esta comunidad religiosa radical. Dios creó al hombre como *señor* de la creación. Los poderes y potenciales que Dios había *encerrado* dentro de la creación iban a ser *abiertos* por el hombre en su servicio de amor a Dios y al prójimo. Por ende, en la caída de Adán en el pecado, el mundo temporal entero se separó de Dios. Este es el significado de la apostasía. La tierra fue maldita por causa del hombre. En vez del Espíritu de Dios, el espíritu de la apostasía empezó a gobernar la comunidad de la humanidad y, con ella, a toda la realidad temporal.

En contraste con la humanidad, ni los elementos inorgánicos, ni los reinos de plantas y animales tienen una raíz espiritual o religiosa. Es el hombre el que hace completa su existencia temporal. Para pensar en su existencia aparte del hombre, uno tendría que eliminar todas las propiedades lógicas, culturales, económicas, estéticas y demás, que las relacionan con el hombre. Con respecto a los elementos inorgánicos y las plantas, uno incluso necesitaría eliminar su capacidad de ser vistas. La visibilidad objetiva sólo existe en relación a la percepción visual potencial que muchas criaturas no poseen.

A lo largo de estas líneas los modernos materialistas, sobrestimando el modo de pensar científico natural, matemático, trataron muy seriamente de captar la esencia de la naturaleza completamente aparte del hombre. La naturaleza, pensaron, no era más que una constelación de partículas estáticas de materia determinadas enteramente por las leyes mecánicas del movimiento. Se les olvidó que las fórmulas matemáticas, que parecen captar la esencia de la naturaleza, presuponen el lenguaje y el pensamiento humanos. No reconocieron que todo concepto de los fenómenos naturales es un asunto humano y un resultado del pensar humano. La "naturaleza" aparte del hombre no existe. En un intento por captar la "naturaleza" uno empieza con una

---

** I Corintios 10:31. Se utiliza la versión Reina-Valera, revisión de 1960. [N. del T.]

abstracción de la realidad dada. Esta abstracción es una actividad lógica y teórica que presupone el pensamiento humano.

De modo semejante, la posición cristiana escolástica, influenciada por el pensamiento griego, sostuvo que los elementos inorgánicos, las plantas y los animales, poseían una existencia propia aparte del hombre. Los escolásticos argumentaron que las así llamadas "sustancias" materiales dependían sólo de Dios para su sustentamiento. Pero, a la luz de la revelación de Dios concerniente a la creación, esto tampoco puede mantenerse. En el orden de la creación, la visibilidad objetiva, las características lógicas, la belleza, la fealdad, y otras propiedades sujetas a evaluación humana, están necesariamente relacionadas con la percepción sensorial humana, con la conceptualización humana, con los estándares humanos de belleza, etcétera. Tanto los primeros como los segundos son creados. Consecuentemente, no pueden ser adscritos a Dios el creador. Dios relacionó todas las cosas temporales con el hombre, la última criatura en llegar a ser. La realidad temporal llega a ser plenamente real en el hombre.

El motivo escritural de la creación trastorna así nuestra visión de la realidad temporal. Corta de raíz toda visión de la realidad que surja de un motivo básico dualista idólatra, que postule dos orígenes de la realidad y así la divida en dos partes opuestas.

Jehová Dios es integralmente, esto es totalmente, el origen de todo lo creado. La existencia del hombre, creado a imagen de Dios, está integralmente, esto es totalmente, concentrada en su corazón, alma o espíritu. Y este centro de la existencia es la unidad religiosa radical de todas las funciones del hombre en la realidad temporal —sin excepción. Del mismo modo, toda otra criatura en la realidad temporal es integral y completa. No está confinada dentro de los pocos aspectos abstraídos por las ciencias naturales (número, espacio, movimiento) sino que en su relación con el hombre está abarcada por todos los aspectos de la realidad. La totalidad del mundo temporal (y no meramente algunas partes abstraídas) tiene su unidad radical en la comunidad religiosa de la humanidad. Por ende, cuando se separó el hombre de Dios, también lo hizo toda la realidad temporal.

LA VISIÓN ESCRITURAL DEL ALMA Y EL CUERPO

En los años previos a la segunda guerra, se debatió ferozmente en los círculos Reformados la cuestión relativa a cómo hemos de entender el alma humana en relación con el cuerpo a la luz de la Palabra de Dios. Los argumentos que rodearon a esta cuestión sólo pueden entenderse con referencia a la antítesis absoluta entre el motivo básico escritural y el motivo religioso básico del pensamiento griego.

Quizá algunos lectores se pregunten impacientemente por qué dedico tanta atención al motivo básico de los griegos. Si es verdad que nuestra moderna cultura occidental surgió de los conflictos y tensiones de cuatro motivos religiosos básicos, entonces es simplemente imposible ilustrar al lector con respecto a la importancia de la antítesis para hoy, si no se pone en claro que el presente sólo puede ser entendido a la luz del pasado. Las doctrinas más fundamentales de la religión cristiana, incluyendo la creación, la caída y la redención, todavía están influenciadas por el motivo religioso básico de la Grecia antigua. El motivo básico griego todavía causa contienda y división entre los cristianos de hoy, y es por lo tanto imperativo que le dediquemos nuestro tiempo y atención.

El lector mismo debe penetrar al fondo de los problemas pertenecientes a la antítesis. Al hacerlo, gradualmente verá que la religión cristiana misma libra una batalla de vida o muerte en contra de todos los tipos de motivos religiosos básicos. En todo asunto fundamental de nuestros tiempos, estos motivos tratan de asir el alma del hombre moderno. Una batalla brama en contra de aquéllos que concientemente rechazan el motivo cristiano básico y también en contra de aquéllos que de tiempo en tiempo le roban su fortaleza intrínseca, al acomodarlo con motivos básicos no escriturales. Es una batalla entre el espíritu de la religión cristiana y el espíritu de la apostasía. Es también una batalla que pasa a través de las filas cristianas y a través del alma de cada creyente.

¿Qué es el alma? ¿Es ésta una pregunta que sólo la sicología puede responder? Si es así, ¿por qué ha considerado la iglesia cristiana necesario hacer pronunciamientos concernientes a la relación entre "alma" y "cuerpo" en sus confesiones? Quizá, uno podría argumentar, las confesiones de la iglesia abordan la imperecebilidad, la inmortalidad del alma, y la resurrección del cuerpo en el juicio final, mientras que la sicología filosófica trata con la cuestión de qué sea realmente el "alma". Esto, sin embargo, pone a la iglesia cristiana en una posición extrañamente contradictoria. ¿Qué si la sicología llega a la conclusión de que un alma distinta del cuerpo no existe? ¿O qué si la sicología da una teoría elaborada concerniente a la "esencia del alma" que está completamente orientada al motivo básico de la filosofía griega, o a la cosmovisión del humanismo moderno? ¿No construye la iglesia cristiana sobre arena si honra las construcciones filosóficas del alma predicadas sobre los conceptos de "inmortalidad" e "imperecebilidad"? Desde su comienzo, la teología escolástica trató de empujar a la iglesia hacia esta posición intrínsecamente contradictoria, al permitir la concepción griega del alma en las confesiones católicorromanas. Pero la antítesis radical entre el motivo básico de la Santa Escritura y el motivo básico de la "sicología" griega no puede ser superada. Cualquier concepción del cuerpo y el alma que esté determinada por el motivo forma-materia griego, no puede sostenerse ante la faz de la revelación concerniente a la creación, la caída y la redención.

La cuestión relativa a qué hemos de entender por "alma" o "espíritu" o "corazón" pregunta dónde encuentra la existencia humana su unidad religiosa radical. Es por lo tanto una cuestión religiosa, no una cuestión teórica o científica. Agustín una vez hizo la observación de que en cierto sentido el alma es idéntica a nuestra relación religiosa con Dios. El alma es el foco religioso de la existencia humana, en la cual se concentran todos los rayos temporales, divergentes. El prisma del tiempo rompe la luz de la cual provienen estos rayos.

En tanto mantengamos nuestra atención sobre nuestra existencia temporal, no podemos descubrir nada más que una aturdidora variedad de aspectos y funciones: número, espacio, movimiento, funciones orgánicas de la vida, funciones de sentimiento emocional, funciones lógicas de pensamiento, funciones de desarrollo histórico; funciones sociales, linguales, económicas, estéticas, diquéticas,* morales y fídicas.** ¿En dónde en medio de estas funciones yace la más profunda unidad de la existencia humana? Si uno estudia continuamente la diversidad temporal de las funciones correspondientes a los diferentes aspectos de la realidad, investigados por las ciencias especiales, uno nunca arriba al verdadero autoconocimiento. La mirada de uno permanece dispersa en la diversidad. Uno sólo puede obtener genuino autoconocimiento mediante la concentración religiosa, cuando juntamos la totalidad de nuestra existencia, la cual diverge dentro del tiempo en una multiplicidad de funciones, y la enfocamos en nuestra relación auténtica y fundamental con Dios, quien es el origen y creador absoluto y único de todo lo que es.

Debido a la caída, sin embargo, el hombre ya no puede lograr este verdadero autoconocimiento. El autoconocimiento, de acuerdo con la Escritura, es completamente dependiente del verdadero conocimiento de Dios, el cual el hombre perdió cuando los motivos básicos apóstatas tomaron posesión de su corazón. El hombre fue creado a imagen de Dios, y cuando el hombre perdió el verdadero conocimiento de Dios también perdió el verdadero conocimiento de sí mismo.

Un motivo básico apóstata fuerza a un hombre a verse en la imagen de su ídolo. Por esta razón, la "sicología" griega nunca concibió la unidad religiosa radical del hombre y nunca penetró en lo que es verdaderamente llamado el "alma", el centro religioso de la existencia humana. Cuando el motivo materia dominó el pensamiento griego, el alma fue vista meramente como un principio vital informe e impersonal, atrapado en el flujo de la vida. El motivo materia no reconoció la "inmortalidad individual". La muerte era el fin del hombre como un ser individual. Su fuerza vital individual era destruida, de tal modo que el gran ciclo de la vida pudiera continuar.

---

* Esto es, relativas a la justicia; *diké* significa justicia en griego. [N. del T.]
** Esto es, relativas a la fe. [N. del T.]

Con el pensamiento órfico el alma vino a ser vista como una forma y sustancia racional invisible. Se originaba en el cielo y existía completamente aparte del cuerpo material. Pero esta "alma racional" (en la teología escolástica: *anima rationalis*) no era más que una abstracción teórica de la existencia temporal del hombre. Abarcaba las funciones del sentimiento, juicio y pensamiento lógico, y fe, las cuales tomadas juntas comprenden sólo una parte o complejo abstraído de todas las varias funciones. Juntas constituían la forma invisible del hombre, la cual, al igual que los dioses olímpicos, poseía la inmortalidad. El cuerpo material, por otra parte, estaba totalmente sujeto al ciclo de vida, muerte y renacimiento.

El "alma racional" estaba caracterizada por las funciones teóricas y lógicas del pensamiento. Uno encuentra muchas diferencias en el desarrollo de esta concepción filosófica. Platón y Aristóteles, por ejemplo, cambiaron sus visiones a través de las diferentes fases de sus vidas. No proseguiré aquí con esto, pero es importante mencionar que su concepción de alma racional estaba inseparablemente relacionada con su idea de lo divino. Tanto Platón como Aristóteles creyeron que lo verdaderamente divino residía sólo en el pensamiento teórico, dirigido hacia el imperecedero e invisible mundo de las formas y el ser. El dios aristotélico era pensamiento teórico absoluto, el equivalente de la forma pura. Su contraparte absoluta era el principio de la materia, caracterizado por el movimiento y el devenir informe y eterno.

Si la actividad teórica del pensamiento es divina e inmortal, entonces debe ser capaz de existir fuera del cuerpo perecedero, material. Para los griegos, el cuerpo fue realmente la antípoda del pensamiento teórico. Por esta razón, el "alma racional" no podía ser la unidad radical religiosa de la existencia temporal humana. Una y otra vez, la ambigüedad dentro del motivo religioso básico ponía al principio forma en absoluta oposición al principio materia. El motivo básico no permitió el reconocimiento de la unidad radical de la naturaleza humana. Para Platón y Aristóteles, así como Dios no era el creador en el sentido de un origen absoluto y único de todo lo que existe, así también el alma humana no era la unidad radical absoluta de las expresiones temporales del hombre en la vida. En conformidad con su concepción griega, la actividad de pensamiento teórico del alma siempre estuvo opuesta a todo lo que estuviera sujeto al principio material del eterno devenir. El pensamiento teórico nunca llegó a la verdad, revelada por la Santa Escritura, de que el pensamiento humano brota de la unidad central más profunda de la completud de la vida humana. Porque esta unidad es religiosa, determina y trasciende la función del pensamiento teórico.

La Escritura dice: "Sobre toda cosa guardada, guarda tu corazón; Porque de él mana la vida" [Proverbios 4:23]. La "sicología bíblica" no puede desnaturalizar esto como una mera expresión de la sabiduría judaica, o entenderla simplemente como un ejemplo típico de un uso judaico del lenguaje. Quienquiera que lea la Escritura de este modo deja de reconocer que la Escritura es Palabra-revelación divina, que sólo puede ser entendida a través de la operación del Espíritu Santo a partir de su motivo básico divino.

El preñado significado religioso de lo que el alma, espíritu o corazón del hombre realmente es, no puede ser entendido aparte del divino motivo básico de la creación, caída y redención. Cualquiera que tome su posición sobre este motivo básico integral y radical llega a la conclusión de que hay una antítesis absoluta e insuperable entre la concepción griega de la relación entre el alma y el cuerpo, y la concepción escritural de la religión cristiana. La primera está determinada por el motivo básico apóstata de la forma y la materia, mientras que la segunda está determinada por el motivo escritural básico de creación, caída y redención a través de Jesucristo. La primera, al menos en tanto que siga el motivo griego básico en su dirección dualista, conduce a una dicotomía o partición en la existencia temporal del hombre, entre un "cuerpo material, perecedero" y un "alma racional, inmortal". El motivo básico escritural de la religión cristiana, sin embargo, nos revela que el alma o espíritu del hombre es la *absoluta unidad radical central* o el *corazón* de toda su existencia, porque el hombre fue *creado a imagen de Dios;* más aún, revela que el hombre *se ha separado de Dios* en la *raíz espiritual* de su existencia; y, finalmente, revela que en el *corazón* o punto focal de su existencia la vida del hombre es redirigida hacia Dios a través de la obra *redentora de Cristo.*

En esta unidad central espiritual el hombre no está sujeto a la muerte temporal o corporal. Aquí también tiene lugar la antítesis absoluta. A diferencia de la creencia grecoórfica en la inmortalidad que permeaba la teología escolástica a través de Platón y Aristóteles, la Escritura no enseña en ninguna parte que el hombre pueda salvar de la tumba una "parte divina" de su ser temporal. No enseña que una forma sustancial invisible, o un complejo abstracto de funciones compuestas de sentimiento y pensamiento, pueda sobrevivir la muerte corporal. Mientras que es verdad que la muerte temporal o corporal no puede tocar el alma o espíritu del hombre, el alma no es una abstracción de la existencia temporal. Es la unidad radical espiritual plena del hombre. En esta unidad el hombre trasciende la vida temporal.

La caída, la redención a través de Jesucristo, y la revelación de la creación, están indisolublemente conectadas en el motivo básico cristiano. Los motivos básicos apóstatas no reconocen el pecado en su sentido radicalmente escritural; pues el pecado sólo puede ser entendido en el verdadero autoconocimiento, el cual es el fruto de la Palabra-revelación de Dios. De seguro, la conciencia religiosa griega sabía de un conflicto en la vida humana, pero interpretaba ese conflicto como una batalla en el hombre entre los principios de la forma y la materia. Esta batalla se volvió aparente en el conflicto entre los deseos sensuales incontrolados y la razón. Los deseos sensuales, que surgen del flujo de la vida y corren a través de la sangre, sólo podían ser gobernados por la razón. En esta visión, la razón era el principio formativo de la naturaleza humana, el principio de armonía y medida. Los deseos sensuales eran informes y estaban en constante flujo; estaban más allá de la medida y el límite. El principio de la materia, el principio de la siempre fluida corriente de la vida, se volvió el principio determinante del mal. Los órficos, por ejemplo, creían que el cuerpo material era una prisión o tumba para el alma racional. Quienquiera que capitulara ante sus deseos e impulsos sensuales rechazaba la guía de la razón. Era considerado moralmente culpable en esta concepción griega. No obstante, la razón fue frecuentemente impotente ante el *Anangké*, el ciego destino que estaba en operación en estos impulsos sin límites. Por ende, el Estado, con sus poderes coercitivos, necesitaba ayudar al ciudadano promedio a crecer acostumbrado a la virtud.

El humanismo moderno reconoció una batalla en el hombre sólo entre la "naturaleza" sensual (controlada por la ley natural científica de causa y efecto) y la libertad racional de la personalidad humana. El deber moral del hombre era actuar como una personalidad libre y autónoma. Si mostraba una debilidad por la "naturaleza" sensual era considerado como culpable. El humanismo, sin embargo, no muestra al hombre un camino de redención.

Los contrastes entre la materia y la forma en la ética griega, y entre la naturaleza y la libertad en la ética humanista, estaban operativos no en la *raíz religiosa* de la vida humana sino en sus *expresiones temporales*. Sin embargo, fueron *absolutizados* en un sentido religioso. Esto significó que las nociones griega y humanista de culpa dependen estrictamente de los movimientos dialécticos entre los polos opuestos de ambos motivos básicos. La culpa surgía de la devaluación de una parte del ser del hombre en contra de la otra parte (deificada). En realidad, desde luego, una parte nunca funciona sin la otra.

Veremos que la doctrina católicorromana le da la vuelta al significado radicalmente escritural de la caída, con la idea de que el pecado no corrompe la vida natural del hombre, sino sólo causa la pérdida del don supratemporal de la gracia. Admite que la "naturaleza" es al menos debilitada y herida por el pecado original. Pero el dualismo entre la naturaleza y la gracia en el motivo básico catolicorromano es un obstáculo en el camino hacia el entendimiento del real significado del pecado, incluso aunque la doctrina católica con mucho supere al pensamiento griego y al humanismo con respecto a la noción de culpa.

LA GRACIA COMÚN

En su revelación de la caída en el pecado, la Palabra de Dios toca la raíz y el centro religioso de la naturaleza humana. La caída significó separación Dios en el corazón y el alma, en el centro y raíz religiosa del hombre. La separación de la fuente absoluta de vida significó la muerte espiritual. La caída en pecado fue ciertamente radical y barrió con todo el mundo temporal precisamente porque éste encuentra su unidad radical religiosa sólo en el hombre. Toda negación de este sentido radical de la caída se halla en oposición directa al motivo básico escritural, incluso si uno mantiene el término 'radical', como el gran pensador humanista Kant, quien habló de una "maldad radical" (*Radikal-böse*) en el hombre. Cualquier concepción que implique esta negación del significado bíblico de 'radical' no conoce ni al hombre, ni a Dios, ni la profundidad del pecado.

La revelación de la caída no implica, sin embargo, un reconocimiento de un principio de origen autónomo y autodeterminante, opuesto al creador. El pecado sólo existe en una *falsa relación con Dios* y no es por lo tanto nunca independiente del creador. Si no hubiera Dios no podría haber pecado. La posibilidad del pecado, como lo expresó profundamente el apóstol Pablo, es creada por la ley. Sin la ley ordenando el bien, no podría haber mal. Pero la misma ley hace posible que la criatura exista. Sin la ley el hombre se hundiría en la nada; la ley determina su humanidad. Por lo tanto, como el pecado carece de existencia autodeterminante propia ante Dios el creador, no es capaz de introducir un dualismo último en la creación. El origen de la creación no es dual. Satanás mismo es una criatura que, en su libertad creada, se separó voluntariamente de Dios.

La divina Palabra —a través de la cual todas las cosas fueron creadas, como leemos en el prólogo del evangelio de Juan— se hizo carne en Jesucristo. Entró en la raíz y las expresiones temporales, en el corazón y la vida, en el alma y el cuerpo de la naturaleza humana; y por esta misma razón trajo una *redención radical:* el renacimiento del hombre y, en él, del entero mundo temporal creado que encuentra en el hombre su *centro*.

En su Palabra creadora, a través de la cual todas las cosas fueron hechas y que se hizo carne como su Redentor, Dios también sostiene al mundo caído a través de su "gracia común", esto es, la gracia dada a la comunidad de la humanidad como tal, sin distinción entre personas regeneradas y apóstatas. Pues también el hombre redimido, en su naturaleza pecaminosa, continúa teniendo su parte en la humanidad caída. La gracia común refrena los efectos del pecado y restringe la demonización universal del hombre caído, de modo que trazas de la luz del poder, la bondad, la verdad, la justicia y la belleza de Dios todavía brillan incluso en culturas dirigidas hacia la apostasía. Anteriormente señalamos hacia el significado de la ley civil romana como un fruto de la gracia común.

En su gracia común Dios, antes que nada, sostiene las ordenanzas de su creación y con esto mantiene la "naturaleza humana". Estas ordenanzas son las mismas para cristianos y no cristianos. La gracia común de Dios es evidente en que incluso el más impío gobernante debe continuamente inclinarse y capitular ante los decretos de Dios, si es que ha de ver resultados positivos durables de sus obras. Pero, dondequiera que estas ordenanzas en su diversidad dentro del tiempo no son aprehendidas y obedecidas a la luz de su raíz religiosa (el mandamiento religioso de amor, de servicio a Dios y al prójimo), una capitulación o sujeción factual a estas ordenanzas permanece como algo incidental o fragmentario. Es así que la cultura apóstata siempre revela una desarmonía que surge de una absolutización idólatra de ciertos aspectos de la creación de Dios a costa de otros. Todo aspecto, sin embargo, es tan esencial como los demás.

La gracia común de Dios se revela no sólo en el mantenimiento de las ordenanzas de su creación, sino también en los dones individuales y talentos dados por Dios a personas específicas. Grandes estadistas, pensadores, artistas, inventores, etcétera, pueden ser de una bendición relativa para la humanidad en la vida temporal, incluso si la *dirección* de sus vidas está gobernada por el espíritu de la apostasía. En esto uno ve también cómo la bendición está mezclada con la maldición, la luz con las tinieblas.

En todo esto es imperativo entender que la "gracia común" no debilita o elimina la antítesis (oposición) entre el motivo básico de la religión cristiana y los motivos básicos apóstatas. La gracia común, de hecho, sólo puede ser entendida sobre la base de la antítesis. Empezó con la promesa hecha en el paraíso de que Dios pondría enemistad entre la simiente de la serpiente y la simiente de la mujer, de la cual Cristo habría de nacer. La raíz religiosa de la gracia común es Cristo Jesús mismo, quien es su rey, aparte del cual Dios no miraría su creación con gracia. *No debiera haber ninguna diferencia de opinión concerniente a este asunto en los círculos cristianos reformados.* Pues si uno trata de concebir la gracia común aparte de Cristo, atribuyéndosela exclusivamente a Dios como *creador*, entonces uno mete una cuña en el motivo básico cristiano entre *creación* y *redención*. Entonces uno introduce una *escisión* dentro del motivo cristiano básico, a través de la cual pierde su carácter radical e integral. ('Radical' e 'integral' aquí significa: todo está relacionado con Dios en su raíz religiosa.) Entonces uno olvida que la gracia común se muestra a toda la humanidad —y en la humanidad a todo el mundo temporal— como un todo aún indiviso, solamente porque la humanidad es redimida y renacida en Cristo, y porque la humanidad abarcada en Cristo aún comparte la naturaleza humana caída hasta la consumación de todas las cosas. Pero, en la batalla de Cristo contra el reino de las tinieblas, la majestad de Cristo sobre el entero dominio afectado por la gracia común es integral y completo. Por esta razón, es en la gracia común que la antítesis asume su carácter abarcador de la vida temporal completa. Que Dios deja que el sol salga sobre justos y pecadores, que conceda dones y talentos a creyentes e incrédulos por igual —todo esto no es gracia para el individuo apóstata, sino para toda la humanidad en Cristo. Es *gratia communis*, gracia común enraizada en el Redentor del mundo.

El reino de la gracia común no cesará hasta el juicio final en la clausura de la historia, cuando la creación renacida, liberada de su participación en la raíz pecaminosa de la naturaleza humana, brillará con la más alta perfección a través de la comunión con el Espíritu Santo. La justicia de Dios irradiará incluso en Satanás y en los malvados como una confirmación de la absoluta soberanía del creador.

Mostrada a su creación caída como una totalidad aún indivisa, la revelación de la gracia común de Dios guarda a la cristiandad escritural del orgullo sectario que conduce a un cristiano a huir del mundo y a rechazar sin más todo lo que surja en la cultura occidental, fuera de la inmediata influencia de la religión. Chispas de la original gloria de la creación de Dios brillan en toda fase de la cultura, en mayor o menor grado, incluso si su desarrollo ha ocurrido bajo la guianza de potencias espirituales apóstatas. Uno sólo puede negar esto con ingratitud grosera.

Es la voluntad de Dios que hayamos nacido en la cultura occidental, así como Cristo apareció en medio de una cultura judía en la que las influencias grecorromanas eran evidentes por todos lados. Pero, como dijimos antes, esto nunca puede significar que la antítesis radical entre el motivo básico cristiano y los apóstatas pierda su fuerza en el "área de la gracia común". La manera en que la cristiandad escritural debe ser enriquecida por los frutos de las culturas clásica y humanista sólo puede ser radical y crítica. El cristiano nunca debe absorber el motivo básico de una cultura apóstata en su vida y pensamiento. Nunca debe luchar por sintetizar o salvar el hiato entre un motivo básico apóstata y el motivo básico de la religión cristiana. Finalmente, nunca debe negar que la antítesis, a partir de la raíz religiosa, corta directamente a través de los asuntos de la vida temporal.

II

LA SOBERANÍA DE LAS ESFERAS

El motivo básico escritural de la religión cristiana —creación, caída y redención a través de Jesucristo— opera a través del Espíritu de Dios como una fuerza motriz en la raíz religiosa de la vida temporal. Tan pronto como se apodera de una persona completamente, lleva a cabo una conversión radical de su postura vital y de su visión completa de la vida temporal. La profundidad de esta conversión sólo puede ser negada por aquellos que no hacen justicia a la integridad y radicalidad del motivo cristiano básico. Aquellos que debilitan la antítesis absoluta, en un esfuerzo infructuoso por ligar este motivo básico con los motivos básicos de religiones apóstatas, suscriben tal negación.

Pero la persona que por gracia viene al verdadero conocimiento de Dios, y de sí misma, inevitablemente experimenta una liberación espiritual del yugo del pecado y del lastre del pecado sobre su visión de la realidad, aun cuando sabe que el pecado no cesará en su vida. Observa que la realidad creada no ofrece fundamento, estribo o base sólida para su existencia. Percibe cómo la realidad temporal y sus multifacéticos aspectos y estructuras están concentrados como un todo en la comunidad radical religiosa del espíritu humano. Ve que la realidad temporal busca sin descanso su divino origen en el corazón humano, y entiende que la creación no puede descansar hasta que descanse en Dios.

CREACIÓN Y SOBERANÍA DE LAS ESFERAS

La realidad creada exhibe una gran variedad de aspectos o modos de ser en el orden temporal. Estos aspectos rompen la unidad radical espiritual y religiosa de la creación en una riqueza de colores, así como la luz se refracta en las tonalidades del arcoiris cuando pasa a través de un prisma. El número, el espacio, el movimiento, la vida orgánica, el sentimiento emocional, la distinción lógica, el desarrollo histórico de la cultura, la significación simbólica, la interacción social, el valor económico, la armonía estética, el Derecho, la valoración moral, y la certeza de la fe, abarcan los aspectos de la realidad.

Son básicamente los campos investigados por las varias ciencias especiales modernas: matemáticas, ciencias naturales (física y química), biología (la ciencia de la vida orgánica), la sicología, la lógica, la historia, la lingüística, la sociología, la economía, la estética, la teoría jurídica, la ética o ciencia de la moral, y la teología que estudia la revelación divina en la fe tanto cristiana como no cristiana. Cada ciencia especial considera la realidad en sólo uno de sus aspectos.

Imagine ahora una ciencia que empieza a investigar estos distintos aspectos de la realidad sin la luz del verdadero conocimiento de Dios y del yo. El predicamento de esta ciencia es similar al de una persona que ve los colores del arcoiris pero no sabe nada de la luz no rota de la que surgen. Si se le preguntara de dónde provienen los diferentes colores, ¿no estaría inclinado a considerar a un color como origen de los otros? ¿O sería capaz de descubrir correctamente la relación mutua y la coherencia entre ellos? Si no, entonces ¿cómo puede conocer cada color de acuerdo con su propia naturaleza intrínseca? Si no fuera ciego a los colores, ciertamente haría distinciones, pero probablemente empezaría con el color que lo impacta más y argumentaría que los otros eran meramente sombras del color absolutizado.

No es diferente la posición de un hombre que piensa que puede encontrar su base y punto de partida para una visión de la realidad temporal en la *ciencia*. Una y otra vez se verá inclinado a presentar un aspecto de la realidad (vida orgánica, sentimiento, desarrollo histórico de la cultura o cualquiera de los otros) como la realidad en su completud. Reducirá entonces todos los otros al punto en el que se convierten en diferentes manifestaciones del aspecto absolutizado. Piense por ejemplo en el *Fausto* de Goethe, donde Fausto dice: "El sentimiento lo es todo" [*Gefühl ist alles*].[1] O piense en el moderno materialista, que reduce toda la realidad temporal a partículas de materia en movimiento. Considere la moderna filosofía naturalista de la vida, que ve todo unilateralmente en términos del desarrollo de la vida orgánica.

En realidad, lo que nos impulsa a absolutizar no es la ciencia como tal, sino un motivo básico idólatra que se apodera de nuestro pensamiento. La ciencia sólo puede producir conocimiento de la realidad a través del análisis teórico de sus muchos aspectos. No nos enseña nada concerniente a la más profunda unidad u origen de estos aspectos. Sólo la religión es suficiente para esta tarea, puesto que al llamarnos a conocer a Dios y a nosotros mismos nos impulsa a enfocar todo lo que sea relativo hacia el fundamento absoluto y origen de todas las cosas. Una vez que un motivo apóstata se apodera de nosotros, compele a nuestro pensamiento a absolutizar lo relativo y a deificar a la criatura. De este modo, los prejuicios religiosos falsos oscurecen nuestra concepción de la estructura de la realidad.

---

[1] *Goethe's Faust, op. cit.*, línea 3456.

Quienquiera que absolutice un aspecto de la realidad creada no puede comprender ningún aspecto sobre la base de su propio carácter interno. Tiene una visión falsa de la realidad. Aunque es ciertamente posible que pueda descubrir *momentos* importantes de la verdad, integra estos momentos en una visión falsa de la *totalidad* de la realidad. Son por lo tanto las más peligrosas y venenosas armas del espíritu de mentira.

EL HISTORICISMO

Hoy vivimos bajo el dominio de una visión idólatra de la realidad que absolutiza el aspecto histórico de la creación. Se autodenomina dinámica, creyendo que toda la realidad se mueve y desarrolla históricamente. Dirige su polémica contra las visiones estáticas que se adhieren a verdades fijas. Considera la realidad unilateralmente a la luz del devenir y el desarrollo históricos, argumentando que todo es puramente histórico en carácter. Este "historicismo", como es llamado, no sabe de valores eternos. Toda la vida está capturada en el flujo del desarrollo histórico. Desde este punto de vista, las verdades de la fe cristiana son justamente tan relativas y transitorias como los ideales de la Revolución francesa.

Hay muchos momentos de verdad en la visión historicista de la realidad. Todas las cosas temporales tienen desde luego un aspecto histórico. El desarrollo histórico ocurre en la tarea científica, en la sociedad, en el arte, en los "ideales" humanos, e incluso en la revelación de la Palabra de Dios. No obstante, lo histórico permanece meramente como un aspecto de la realidad plena que nos es dada en el tiempo. Los otros aspectos no pueden ser reducidos al mismo. No alcanza la unidad radical y origen absoluto de la realidad. Debido a que el historicismo absolutiza el aspecto histórico, sus verdades individuales son peligrosas armas del espíritu del engaño. Como las tentadoras palabras que la serpiente hablara a Eva en el paraíso, "seréis como Dios, sabiendo el bien y el mal" [Génesis 3:5], el historicismo contiene una media verdad.

El motivo básico escritural de la religión cristiana libera a nuestra visión de la realidad de los falsos prejuicios que nos imponen los motivos básicos idólatras. El motivo de la creación continuamente nos impulsa a examinar la naturaleza interna, la relación mutua y la coherencia de todos los aspectos en la realidad creada de Dios. Cuando nos hacemos concientes de este motivo, empezamos a ver la riqueza de la creación de Dios en la gran pluriformidad y colorido de sus aspectos temporales. Puesto que conocemos el verdadero origen y la unidad religiosa radical de estos aspectos a través de la revelación de Dios, no absolutizamos un aspecto y reducimos los otros, sino que respetamos cada uno sobre la base de su naturaleza intrínseca y su propia ley. *Pues Dios creó todo según su género.*

Los varios aspectos de la realidad, por lo tanto, no pueden reducirse uno al otro en su relación mutua. Cada uno posee una esfera soberana con respecto a los otros. Abraham Kuyper llamó a esto *soberanía de las esferas*.

El motivo creación de la religión cristiana está involucrado en un conflicto irreconciliable con la tendencia apóstata del corazón humano a erradicar, aplanar y borrar los límites entre las naturalezas peculiares e intrínsecas que Dios estableció en cada uno de los muchos aspectos de la realidad. Por esta razón, el principio de la soberanía de las esferas es de importancia poderosa, universal, para la visión que uno tiene de la relación de la vida temporal con la religión cristiana. Este principio no tolera una dicotomía (división) de la realidad temporal en dos áreas mutuamente opuestas y mutuamente separables, tales como la de "materia y espíritu" que observamos en la visión órfica griega. Una visión dualista de la realidad es siempre el resultado de la operación de un motivo básico dualista, el cual no conoce ni la verdadera unidad religiosa radical ni el verdadero origen absoluto de la realidad temporal.

El principio de la soberanía de las esferas es un principio de la creación que está irrompiblemente conectado con el motivo básico escritural de la religión cristiana. Nos habla de la *irreducibilidad mutua, conexión interna*, e *inseparable coherencia* de todos los aspectos de la realidad en el orden del tiempo. Si consideramos el pensamiento lógico, por ejemplo, encontramos que está incrustado dentro del aspecto lógico de la realidad temporal. Mientras que este aspecto es irreducible a los otros, soberano en su propia esfera, y sujeto a su propia esfera de leyes divinas (las leyes para el pensamiento lógico), sin embargo revela su naturaleza interna y su conformidad con la ley sólo en una irrompible coherencia con todos los otros aspectos de la realidad. Si uno intenta concebir la función lógica como absoluta, esto es, independiente y aparte de las funciones del sentimiento, vida orgánica, desarrollo histórico de la cultura y demás, entonces se disuelve en la nada. No existe por sí misma. Revela su naturaleza propia sólo en una inseparable coherencia con todas las funciones que exhibe la realidad creada dentro del tiempo. Por lo tanto, rápidamente reconocemos que uno sólo puede pensar lógicamente sólo en tanto que uno tiene un cuerpo perecedero que funciona orgánica y fisicoquímicamente. Nuestra esperanza de inmortalidad no se enraiza en el pensamiento lógico, sino en Cristo Jesús. Por la luz de la Palabra de Dios, sabemos que nuestra vida temporal en todos sus aspectos tiene una unidad radical religiosa, espiritual, que no decaerá con nuestra existencia temporal. Esta unidad, la cual trasciende nuestra vida corporal, es el alma inmortal.

DOS TIPOS DE ESTRUCTURA

El principio de la soberanía de las esferas tiene un significado concreto para nuestra visión de la realidad. Como vimos antes, el motivo básico escritural transforma radicalmente la entera visión de uno de la realidad temporal, tan pronto como este motivo empieza a penetrar en la vida de uno. Entonces causa que uno conozca nuevamente la verdadera *estructura* de la realidad.

Hay dos tipos de estructura dentro de la realidad temporal. El primero es la estructura de los varios aspectos o modos de ser que enlistamos antes. Uno está familiarizado con estos aspectos sólo indirectamente en la vida cotidiana, donde los experimentamos a través de totalidades individuales de cosas concretas, eventos, relaciones sociales, etcétera. En la experiencia ordinaria de nuestra vida cotidiana, nuestra atención está enfocada enteramente en las cosas concretas, los eventos y las relaciones sociales; y no estamos interesados en enfocarnos sobre los *distintos aspectos como tales* dentro de los cuales *funcionan* estas cosas concretas, etcétera. El segundo enfoque ocurre primeramente en la actitud *científica* del pensamiento.

Un niño, por ejemplo, aprende a contar moviendo las cuentas rojas y blancas de un ábaco. Empieza a aprender relaciones numéricas mediante estas cuentas, pero pronto deja el ábaco de lado para enfocarse en las relaciones mismas. Este proceso requiere una abstracción teórica extraña a la experiencia ordinaria. Para el niño el aspecto numérico y sus relaciones numéricas se convierten en un problema de conceptualización lógica. Al principio esto plantea dificultades. El niño debe aprender a dejar de lado la realidad en su pensar, por así decirlo, para enfocarse en los aspectos numéricos solamente. Para efectuar tal análisis teórico, debe sustraer algo de la realidad plena dada. La función lógica, con la cual uno forma conceptos, asume así una posición frente al aspecto no lógico del número, el cual resiste el intento de ser conceptualizado.

En la experiencia cotidiana la realidad no se presenta en los aspectos que el pensamiento abstrae de ella, sino en la estructura de las diferentes totalidades individuales tales como cosas, eventos, actos, y relaciones sociales (que involucran a la familia, al Estado, la iglesia, la escuela, la industria, etcétera). Ésta es la segunda, la estructura *concreta* de la realidad tal y como se nos revela en el tiempo y en la que se muestra en la experiencia de la vida cotidiana. Esta estructura está inseparablemente relacionada con la primera. Si uno ve la segunda equivocadamente, es imposible obtener una compenetración teórica correcta en la primera, como veremos posteriormente.

LA UNIVERSALIDAD DE LAS ESFERAS

Si uno desea entender la importancia del principio creacionista de la soberanía de las esferas para la sociedad humana, en su pleno alcance, entonces debe entenderse primero el significado de la soberanía de las esferas para la naturaleza intrínseca, relación mutua y coherencia de los *aspectos* de la realidad (incluyendo los aspectos de la sociedad). Anteriormente observamos que los varios aspectos surgen de una sola raíz religiosa, así como los colores del arcoiris se originan en una sola luz de una pieza. A pesar de su distinción, los aspectos se cohesionan e interconectan en el omniabarcante orden del tiempo. Ninguno existe que no esté junto con los otros. Esta coherencia e interconexión universales se expresan en la estructura de cada aspecto.

Considere, por ejemplo, el aspecto síquico de la realidad. En su corazón o núcleo es irreducible a cualquier otro aspecto. No obstante, en la vida emocional uno descubre la expresión de una coherencia interna con todos los aspectos exhibidos por la realidad. Ciertamente, el sentimiento tiene una vida propia: la vida síquica. Pero la vida síquica sólo es posible sobre la base de una serie de conexiones con los otros aspectos de la realidad. Por ejemplo, la vida síquica requiere de vida orgánica, aun cuando en sí misma no es vida orgánica. En su "momento de vida", el aspecto síquico está intrínsecamente entretejido con el aspecto orgánico de la realidad. Del mismo modo, el sentimiento tiene un momento emocional que liga la vida síquica al proceso fisicoquímico del movimiento corporal. Aun cuando la emoción, que no es sino el movimiento del sentimiento, no pueda ser reducida al mero movimiento de las partículas de materia en el cuerpo, el movimiento del sentimiento no puede ocurrir sin movimiento químico. Es así que hay una coherencia intrínseca entre el aspecto síquico y el aspecto del movimiento. De modo similar, el sentimiento de espacialidad apunta hacia la conexión entre la vida síquica y el aspecto espacial. Este momento corresponde al espacio sensorial de la conciencia en el cual uno observa colores, sonidos, dureza o suavidad, y otras propiedades sensorialmente perceptibles. El espacio sensorial es ciertamente muy diferente del espacio matemático. Finalmente, el aspecto del sentimiento también manifiesta una pluralidad interna de impresiones emocionales; esta pluralidad expresa la conexión entre el sentimiento y el aspecto numérico.

La vida síquica humana no está limitada a una coherencia con los aspectos que preceden al sentimiento. También se despliega en el sentimiento lógico, histórico y cultural, el sentimiento lingual, el sentimiento de la convención social, el sentimiento por el valor económico, el sentimiento estético, el sentimiento moral y el sentimiento de la certeza de la fe. En otras palabras, la estructura del aspecto síquico refleja una coherencia con todos los otros aspectos.

El alcance universal de la vida síquica no puede ser limitado. En su propia esfera, la vida síquica es la expresión integral y completa del trabajo creativo de Dios. Junto con todos los otros aspectos del ser temporal de uno, encuentra su unidad radical en el foco religioso de la existencia: el corazón, el alma, o el espíritu, donde es imposible escapar de Dios. A partir del motivo religioso de la creación de la Santa Escritura uno descubre la expresión de la naturaleza integral y radical de la creación en cada aspecto de la obra de creación de Dios. En otras palabras, la soberanía de las esferas, que garantiza la irreducibilidad y protege las distintas leyes de las diferentes esferas, encuentra un correlato en la *universalidad de las esferas*, a través de la cual cada aspecto expresa la coherencia universal de todos los aspectos en su propia estructura particular.

La universalidad de las esferas proporciona el contexto para absolutizar un aspecto de la inmensamente rica creación de Dios. Tomemos un ejemplo. Mal dirigida por un motivo básico apóstata, una persona puede estar buscando la certeza básica para su vida en el sentimiento. Cuando ve que todos los aspectos se reflejan en la vida síquica, ¿que le impedirá declarar que el sentimiento es el origen del número, el espacio, el movimiento, el pensamiento lógico, el desarrollo histórico y demás? ¿Por qué no identificar en última instancia la *fe* con el *sentimiento* de confianza y certeza? Nuestra propia fe puede ser fácilmente socavada y empobrecida por este falso misticismo emocional. En el *Fausto* de Goethe, la simple Margaret pregunta al Dr Fausto si cree o no en Dios; él, el pensador que ha caído bajo el poder de Satanás, replica señalando hacia el sentimiento de felicidad que fluye a través de nosotros cuando contemplamos el cielo y la tierra y cuando experimentamos el amor en el cortejo. Continúa con estas palabras:

Erfüll davon dein Herz, so gross es ist,
Und wenn du ganz in dem Gefühle selig bist,
Nenn es dann, wie du willst,
Nenn's Glück! Herz! Liebe! Gott!
Ich habe keinen Namen
Dafür! *Gefühl ist alles;*
Name ist Schall und Rauch
Umnebelnd Himmelsglut.

Entonces deja que llene tu corazón enteramente,
Y cuando tu arrebato en este sentimiento sea completo,
Llámalo entonces como tú quieras,
Llámalo ¡felicidad! ¡corazón! ¡amor! ¡Dios!
Yo no tengo nombre
Para esto. *El sentimiento lo es todo;*
Los nombres no son más que sonido y humo
Que nieblan las llamas del cielo.[2]

---

[2] *Goethe's Faust, op. cit.*, líneas 3451-3458. El énfasis es de Dooyeweerd.

La idolatría de los otros aspectos de la realidad se halla junto a la idolatría del aspecto síquico. El vitalismo, que deifica una corriente eternamente fluyente de vida, está no menos idólatramente dirigida que la religión del sentimiento. El historicismo moderno, que pone su esperanza para la humanidad en el desarrollo cultural interminable, es no menos idólatra que el materialismo moderno, el cual declara que el aspecto del movimiento investigado por las ciencias naturales es el principio y fin de la realidad.

¿Hemos ahora empezado a ver cómo el motivo religioso básico de nuestra vida gobierna y determina nuestra visión entera de la realidad? ¿No es obvio que una antítesis irreconciliable se halla operando entre la religión cristiana y el servicio a un ídolo? A la luz del conflicto entre los diferentes motivos básicos, ¿podemos todavía mantener que la religión cristiana es significativa sólo para nuestra vida de fe y no para nuestra visión de la realidad? ¡Ciertamente no! En este punto no podemos escapar de nosotros mismos. La religión cristiana no puede ser negociada. No es un tesoro que podamos encerrar entre las reliquias en una cámara interna. O bien es una levadura que permea toda nuestra vida y pensamiento, o no es más que una teoría que no logra tocarnos internamente.

¿Pero, qué tiene que ver el motivo cristiano básico con las necesidades concretas de la acción política y social? Este es el asunto clave hoy, especialmente para aquellos que atestiguaron la liquidación de los varios partidos y organizaciones políticos cristianos durante la guerra. Después de todo, uno podría argumentar, las *confesiones* cristianas no ofrecen respuestas a las cuestiones políticas y sociales del tiempo presente. Es ciertamente verdad que las confesiones de la iglesia no abordan estos problemas. Su carácter eclesiástico les impide que se aventuren en los asuntos sociales. Pero si el *motivo básico* de la religión cristiana opera en nuestras vidas, entonces cambia radicalmente incluso nuestra visión de la naturaleza interna del Estado y su relación con las otras esferas sociales. Con el motivo básico cristiano descubrimos los principios verdaderos para la vida política y para la vida social como un todo. Por ende, la antítesis entre estos principios y los de una orientación apóstata debe necesariamente ser expresada.

SOCIEDAD Y SOBERANÍA DE LAS ESFERAS

Como un principio del orden de la creación, la soberanía de las esferas también pertenece a la segunda estructura de la realidad. Se aplica a la estructura de formas sociales, tales como la familia, el Estado, la iglesia, la escuela, la empresa económica y demás. Como con los *aspectos* de la realidad, nuestra visión de la naturaleza interna, la relación mutua y la coherencia de las diferentes *esferas sociales* está gobernada por nuestro punto de partida religioso. El motivo básico cristiano penetra a la unidad radical de todas las esferas sociales que son distintas en el orden temporal. A partir de esa unidad radical nos da una compenetración en la naturaleza intrínseca, la relación mutua y la coherencia de esta esferas.

En términos del motivo básico escritural, ¿cuál es la unidad de las diferentes esferas en la sociedad? Es la *comunidad religiosa radical de la humanidad* que cayó en Adán pero fue restaurada a la comunión con Dios en Jesucristo. Esta comunidad es el fundamento de todas las relaciones temporales sociales, y sobre su base la religión cristiana está en absoluta antítesis con toda visión de la sociedad que absolutiza y deifica cualquier forma social temporal.

Vimos anteriormente que para los griegos el Estado era la comunidad totalitaria que hacía al hombre verdaderamente humano mediante su educación cultural y por ende demandaba toda la vida del hombre en cada una de sus esferas. El motivo religioso de la *forma* y la *materia* completamente dominaba esta visión. Por una parte, la naturaleza humana estaba constantemente amenazada por los deseos y los impulsos sensuales, por la otra se le otorgaba forma y medida por la actividad de la *polis*. La ciudad-Estado era la portadora de la religión cultural griega, la cual deificaba distintas potencias culturales tales como la ciencia, el arte y el comercio en el deslumbrante arreglo de los dioses olímpicos. También vimos que originalmente en la cultura romana se oponían entre sí dos esferas sociales: la *familia* y el Estado romano. Cada una representaba una esfera de autoridad absoluta. Pero durante el periodo del imperio bizantino la *familia* se derrumbó y cedió el lugar a un absolutismo estatal sin contrapesos que monopolizaba toda esfera de la vida, incluyendo a la iglesia cristiana.

En nuestro tiempo también hemos sido testigos de la tiranía demoníaca de un régimen totalitario. La nación holandesa, históricamente desarrollada en un Estado constitucional moderno que rodeaba las libertades de los hombres y los ciudadanos con incontables garantías (un Estado indudablemente inspirado por influencias tanto cristianas como humanistas), experimentó el lastre del gobierno totalitario como una intolerable tiranía. ¿Y cuál fue la base de *principios* más poderosa para sostener la resistencia? Fue el principio creacionista de la soberanía de las esferas, enraizado en el motivo escritural básico de la religión cristiana. Ni los modernos vástagos liberal y socialista del humanismo, ni el comunismo marxista podían golpear este absolutismo estatal totalitario en su *raíz religiosa*. Sólo cuando los ojos de uno han sido abiertos a la unidad religiosa radical del hombre puede uno obtener una compenetración clara en la naturaleza esencial, la relación mutua propia, y la coherencia interna de las varias esferas sociales.

¿Cuál es entonces la importancia de la soberanía de las esferas para la sociedad humana? La soberanía de las esferas garantiza para cada esfera social una intrínseca naturaleza y ley de vida. Y con esta garantía provee la base para una esfera original de autoridad y competencia derivada no de la autoridad de cualquier otra esfera, sino directamente de la autoridad soberana de Dios.

Desde el tiempo de Abraham Kuyper, el término 'soberanía de las esferas' se ha vuelto propiedad común en los Países Bajos. Pero la profundidad de su compenetración con respecto a la naturaleza del orden social –una compenetración basada en el motivo básico de la religión cristiana– sólo fue apreciada por un pequeño número de personas. Entre menos se daban cuenta los hombres que este principio fundamental estaba enraizado directamente en el motivo básico escritural de la religión cristiana, más se disolvía en un eslogan político ambiguo que cada quién podía interpretar a su manera. Al mismo tiempo, el modo de pensar intrínsecamente historicista le robó al principio su raíz religiosa, contribuyendo con ello a su erosión. Si uno toma la soberanía de las esferas como no más que un algo dado histórico, de alguna manera crecido en suelo holandés como expresión del amor de Holanda por la libertad, entonces uno automáticamente la separa de la naturaleza interna, constante, de las esferas sociales.

A la luz de este historicismo, el principio de la soberanía de las esferas asume un carácter puramente "dinámico" cuyo contenido puede ser llenado de acuerdo con las necesidades especiales de un periodo particular. De este modo, este mismo principio, en el cual la *antítesis* (oposición) entre los puntos de partida escritural y anticristiano recibe una elaboración tan lúcida en la visión de la realidad de uno, es utilizado como un bloque de construcción en los más recientes intentos por encontrar una *síntesis* (reconciliación) entre el cristianismo y el humanismo. Para la nueva fase de la historia en la que hemos entrado, el principio de la soberanía de las esferas tendría aproximadamente el mismo significado que la concepción de la *descentralización funcional* propagada por el socialismo moderno. En esta concepción, los órganos legislativo y ejecutivo del gobierno central deben ser "aliviados" de una considerable porción de su tarea al transferir su autoridad a "nuevos órganos" derivados de la "sociedad" misma. Las diferentes esferas de la sociedad deben ser incorporadas al Estado mediante la organización pública legal. Pero al mismo tiempo estas esferas deben mantener una independencia relativa, una medida de *autonomía*, así como los países, los municipios, las provincias y otras partes del Estado. Estos nuevos órganos asumirían entonces una parte importante de la tarea del Estado, al establecer una jurisdicción reglamentativa pertinente a sus propios asuntos bajo la supervisión final del gobierno central. Las reglas de estos nuevos órganos serían mantenidos con sanciones públicas legales. De este modo, la "autoridad" y la "libertad" serán unidas de una manera armoniosa. El principio de descentralización funcional proveería así una base para la cooperación entre los miembros de los partidos socialista, catolicorromano y antirrevolucionario. Y la soberanía de las esferas de las estructuras sociales recibiría una forma y una expresión histórica apropiada a la nueva era.

¿Cómo puede uno explicar este malentendido básico del principio de la soberanía de las esferas? Consideraremos enseguida esto.

HISTORIA Y SOBERANÍA DE LAS ESFERAS

Para encontrar una respuesta, debemos recordar que la decimonónica Escuela histórica en Alemania influenció fuertemente el pensamiento político antirrevolucionario, particularmente en su visión de la historia. Aunque los fundadores de esta escuela eran luteranos devotos, su cosmovisión estaba completamente dominada por el historicismo que ganaba terreno en los círculos humanistas después de la Revolución francesa.

Por 'historicismo' entiendo la concepción filosófica que reduce toda la realidad a un aspecto histórico absolutizado. El historicismo ve toda la realidad como producto de un incesante desarrollo histórico de la cultura. Cree que todo está sujeto al cambio continuo. En contraste con los pensadores racionalistas de la Revolución francesa, los historicistas no buscan construir un orden social justo a partir de principios abstractos racionales que no tienen relación con el desarrollo histórico y los rasgos individuales de un carácter nacional específico. Más bien la tesis fundamental del nuevo modo histórico de pensar es que el entero orden político y social es esencialmente un fenómeno histórico y de desarrollo. Su desarrollo se origina en el carácter individual de una nación, el "espíritu nacional" [*Volksgeist*], el cual es el germen histórico de una cultura entera. El espíritu nacional genera un lenguaje de la cultura, convenciones sociales, arte, un sistema económico y un orden jurídico.

Siguiendo el ejemplo de las ciencias matemáticas y naturales, la teoría humanista más temprana siempre había buscado las leyes universalmente válidas que controlan la realidad. Construyó un "orden eterno de ley natural" a partir de la "naturaleza racional del hombre". Este orden era totalmente independiente del desarrollo histórico, y era válido para toda nación en todo tiempo y en todo lugar. El humanismo racionalista más temprano mostró poca conciencia de los rasgos individuales de los pueblos y las naciones. Todas las cosas individuales fueron consideradas como meros casos o ejemplos de una regla universal y fueron reducidas a un orden universal. Esta reducción resalta la tendencia racionalista de este tipo de pensamiento humanista.

Pero, como resultado de la polaridad de su motivo religioso básico, el humanismo viró hacia el otro extremo después de la Revolución francesa. El humanismo racionalista se transformó en humanismo irracionalista, el cual rechazaba todas las leyes y el orden universalmente válidos. Elevó el potencial individual al *status* de ley. El humanismo irracionalista no estaba inspirado por las ciencias matemáticas y naturales exactas, sino por el arte y la ciencia de la historia. El arte revelaba el "genio" y la unicidad de la individualidad. Este "romanticismo", que por un tiempo dominó la cultura occidental durante el periodo de la Restauración después de la caída de Napoleón, fue la fuente de la visión de la realidad defendida por la Escuela histórica.

Cuando la Escuela histórica intentó entender la totalidad de la cultura, el lenguaje, el arte, la jurisprudencia, y los órdenes económico y social en términos del desarrollo histórico de un espíritu individual nacional, elevó el carácter nacional al *status* de origen de todo orden. Por lo tanto, negó la verdad de que *la criatura individual siempre permanece sujeta a la ley*. Argumentó que, si el potencial individual de un hombre o nación es la única ley para el desarrollo y la acción, entonces este potencial no puede ser evaluado en términos de una ley universalmente válida. Acordemente, se consideraba que cualquier nación actuaba correcta y legítimamente si simplemente seguía el destino o meta histórico implícito en su potencial o disposición individual.

Esta visión de la realidad fue historicista en el sentido explicado arriba. Aunque la Escuela histórica rechazó por principio la validez de leyes generales, no obstante las reemplazó con un sustituto mediante un tipo de compromiso con la creencia cristiana en la "divina providencia". Vio la divina providencia como una ley "escondida" de la historia, argumentando que la providencia de Dios gobierna la historia de una nación. Cuando la máscara cristiana fue dejada de lado, la "providencia" fue reemplazada por el *Schicksal*, el destino histórico o suerte de una nación. El *Schicksal* jugó el mismo papel que la divina providencia; operaba como una norma para el desarrollo de un carácter nacional.

Los lectores cuidadosos habrán notado cuán cercanamente se aproxima esta visión a la atmósfera espiritual del nacionalsocialismo, y su apelación a la providencia al "Destino del Pueblo Alemán" [*Schicksal des deutschen Volkes*]. Haremos bien en mantener la afinidad entre el nacionalsocialismo y la Escuela histórica en mente, pues posteriormente veremos que el nazismo debe ser considerado primariamente como un fruto degenerado del historicismo propagado por la Escuela histórica.

La Escuela histórica enfatizó fuertemente el nexo entre el pasado y el presente. Sostuvo que la cultura, el lenguaje, el arte, el derecho, la economía y el orden social surgen y se desarrollan a partir del carácter nacional inconcientemente y aparte de cualquier influencia formativa de la voluntad humana. Para la Escuela histórica, la tradición funciona como un poder inconciente en la historia. Es la operación de la guía providencial de Dios o, expresado menos cristianamente, del *Schicksal*, el destino de un pueblo.

FEDERICO JULIO STAHL

El fundador de la filosofía política antirrevolucionaria en Alemania, Federico Julio Stahl [1802-1861] (quien influenciara grandemente a Groen van

Prinsterer en el segundo periodo de Groen; esto es, después de 1850), trató de incorporar esta visión romántica de la historia a un enfoque cristiano escritural.[3] No pudo ver que la cosmovisión histórica propugnada por la Escuela histórica estaba completamente dominada por un motivo religioso básico humanista. De acuerdo con Stahl, todo lo que llega a ser, a través de las silenciosas operaciones de la tradición aparte del esfuerzo humano en el desarrollo de una nación, debe ser visto como una revelación de la guía de Dios en la historia y debe ser aceptado como una norma o directiva para ulterior desarrollo. Stahl era plenamente conciente de los peligros inherentes a la visión de que la divina providencia es una directiva para la acción humana. Reconoció que en la historia el bien está mezclado con el mal. Por esta razón buscó una más alta norma "universalmente válida" para la acción, que pudiera servir como piedra de toque para el desarrollo histórico de una nación. Creyó que había encontrado esta norma en la "ley moral" revelada; a saber los diez mandamientos. Su conclusión fue como sigue. Uno debiera aceptar como norma para la acción la tradición de desarrollo histórico nacional en el sentido de la guía de Dios en la historia sólo en tanto este desarrollo no entrara en conflicto con un mandamiento de Dios expresamente revelado. Stahl fue por lo tanto capaz de llamar a la norma para el desarrollo histórico una "norma secundaria". Uno siempre podía apelar a la norma primaria revelada en la ley de los diez mandamientos. Con esta reserva, la visión irracionalista de la historia fue incorporada al pensamiento político antirrevolucionario. Después de Stahl, siguió con lo mismo Groen van Prinsterer, llamando al movimiento antirrevolucionario el movimiento "cristiano histórico".

La Escuela histórica contenía un ala así llamada germanista que se especializaba en la historia jurídica de los pueblos germánicos. Su influencia sobre Stahl y Groen van Prinsterer es inconfundible.

Antes de que los países germánicos suplementaran la ley indígena con el Derecho romano en el siglo quince, la sociedad y su orden legal estaban todavía en buena medida indiferenciados. En general no había conciencia de la idea del Estado como una *res publica*, una institución establecida en aras del bien común, ni de la *idea de ley civil*, la cual reconoce a la persona humana como tal como sujeto legal, dotada con derechos legales independientemente de su pertenencia a comunidades específicas. Estas ideas básicas fueron gradualmente aceptadas después de la recepción del Derecho romano, y fueron generalmente puestas en práctica sólo como resultado de la Revolución francesa.

En la Edad Media, las esferas comunales indiferenciadas fueron prominentes por doquier. Llevaron a cabo todas aquellas tareas para las que, en

---

[3] Para una discusión del pensamiento político de Stahl, ver Herbert Marcuse, *Razón y revolución*. Cfr. también F. J. Stahl, *Los partidos actuales en el Estado y la Iglesia*.

un nivel cultural más altamente diferenciado, llegaron a ser las comunidades diferenciadas. En el campo, por ejemplo, la comunidad indiferenciada fue la mansión solariega. El dueño de una mansión solariega tenía competencia legal para participar en asuntos judiciales y para emitir requerimientos y ordenanzas legales que cubrían casi toda área de la sociedad. El dueño de grandes posesiones feudales de tierra estaba dotado con privilegios que le daban el derecho legal de actuar como señor sobre toda persona domiciliada en su propiedad. En las ciudades medievales los gremios eran las unidades indiferenciadas que simultáneamente exhibían una estructura eclesiástica, industrial y a veces incluso política. Estos gremios estuvieron frecuentemente basados en una especie de fraternidad que, como un lazo artificial de parentesco, abarcaba a sus miembros con sus familias en todas sus actividades. En un nivel aun más alto, no era en lo absoluto extraño que los señores feudales ejercieran la autoridad gubernamental como si fuera propiedad privada, la cual ellos desde luego podían adquirir y transferir sobre la base de estipulaciones legales privadas. Todas estas esferas legales indiferenciadas poseían autonomía; esto es, la competencia legal y el derecho de actuar como gobiernos dentro de su propia esfera sin la intervención de una autoridad más alta.

En este marco feudal no había idea de Estado como una *res publica* organizada para el bienestar común. Cuando se hicieron los primeros esfuerzos por poner en práctica la idea de Estado mediante una apelación al Derecho romano, y por recobrar aquellos elementos de autoridad gubernamental que habían sido cedidos al poder privado, durante un largo tiempo estos esfuerzos fueron frustrados por la tenaz resistencia de las esferas indiferenciadas de la vida que podían desde luego apelar a sus privilegios, sus orígenes antiguos, etcétera. Como una regla, el periodo feudal también carecía de la idea de ley civil privada con sus principios básicos de libertad universal e igualdad de todos los hombres ante la ley. En la víspera de la Revolución francesa, muchos remanentes del *ançien régime* habían sido mantenidos intactos en Alemania, Francia, Holanda y otros lados, aun cuando la línea histórica de desarrollo definitivamente apuntaba en la dirección de un proceso de diferenciación que sólo podía terminar en una clara distinción entre Derecho público y privado.

El ala germanista de la Escuela histórica deseaba continuar este proceso de diferenciación. Aceptaba así el fruto de la Revolución francesa: la realización de la idea de Estado. Al mismo tiempo, buscó armonizar esta idea moderna con la vieja idea de la autonomía de las esferas de la vida. Para llevar esto a cabo era necesario que la autonomía fuera limitada por los requerimientos del bien común. Las esferas autónomas de la vida, por lo tanto, necesitaban ser *incorporadas* al nuevo Estado; tenían que acomodarse a los requerimientos del Estado como un todo.

GUILLERMO GROEN VAN PRINSTERER

En Alemania, el pensador antirrevolucionario Stahl consideraba tal reconocimiento de la autonomía de las esferas sociales como un requisito vital para una teoría del Estado verdaderamente "cristiana histórica". De modo semejante, en los Países Bajos Groen van Prinsterer peleó por una idea del Estado sobre líneas históriconacionales que pudieran ajustarse al carácter nacional holandés en su desarrollo histórico. Fue la primera persona en usar la frase '*souvereiniteit in eigen sfeer*' (soberanía dentro de su propia esfera) con respecto a la relación mutua entre iglesia y Estado. Pero todavía no veía este principio como un *principio creacional de alcance universal*. Sólo demandaba *autonomía* para las "corporaciones" sociales, como Stahl lo había hecho. Para él, el comercio y la industria eran sólo miembros orgánicos de la vida nacional, al igual que los municipios y las provincias. Su autonomía dentro del Estado era meramente un principio histórico enraizado en el carácter nacional holandés bajo la guía de Dios. Al mismo tiempo, Stahl y Groen van Prinsterer vieron muy claramente las diferencias básicas entre el Estado, la iglesia y la familia. Impulsados por motivo básico escritural de la religión cristiana, ambos sostuvieron que el Estado no debía interferir en la vida interna de las otras esferas sociales. Pero su compromiso con la cosmovisión de la Escuela histórica les impidió aplicar consistentemente este motivo escritural en su pensamiento político.

ABRAHAM KUYPER

Abraham Kuyper fue el primero que entendió la soberanía de las esferas nuevamente como un principio creacional y por ende fundamentalmente separado de la perspectiva historicista de la sociedad humana. En su formulación inicial de esta idea, sin embargo, todavía se encontraban trazas de una confusión entre soberanía de las esferas con la autonomía municipal y provincial fundada en la historia holandesa. Cuando enlistó las varias esferas soberanas incluyó a las municipalidades y provincias con la familia, la escuela, la ciencia, el arte, la empresa económica, y así consecutivamente. Las municipalidades y las provincias, sin embargo, no son esferas soberanas sino verdaderamente partes "autónomas" del Estado, y los límites de su autonomía son dependientes de los requerimientos de la totalidad, las necesidades del bien común. La autonomía es autoridad delegada a una parte por el todo.

¿Cuál fue el resultado de esta confusión en la vida política? Se hizo imposible ofrecer un criterio basado en principios para los límites de la autonomía. Crecientemente, lo que originalmente cayó bajo la jurisdicción autónoma de las municipalidades y la provincias necesitaba ser regulado por un gobierno centralizado. Puesto que esta jurisdicción autónoma ha sido descrita como "soberanía dentro de su propia esfera", los seguidores de Kuyper empezaron a ser abochornados con el principio mismo, particularmente porque el pensamiento político antirrevolucionario holandés nunca había cortado sus nexos con la Escuela histórica y había permanecido más o menos infectado de historicismo.

¿Había Kuyper entonces errado cuando fundó la soberanía de las esferas en la *creación*? ¿Era su principio inmutable realmente nada más que un algo dado históricamente alterable y variable en el carácter nacional holandés?

Confrontado con preguntas de este tipo, muchos antirrevolucionarios, especialmente entre los más educados, empezaron a adoptar una actitud precavida. Vacilaban en honrar a ciertos eslogans con la palabra 'principio'. Los "principios eternos" eran considerados seguros si estaban limitados a directivas explícitamente reveladas en la Santa Escritura. La Biblia, se argumentaba, no contiene textos directos acerca de la soberanía de las esferas. Fue así que la infección de la perspectiva historicista subrepticiamente influenció a muchos dentro de las filas de los antirrevolucionarios.

Pero el fundamento asentado por Kuyper fue tan firme que el principio de la soberanía de las esferas en su sentido escritural no podía ser completamente borrado de la conciencia religiosa de aquellos que vivían por la Palabra de Dios. Ciertamente, todavia se necesitaba de "purificación" y ulterior elaboración. Los importantes elementos de verdad en las enseñanzas de la Escuela histórica tenían que ser liberados del marco de la cosmovisión historicista si es que iban a convertirse en partes de una visión de la historia verdaderamente escritural.

Ya era tiempo de que tal purificación y elaboración tuvieran lugar. La "nueva era" no tiene piedad con principios que están internamente socavados. Nuestra espiritualmente desarraigada nación nunca ha necesitado la explicación e implementación del principio creacionista de la soberanía de las esferas tan urgentemente como hoy.

AUTONOMÍA Y SOBERANÍA DE LAS ESFERAS

El gran logro de Kuyper fue haber captado el principio de la soberanía de las esferas como un principio creacional. Anteriormente, sin embargo, vimos que la influencia de la Escuela histórica fue evidente en el modo en que buscó aplicar este principio a la sociedad. Cuando en su lista general de las esferas de vida ubicó a los municipios y las provincias al lado de la familia, la escuela, el arte, la ciencia, la empresa económica, e incluso la iglesia como institución temporal, confundió la genuina soberanía de las esferas con una históricamente fundada autonomía de las partes en el cuerpo político.

Especialmente hoy, cuando la cuestión de la relación propia entre las estructuras políticas, sociales y económicas exige solución inmediata y basada en principios, es completamente crucial que evitemos esta confusión. Pues ya hemos visto que la cosmovisión historicista tiene una inmensa influencia en nuestro tiempo. Aquellos que todavía se afirman en los principios constantes enraizados en el orden de la creación son sumariamente destituidos en la abundantemente floreciente ola de los panfletos —ese peligroso impulso de superficialidad periodística. ¡Los proponentes de principios constantes hoy son vistos como fosilizados constructores de sistemas que no han captado el espíritu de nuestra "época dinámica"! Pero esto es verdadero hoy, si es que alguna vez lo fue:

> Was ihr Geist der Zeiten heisst,
> Das ist der Herren eigner Geist
> In dem die Zeiten sich bespiegeln.

> Lo que tú llamas el espíritu del tiempo,
> No es sino el espíritu del académico, después de todo,
> En el cual se reflejan tiempos pasados.[4]

El historicismo se nutre de la absolutización del aspecto histórico de la realidad. Contra él hay sólo un antídoto: exponer el motivo religioso básico escondido que opera tras una máscara aparentemente neutral de supuestamente profunda compenetración científica. Todas las máscaras falsas de motivos básicos apóstatas se vuelven transparentes bajo la buscadora luz de la divina verdad, a través de la cual el hombre se descubre a sí mismo y a su creador

La autonomía de las partes de un todo y la soberanía de las esferas de relaciones sociales radicalmente distintas son asuntos diferentes por principio. En una sociedad diferenciada, el grado de autonomía depende de los requisitos del todo, del cual la comunidad autónoma permanece siendo una parte. La soberanía de las esferas, sin embargo, está enraizada en el carácter constante, inherente de la esfera de vida misma. Debido a sus intrínsecas naturalezas, esferas diferenciadas como la familia, la escuela, la empresa económica, la ciencia, y el arte nunca pueden ser partes del Estado.

Discutimos brevemente arriba el estado indiferenciado de la sociedad durante la Edad Media. Algunos remanentes de esa situación indiferenciada se mantuvieron hasta la Revolución francesa. En tal condición indiferenciada, la genuina soberanía de las esferas no podía todavía expresarse en el orden social. Debido a que los gremios, pueblos y mansiones solariegas exhibían los rasgos de las más divergentes estructuras sociales en su propia existencia, era imposible *distinguir* estas estructuras de acuerdo con el criterio de la "naturaleza intrínseca". La autonomía estaba limitada sólo por un criterio *formal* que no decidía nada con respecto a la naturaleza esencial

---

[4] Goethe, *Fausto*, líneas 577-579.

de la competencia y la jurisdicción legales. Podemos formular este criterio como sigue: la jurisdicción autónoma abarca todos aquellos asuntos que una comunidad puede decidir *sin la intervención de una autoridad más alta*. Así, la base para la autonomía no fue la naturaleza intrínseca de la comunidad, pues la comunidad no tenía todavía una naturaleza diferenciada propia. Descansaba enteramente en las antiguas costumbres o privilegios concedidos por un señor.

Como lo notamos anteriormente, la *auténtica idea del Estado* estaba ausente. Por esto entendemos la idea de que la autoridad gubernamental del Estado no es propiedad privada, sino un oficio público que debe ser ejercido exclusivamente para el bien común o el interés público. Precisamente debido a esto, la autonomía bajo el *ançien régime* antes de la Revolución francesa no estaba limitada por el interés público del Estado, sino que estaba exclusivamente definida de una manera puramente formal por las costumbres y los privilegios legales existentes. Cuando un poderoso señor intentaba sujetar esta autonomía a los requerimientos del interés público, las corporaciones autónomas invariablemente apelaban a sus derechos y libertades especiales garantizados por estas costumbres y privilegios.

Cuando la idea del Estado fue de hecho instrumentada por la Revolución francesa, las esferas indiferenciadas de la vida fueron eliminadas. Los municipios y las provincias modernas no son, por lo tanto, comparables con las antiguas villas, condados, pueblos, propiedades y mansiones solariegas. Son partes del Estado moderno y exhiben la naturaleza intrínseca diferenciada de las partes del cuerpo político. Así, cuando se trata de la relación entre el Estado y sus partes, uno no puede hablar ni de soberanía de las esferas ni de autonomía en el sentido del antiguo régimen. En principio, la autonomía municipal y la provincial dependen de las demandas de bien común del Estado como un todo.

Thorbecke y algunos de sus seguidores sostuvieron que la economía municipal, provincial y nacional formaba tres esferas independientes que podían ser mutuamente delimitadas de acuerdo con su naturaleza.[5] Pero la realidad resultó ser más fuerte que la doctrina. Fue simplemente imposible ofrecer un criterio intrínseco para la delimitación de estas tres "esferas". La medida en que el bien común del cuerpo político podía permitir a los municipios y las provincias una esfera autónoma de autogobierno dependía enteramente del desarrollo histórico y su coherencia con la vida jurídica. En contraste, la soberanía de las esferas está enraizada en la creación, no en la historia.

---

[5] Juan Rodolfo Thorbecke (1798-1872), estadista holandés liberal líder del siglo diecinueve, fue el principal oponente de Groen van Prinsterer. Uno sólo necesita echar una mirada al título de su disertación para entender cuán fuertemente fue influenciado por la Escuela histórica: *Sobre la esencia y sobre el carácter orgánico de la Historia* [*Ueber das Wesen und den Organischen Charakter der Geschichte*].

Pero esto de ninguna manera implica que la entera cuestión de la autonomía municipal y provincial pueda ser removida de la lista de problemas políticos fundamentales. Una política estatal verdaderamente cristianohistórica, que esté guiada en su reflexión histórica por las exigencias de la religión cristiana, exige que el carácter nacional y su desarrollo histórico sean considerados seriamente en la formación del cuerpo político. Esta consideración se requiere no porque el "espíritu nacional", tomado individualmente y por sí mismo, sea una norma para la acción política, sino porque el desarrollo histórico está sujeto a la norma de diferenciación que requiere que las formas sociales indiferenciadas se abran y se desplieguen. Es igualmente necesario porque el proceso de diferenciación conlleva la individualización histórica, también en términos del desarrollo de las *naciones* individuales.

¿Qué significa 'individualización histórica'? Debemos proseguir con esto aun más, pues es aquí donde la visión escritural de la historia pasa inmediatamente al frente.

No es posible decir con la suficiente frecuencia que el historicismo, el cual hoy es mucho más influyente que la visión escritural de la historia, surja de la absolutización del aspecto histórico de la realidad que es investigado por la ciencia de la historia. Pero el carácter integral, completo y radical (el cual penetra a la raíz de la realidad creada) del motivo escritural de la creación nos hace ver este aspecto en su naturaleza irreducible y en su irrompible coherencia con todos los otros aspectos de la realidad. En su núcleo es irreducible a los otros, pero al mismo tiempo en su estructura interna exhibe una completa expresión de la coherencia universal de este aspecto con los otros aspectos. Esta expresión es la obra de la creación de Dios, la cual es integral y completa.

Anteriormente discutí la coherencia universal de los aspectos en conexión con el aspecto síquico, llamando a esta coherencia la universalidad de esfera de cada aspecto. Es el correlato de la soberanía de las esferas. Para percibir las ordenanzas de Dios para el desarrollo histórico, es necesario que las busquemos en el aspecto histórico y su irrompible coherencia con las estructuras de los otros aspectos. Si esta búsqueda no ha de desviarse, entonces el motivo escritural de la creación, la caída, y la redención a través de Jesucristo debe ser nuestro único punto de partida y nuestra única motivación religiosa.

BIBLICISMO

Alguien podría objetar como sigue: ¿es tal intrincada investigación realmente necesaria para lograr una compenetración en las ordenanzas de Dios para el desarrollo histórico? ¿No es verdad que Dios reveló su ley completa en los diez mandamientos? ¿No es esta revelación suficiente para el cristiano sencillo? Respondo con una contrapregunta: ¿no es verdad que Dios puso todas las esferas de la vida temporal bajo sus leyes y ordenanzas —las leyes que gobiernan las relaciones numéricas y espaciales, los fenómenos físicos y químicos, la vida orgánica, el sentimiento emocional, el pensamiento lógico, el lenguaje, la vida económica y la belleza? ¿No están todas estas leyes fundadas en el orden de la creación de Dios? ¿Podemos encontrar textos escriturales explícitos para todas ellas? Si no, ¿no habremos de reconocer que Dios le dio al hombre la tarea de descubrirlas? Y al admitir esto, ¿podemos todavía sostener que no hace ninguna diferencia si empezamos desde el motivo básico de la Palabra de Dios o desde la guía de motivos básicos aescriturales?

Aquellos que piensan que pueden derivar *principios* verdaderamente escriturales para la política estatal estrictamente a partir de textos bíblicos explícitos tienen una noción muy equivocada de la Escritura. Sólo ven la letra, olvidando que la Palabra de Dios es espíritu y poder que debe penetrar nuestra actitud entera de vida y pensamiento. La Palabra-revelación de Dios pone a los hombres a trabajar. Demanda la totalidad de nuestro ser; quiere concebir nueva vida donde la muerte y la complacencia espiritual una vez dominaron. Las personas espiritualmente aletargadas preferirían que los frutos maduros de la revelación de Dios cayeran en su regazo, pero Jesucristo nos dice que, dondequiera que la semilla de Dios cae en buena tierra, nosotros mismos debemos llevar fruto.

Hoy los cristianos encaran una cuestión fundamental planteada por la "nueva era": ¿qué vara histórica poseemos para distinguir las direcciones reaccionaria y progresista en la historia? No podemos derivar este criterio de los diez mandamientos, pues no fueron dados para salvarnos de investigar las ordenanzas de la creación de Dios. Para responder a esta cuestión básica, uno necesita cierta compenetración en las ordenanzas específicas que Dios estableció para el desarrollo histórico. No hay un camino fácil hacia tal compenetración. Requiere investigación. Nuestra búsqueda estará protegida contra el descarrilamiento si el motivo creación de la Palabra de Dios reclama nuestra vida y pensamiento integralmente.

BARTHIANISMO

Pero surge otra objeción, esta vez de los seguidores de Karl Barth. La objeción es esta: ¿qué sabemos de las ordenanzas originales de la creación? ¿Cómo podemos hablar con tanta confianza de las ordenanzas de la creación, como si la caída nunca hubiera ocurrido? ¿No las cambió el pecado de tal manera que ahora son ordenanzas para la vida *pecaminosa*? Mi réplica es como sigue.

El motivo básico de la divina Palabra-revelación es una unidad indivisible. Creación, caída y redención no pueden ser separados. En efecto, un barthiano hace tal separación cuando confiesa que Dios creó todas las cosas pero rehúsa dejar que este motivo creación permee completamente su pensamiento. ¿Dios se reveló a sí mismo como creador para que pudiéramos dejar de lado esta revelación? Me aventuro a decir que quienquiera que ignore la revelación de la creación no entiende ni la profundidad de la caída ni el alcance de la redención. No es escritural relegar la creación al trasfondo. Simplemente lea los Salmos, donde el poeta devoto se regocija en las ordenanzas que Dios decretó para la creación. Lea el libro de Job, donde Dios mismo habla a su intensamente sufriente siervo de la riqueza y la profundidad de las leyes que estableció para sus criaturas. Lea los evangelios, donde Cristo apela a la ordenanza de la creación para el matrimonio para contrarrestar a aquellos que pretendían atraparlo. Finalmente, lea Romanos 1:19-20, donde las ordenanzas de la creación son explícitamente incluídas en la revelación general a la raza humana. Quienquiera que sostenga que las ordenanzas originales de la creación son incognoscibles para el hombre caído debido a los efectos del pecado, comete una injusticia básica a la verdadera importancia de la *gracia común* de Dios que mantiene estas ordenanzas. El pecado cambió no los decretos de la creación sino la dirección del corazón humano. El corazón del hombre le dio la espalda al creador.

Indudablemente, esta caída radical se expresa en el modo en que el hombre devela las potencialidades que Dios encerró en su creación. La caída afecta a los fenómenos naturales, que el hombre ya no puede controlar. Se expresa en el pensamiento teórico guiado por un motivo básico idólatra. Aparece en el modo subjetivo en que el hombre da forma a los principios establecidos por Dios en su creación como normas para la acción humana. La caída hizo necesarias ciertas instituciones especiales, tales como el Estado y la iglesia en su forma institucional. Pero incluso estas instituciones especiales de gracia general y especial están basadas en las ordenanzas que Dios estableció en su orden creacional. Ni las estructuras de los varios aspectos de la realidad, ni las estructuras que determinan la naturaleza de las criaturas concretas, ni los principios que sirven como normas para la acción humana, fueron alterados por la caída. Una negación de esto conduce a la conclusión aescritural de que la caída es tan amplia como la creación; *i.e.* que la caída destruyó la misma naturaleza de la creación. Esto significaría que el pecado juega un papel autodeterminante y autónomo en contra de Dios, el creador de todo. Quien mantenga esa posición le roba a Dios su soberanía y le concede a Satanás un poder igual al del origen de todas las cosas.

Ciertamente, entonces, esta objeción desde el campo barthiano no puede evitar que investiguemos el orden divino para el desarrollo histórico tal y como se revela a la luz del motivo de la creación.

III

HISTORIA, HISTORICISMO Y NORMAS

El historicismo es la enfermedad fatal de nuestros tiempos "dinámicos". No hay cura para esta visión decadente de la realidad en tanto que el motivo escritural de la creación no recupere sus plenos derechos sobre nuestra vida y pensamiento. El historicismo nos roba nuestra creencia en estándares permanentes; socava nuestra fe en las verdades eternas de la Palabra de Dios. El historicismo pretende que todo es relativo e históricamente determinado, incluyendo las creencias de uno en los valores duraderos.

Pídale que se detenga ante las puertas de su fe, si usted desea. El demonio del historicismo no será mantenido afuera tan fácilmente. Ha sobornado a sus vigilantes sin que usted se diera cuenta. Repentinamente está en su cámara interna y lo tiene en su poder. Pregunta: ¿sostienes que la Santa Escritura revela la verdad *eterna*? ¿Acaso tú, aprisionado por tus dogmas, no entiendes que la Biblia, la cual tú aceptas como revelación de Dios, estuvo sujeta ella misma el proceso de desarrollo histórico? ¿No es verdad que el camino del Antiguo hacia el Nuevo Testamento es la gran avenida de la historia? Si el Antiguo Testamento es la revelación de Dios, ¿no entiendes que esta revelación se desarrolló históricamente para dar lugar al Nuevo Testamento? ¿O todavía crees que el libro de Josué contiene la regla divina de vida para el cristiano de hoy? ¿Puedes todavía cantar los salmos judíos de venganza sin experimentar una colisión con tu moderna conciencia cristiana? ¿De veras quieres decir que el contenido de tu fe cristiana es idéntico al de la primera comunidad cristiana o al del cristiano creyente en la Biblia de la Edad Media? Si es así, sólida investigación histórica prontamente pondrá fin a tu ilusión. Ni siquiera tu uso de términos arcaicos puede impedir que los colorees con un nuevo significado. El significado de las palabras cambia con el desarrollo histórico, el cual ningún poder en la tierra puede detener. Hablas de principios políticos y apelas a la soberanía de las esferas, olvidando que vivimos en tiempos "dinámicos". ¡El cambio lo es todo, la certeza en los principios no es nada! Vives en una época que ha superado el prejuicio dogmático concerniente a la existencia de los estándares permanentes que no están sujetos al desarrollo histórico. Para estar en casa en estos tiempos debes ubicarte en medio de la corriente del movimiento de la historia. Para ser escuchado hoy debes abrirte al espíritu de la época. Sobre todo debes ser progresista, pues entonces el futuro es tuyo.

Estos son los modos subrepticios con los que el historicismo entra en el corazón del hombre moderno. Algunos teólogos incautos aceptaron sus aseveraciones en lo que concernía a la realidad temporal, pero trataron de preservar el valor eterno de las verdades cristianas. Esto, sin embargo, fue un error formidable. Si uno acepta su visión de la realidad temporal, el historicismo no se detiene ante la fe de uno, pues la vida de la fe misma pertenece a la realidad temporal. Más aún, el historicismo es impulsado por un motivo religioso básico que adopta su posición en radical oposición al motivo básico de la religión cristiana.

EL ASPECTO HISTÓRICO

Anteriormente vimos que en una etapa temprana el historicismo infiltró parcialmente el pensamiento político antirrevolucionario en su visión de la historia. No es una exageración decir que el peligroso espíritu del historicismo permea toda la reflexión moderna sobre la sociedad humana. En vista de su vasta influencia, es extremadamente importante observar una vez más que incluso aunque uno puede tratar de limitar el historicismo a una visión de la realidad temporal, el historicismo echa raíces sólo cuando el motivo de la creación, de la revelación divina, pierde su control sobre la cosmovisión de uno. El entrenamiento académico o la carencia del mismo son irrelevantes aquí. El historicismo es más que una teoría filosófica. Pertenece a las "huestes espirituales de maldad" [Efesios 6:12] que reclaman no sólo nuestro pensamiento, sino nuestra completa práctica de vida.

Cuando el historicismo abandonó el motivo de la creación cometió un serio error: identificó el *aspecto* histórico de la realidad con la *historia* en el sentido concreto de *lo que ha sucedido*. Incluso Groen van Prinsterer apeló al "está escrito" y al "ha de suceder" como los dos testigos clave en su testimomio contra la filosofía idólatra de la Revolución francesa. Pero el "ha sucedido" no puede ser identificado con el *aspecto* histórico en términos del cual los hechos y los eventos son investigados científicamente. Apenas puedo advertir lo suficiente en contra de este fundamental error que conduce directamente a abrazar el historicismo. Es un error que se comete continuamente, incluso por los pensadores creyentes. Más aún, esta primera concesión al historicismo se ha filtrado desde la teoría científica hacia la cosmovisión de la persona promedio.

Eventos concretos como las guerras, las hambrunas, las revueltas, el surgimiento de nuevas formas políticas, los descubrimientos importantes, las invenciones, etcétera, pertenecen todos a la realidad concreta que en principio funciona en *todo* aspecto, sin excepción. Desde luego, las cosas de nuestra experiencia cotidiana y las varias esferas de la sociedad —tales como la familia, la escuela, y la iglesia— funcionan en todo aspecto. Si, sin embargo, uno identifica el aspecto histórico con "lo que ha ocurrido", entonces uno olvida que la historia concreta exhibe muchos otros aspectos que no son históricos en carácter. El resultado es que la realidad es igualada con uno de sus aspectos (el aspecto abstraído por la ciencia de la historia). Uno abandona entonces el motivo cristiano de la creación y se vuelve historicista.

Se puede mostrar convincentemente que esto es el caso. Pregúntele a un hombre lo que entiende por 'historia'. Su pronta respuesta será: todo lo que ha sucedido en el pasado. Esta respuesta es correcta. En la experiencia ordinaria de la vida cotidiana uno no dirige su atención hacia los aspectos abstractos de la realidad que son distinguidos en una aproximación teórica. En la experiencia ordinaria la atención se fija sobre la estructura segunda, concreta de la realidad: la estructura de las cosas, eventos, etcétera. Pero es vano delimitar el campo de investigación para la ciencia de la historia en términos del criterio de "lo que ha sucedido".

Considere, por ejemplo, el siguiente evento: ayer un hombre se fumó un puro. Hoy este evento pertenece al pasado. ¿Pero es por lo tanto un evento *histórico*, digno de ingresar en los anales de la historia? Claro que no. Y, no obstante, una reflexión más cuidadosa revela que este evento tiene un aspecto histórico. En la Edad Meda los hombres no fumaban. La introducción y popularización del tabaco en la cultura occidental fue ciertamente un evento de importancia histórica. La propia actividad de fumar de uno tiene lugar en un contexto histórico de cultura, y es difícil concebir este contexto sin el fumar como una fuente de disfrute. Aunque el evento de fumar exhibe un aspecto histórico cuando se le contrasta con los medios de placer medievales, no obstante el evento mismo no está caracterizado *típicamente* por su aspecto histórico. Otros eventos, por contraste, son típicamente históricos, tales como la Revolución francesa y la capitulación de Japón y Alemania en la última guerra mundial. Los eventos típicamente históricos actúan *formativamente* en la historia del mundo.

Seguramente, el contraste entre diferentes tipos de eventos es conocido implícitamente en la experiencia ordinaria (no teórica). Nadie dirá que fumar un puro es un evento típicamente histórico. Ni nadie considerará un evento natural como un derrumbe de piedras o una inundación un evento histórico como tal. Tales ocurrencias se vuelven históricamente significativas sólo en conexión con sus efectos en la cultura humana.

Es imperativo, por lo tanto, que no identifiquemos el aspecto histórico de la realidad con los eventos concretos que funcionan en el mismo y que exhiben todos los otros aspectos que Dios le dio a la realidad en su orden de creación. El aspecto histórico debe ser distinguido de los aspectos de vida orgánica, sentimiento emocional, distinción lógica, etcétera. La base de esta distinción no es lo *que* ocurre en el aspecto histórico, sino *cómo* es que algo ocurre en el mismo. La preocupación primordial del historiador, por lo tanto, es captar el núcleo del *modo* histórico de los eventos concretos. Necesita un criterio para distinguir el aspecto histórico de la realidad de los otros aspectos. El historicismo carece de tal criterio, pues desde su punto de vista el aspecto histórico y la realidad completa son una y la misma cosa.

Los criterios actuales para hacer esta distinción son completamente inútiles. Si, por ejemplo, uno argumenta que la ciencia de la historia es la ciencia del devenir o el desarrollo, entonces uno olvida que las ciencias naturales también tratan con el devenir y el desarrollo. Cuando uno reconoce tanto el desarrollo orgánico como el desarrollo histórico, entonces la cuestión cardinal es esta: ¿cuál es el carácter específicamente histórico de un proceso de desarrollo? Ciertamente, el desarrollo orgánico desde la semilla hasta la planta plenamente crecida, o desde el embrión hasta el animal maduro, no es el tipo de desarrollo que concierne a la ciencia de la historia.

¿Cuál es entonces el corazón o núcleo del aspecto histórico de la realidad? El que lo aprehende correctamente no es victimado por el historicismo. Sólo se entiende cuando el motivo creación de la Palabra-revelación gobierna intrínsecamente la visión de la realidad de uno, pues entonces el historicismo no tiene control sobre el pensamiento de uno. El núcleo del aspecto histórico, el que garantiza su naturaleza propia e irreducibilidad, es el modo *cultural* de ser. La actividad cultural siempre consiste en dar forma al material con libre control sobre el material. Consiste en dar forma conforme a un diseño libre.

La actividad culturalmente formativa es diferente de la actividad por la cual las formas duraderas aparecen en la naturaleza. Los maravillosos cristales de roca, el panal, la telaraña, etcétera, no son formas culturales porque no se originan a través del diseño libre y el libre control de un material. Surgen a través de los procesos naturales y los instintos, los cuales se mueven de acuerdo con esquemas y leyes fijos e inmutables.

La misma historia de la creación indica que el modo cultural de actividad formativa está fundado en el orden de la creación de Dios. Dios le dio inmediatamente al hombre el gran mandato cultural: subyugar la tierra y tener dominio sobre ella. Dios ubicó este mandato cultural enmedio de las otras ordenanzas de la creación. Sólo toca al aspecto histórico de la creación. A través de este aspecto, la creación misma está sujeta al desarrollo cultural.

El modo cultural de ser es el modo en que la realidad se revela en su aspecto histórico. Usualmente el término 'cultura' se refiere a lo que debe su existencia a la formación humana, en contraste con lo que se desarrolla en la "naturaleza". Se olvida entonces que el modo cultural de ser no es más que un aspecto de las cosas y los eventos concretos, y que un así llamado objeto cultural, tal como una silla, también funciona en los aspectos de la realidad que no son culturales en carácter.

La religión cultural griega deificó lo cultural, el momento nuclear del aspecto histórico. Su motivo forma estuvo en una antítesis religiosa con el motivo materia, el cual deificaba un flujo eterno de vida. No obstante, en el motivo forma griego uno no encontraba los momentos típicamente relativistas y dinámicos que nos confrontan en el historicismo moderno. Su ausencia se debía al hecho de que en el motivo forma griego el modo cultural de ser estaba completamente separado del momento de desarrollo, el cual ata el aspecto histórico al aspecto orgánico. Puesto que en el motivo religioso básico de la antigüedad griega la religión cultural era absolutamente antitética con las antiguas religiones del flujo de la vida, el motivo cultural de la forma tuvo que cortar sus nexos con el motivo de las religiones más antiguas. Así, por ejemplo, el motivo forma condujo al pensamiento griego a la creencia en un mundo de formas eterno e inmutable, un mundo completamente separado del flujo terrenal de la vida. En la religión de los dioses olímpicos, esta creencia asumió una forma que apelaba a la imaginación del pueblo; los dioses olímpicos eran dioses de la forma invisibles, inmortales, brillantes. Fueron personificaciones de los varios poderes culturales que vivían más allá de la suerte de los mortales.

El historicismo moderno, en contraste, está dominado por el motivo religioso básico del humanismo (la naturaleza y la libertad). Ve la cultura en términos de un interminable desarrollo histórico, rechazando todas las estructuras creacionales constantes que hacen posible este desarrollo. El historicismo rechaza la estructura constante del aspecto histórico que contiene los decretos divinos para el desarrollo histórico. Como resultado, carece de estándar confiable para distinguir las tendencias reaccionarias y progresistas en el desarrollo histórico. Encara los problemas de la "nueva era" sin principios, sin criterios. Debido a su cosmovisión historicista y relativista, los eslogans con los que combatió el nacionalsocialismo y el fascismo carecen de un valor confiable. Lo mismo vale con igual fuerza para los eslogans "democracia", "los derechos del hombre", "la ley y el orden", y "la libertad".

Al mismo tiempo debemos recordar que la debilidad del pensamiento antirrevolucionario fue su concepción de la historia. Ciertamente, la base escritural de su posición —¡Escrito está!— proveyó una poderosa arma contra el historicismo. No obstante, como vimos antes, el pensamiento antirrevolucionario se alió con el historicismo humanista en su visión de la historia. Era inevitable que este alineamiento se vengara precisamente en la fase presente de la historia mundial: hoy el espíritu historicista de la "nueva era" puede ser combatido efectivamente sólo si se le confronta en la arena del desarrollo histórico mismo. Este encuentro requiere de la completa armadura espiritual de la religión cristiana.

En mi crítica no pretendo denunciar la gran obra de Stahl y Groen van Prinsterer. Mi crítica tiene una finalidad constructiva. Se ofrece en un espíritu de profunda gratitud por los trabajo de estos líderes y pensadores cristianos. Pero su trabajo sólo puede ser continuado en su espíritu si el motivo básico escritural de la *Reforma* continúa operando en el mismo. Si se ponen de manifiesto debilidades en su herencia cultural, deben ser cortadas sin vacilación. La necesidad primaria de hoy es una compenetración escritural más profunda en la relación entre el principio creacional de la soberanía de las esferas y el desarrollo histórico. Hoy nuestra cultura necesita claridad con respecto a las ordenanzas que Dios estableció para el desarrollo histórico en la creación.

EL PODER CULTURAL

El corazón o núcleo del aspecto histórico de la realidad es el modo *cultural* de ser. El modo cultural de una actividad consiste en el control sobre el material por la formación conforme a un libre diseño. Este libre control se aplica tanto a personas como a cosas, aunque el primero es primario. El libre control se revela en la formación histórica del *poder*. Sin poder personal un descubrimiento o invención que pretende controlar la "naturaleza" no puede ser históricamente *formativo*. Por ejemplo, el gran artista italiano del Renacimiento temprano, Leonardo da Vinci, fue también un gran científico. Aparentemente, sabía ya como construir un aeroplano. Pero su conocimiento se fue con él a la tumba. Permaneció siendo su propiedad privada. Si hubiera obtenido apoyo para su invento, hubiera podido tener un efecto formativo sobre la historia del mundo. Para ello, Leonardo necesitaba una formación histórica de poder e influencia histórica, la cual él tenía como artista, pero no como inventor.

¿Cuál es entonces la naturaleza del poder personal que equipa al genuino moldeador de la historia? Se presentan las más distorsionadas nociones con respecto a esta cuestión, también en los círculos cristianos. Muchos igualan el poder con la fuerza bruta. Hoy muchos cristianos, engañados por esta identificación, consideran acristiano luchar por la consolidación de poder en organizaciones que buscan aplicar principios cristianos a la sociedad. Creen que el poder no puede jugar ningún papel entre los cristianos. Especialmente los teólogos en el círculo de Barth —estoy pensando en el libro de Emil Brunner *Das Gebot und die Ordnungen* [*El mandamiento y el orden*]— ven el Estado como un ser semidemoníaco debido a su organización de poder.[1] Un cristiano puede hablar de amor y justicia con una conciencia sin carga, pero tan pronto como el poder entra en su alcance, probablemente ha escuchado ya al diablo.

---

[1] Emil Brunner, *The Divine Imperative*, trad. de Olive Wyon (Filadelfia: The Westminster Press, 1974).

Tales opiniones indican que el motivo creación de la religión cristiana se ha retirado de la cosmovisión de estos cristianos. Como resultado, estos cristianos tampoco entienden la caída del hombre y su redención a través de Jesucristo en su plena importancia escritural. El impacto abíblico de su visión se hace evidente cuando recordamos que Dios se revela como el creador en la plenitud original del poder. Dios es omnipotente. En la creación encargó al hombre el mandato cultural: subyuga la tierra y ten dominio sobre ella. A través de la historia Dios se revela como el Omnipotente.

Debido a la caída, la posición de poder a la que Dios llamó al hombre en el desarrollo de la cultura fue dirigida hacia la apostasía. Pero Cristo Jesús, el Redentor, se reveló como el poseedor del poder en el pleno sentido de la palabra: "Toda potestad me es dada en el cielo y en la tierra", dice el Señor resucitado [Mateo 28:18]. Encargó a sus apóstoles que proclamaran el poder del evangelio entre todas las naciones.

El poder espiritual del evangelio es desde luego muy diferente del poder de la espada del gobierno. A la vez, cada uno de estos poderes es esencialmente diferente del poder de la ciencia, el arte, el capital, un sindicato, o una organización patronal. Pero, independientemente de la estructura concreta en que la formación histórica de poder se revela, el poder no es la fuerza bruta. Está enraizado en la creación y no contiene nada demoníaco. Jesucristo se llamó a sí mismo explícitamente el gobernador de los reyes de la tierra. Incluso requirió el poder de la espada de los gobiernos para su servicio, pues todo poder en los cielos y en la tierra le fue dado a él. Sólo el pecado puede poner el poder al servicio de lo demoníaco. Pero esto vale para toda buena dádiva de Dios: para la vida, el sentimiento, el pensamiento, la justicia, la belleza, etcétera.

En tanto que el poder ha sido confiado al hombre como criatura, siempre es cultural. Implica un llamamiento histórico y una tarea de formación de la cual el portador del poder es responsable y de la cual debe rendir cuentas. El poder nunca puede ser utilizado para la ventaja personal, como si fuera una posesión privada. El poder es el gran motor del desarrollo cultural. La cuestión decisiva concierne a la *dirección* en que el poder se aplica.

Finalmente, contrariamente a la frecuentemente sostenida opinión, la formación y ejercicio del poder no están sujetos a leyes naturales. Están sujetos a *normas*, las reglas de lo que *debiera* ser. Las normas para el ejercicio del poder son intrínsecamente normas históricas. Las naciones y los portadores del poder están sujetos a ellas. No es verdad, por ejemplo, que el carácter nacional individual sea la norma para el desarrollo cultural, como enseñaba la Escuela histórica.

Esta visión irracionalista de la historia debe ser rechazada enfáticamente, pues el motivo creación nos compele a reconocer que en toda área de la vida la ley de Dios está por encima de la criatura sujeta a ella. La criatura es el sujeto (*sujet*) del orden divino. Pero las ordenanzas puestas por Dios sobre el proceso de desarrollo histórico pueden ser transgredidas por las naciones y los portadores del poder. Esta posibilidad de transgresión confirma la verdad de que estas ordenanzas son normas. El hombre no puede desobedecer una ley natural tal como la ley de la gravedad.

De hecho, sin embargo, cuando uno habla del contraste entre lo "histórico" y lo "ahistórico", y llama "reaccionaria" a la acción ahistórica, uno acepta la existencia de normas verdaderamente históricas. Cuando uno caracteriza una cierta tendencia política como "reaccionaria", uno hace un juicio de valor histórico que presupone la aplicación de una norma para el desarrollo histórico.

Un ejemplo de política reaccionaria en los Países Bajos fue el intento de Guillermo I en 1814 de restaurar, al menos parcialmente, los pasados de moda derechos de la nobleza sobre la tierra y las viejas haciendas [*Stände*] del reino. Los derechos solariegos, que traían a la autoridad del gobierno al dominio de la propiedad privada, eran remanentes del estado indiferenciado de la sociedad en la Edad Media. El viejo sistema de las haciendas era también una reliquia de la sociedad medieval. Ni el sistema solariego ni el de las haciendas podían adaptarse al resultado de la Revolución francesa; a saber, a la idea moderna del Estado y a su clara demarcación entre la ley civil y la privada. El así llamado movimiento contrarrevolucionario en el periodo de la Restauración no intentó simplemente resistir a los *principios* de la Revolución francesa; buscó eliminar todo lo que estuviera asociado con la Revolución francesa, incluyendo la moderna idea del Estado. Trató de regresar el reloj político al antiguo régimen con sus relaciones feudales. Desde el principio, el Partido Antirrevolucionario[2] se opuso a la contrarrevolución, reconociendo que era un movimiento reaccionario y ahistórico. Se dio cuenta de que los esfuerzos políticos de los contrarrevolucionarios entraban en conflicto con la norma para el desarrollo histórico.

Pero, ¿cómo sabemos que Dios ubicó el desarrollo histórico bajo normas y no, por ejemplo, bajo las leyes naturales que valen para los fenómenos eléctricos y químicos o para el desarrollo orgánico de la vida? El carácter normativo del desarrollo histórico se ve por el lugar que Dios asignó al aspecto histórico en el orden de la creación. El contraste entre acción histórica y ahistórica se retrotrae a la oposición encontrada en el aspecto lógico de la realidad entre lo que está de acuerdo con la norma para el pensamiento y lo que entra en conflicto con esta norma. Si una persona se contradice en un argumento lógico, la acusamos de argumentar ilógicamente. El contraste lógico/ilógico presupone que nuestra función de pensamiento está ubicada

---

[2] El movimiento antirrevolucionario había estado en existencia en Holanda por varias décadas, bajo la dirección de Groen van Prinsterer, antes de que Abraham Kuyper fundara el Partido Antirrevolucionario en 1879.

bajo normas lógicas que pueden ser transgredidas. Entre los varios aspectos de la realidad, el aspecto de la distinción lógica es el primero que exhibe un contraste entre lo que debiera ser y lo que no debiera ser. Las ordenanzas divinas o leyes para todos los aspectos subsecuentes son de carácter normativo. Las normas son estándares de evaluación y como tales pueden ser empleados sólo por criaturas que, dotadas con una función lógica, son capaces de hacer distinciones racionales.

Algunos sostienen que las normas aparecen ya en el aspecto orgánico. Después de todo, llamamos a un organismo saludable o enfermo dependiendo de si funciona o no de acuerdo con la "norma" de la salud. Pero este juicio descansa en un malentendido. Una norma existe sólo para criaturas que son *responsables* de su comportamiento y que pueden ser *traídas a cuentas* por conductas que transgreden las normas. Nuestra habilidad para rendir cuentas de esta manera es posible sólo sobre la base de la facultad del juicio lógico. Seguramente, nadie haría responsable a una planta o a un animal enfermo por el funcionamiento anormal de su organismo. Nadie lo culparía por su enfermedad. Sin embargo, hacemos responsable a alguien por argumentar ilógicamente. La responsabilidad también está en juego cuando culpamos a un movimiento politico por su actitud reaccionaria hacia el desarrollo histórico, o cuando decimos que alguien se comporta antisocialmente, se expresa agramaticalmente, maneja sus negocios de modo no económico, escribe mala poesía, actúa injustamente, se conduce inmoralmente, o vive en la incredulidad.

Las normas están dadas en el orden de la creación como *principios* para el comportamiento humano. Dentro del aspecto histórico, así como en todos los aspectos subsecuentes de la realidad, estos principios requieren de *formación* por autoridades humanas competentes. El proceso de dar forma a principios normativos siempre debe tomar en consideración el nivel de desarrollo de un pueblo, pues todos los aspectos subsecuentes de la vida humana están entretejidos con el aspecto histórico de la cultura. Dar cualquier tipo de forma siempre retrotrae a la formación cultural en el desarrollo histórico. Acordemente, los principios de decencia, cortesía, respeto, civilidad, etcétera, requieren formación en la interacción social, en nuestros modales sociales concretos. De modo similar, los principios linguales requieren de las formas del lenguaje; los principios del valor económico requieren formas económicas; los principios de armonía requieren de las formas del estilo; los principios legales requieren las formas jurídicas de las leyes, decretos, estatutos y reglamentaciones. Todos los otros aspectos exhiben una coherencia inseparable con el aspecto histórico.

Si el motivo de la creación no gobierna el pensamiento de uno, podría parecer que la interacción social, el lenguaje, la economía, el arte, la justicia, la moralidad y la fe son en esencia fenómenos históricos, como si tuvieran un origen *puramente histórico*. Pero el motivo creación de la Palabra de Dios, el cual continuamente nos recuerda que Dios creó todas las cosas de acuerdo con su propia naturaleza, nos libra de este error historicista y afila nuestra habilidad para distinguir los aspectos de la realidad. Por ejemplo, la *ley* positiva, en su formación humana, no es de naturaleza *histórica*. En contraste con la formación histórica, que presupone el poder de aquellos que dan forma a los principios culturales, la formación de la ley positiva por el legislador requiere poder legal y competencia jurídica. El poder legal no puede ser reducido al poder en el sentido histórico. Tal reducción resulta en una identificación de la justicia con el poder, lo cual equivale a una abolición y negación de la justicia.

La persistente aseveración del nacionalsocialismo, de que una nación establece su derecho a existir a través de una lucha histórica de poder fue un típico resultado del historicismo. "El poder es el Derecho" fue el eslogan político del Estado totalitario. El eslogan fue de lo más peligroso porque contenía un momento de verdad. Es desde luego verdad, como veremos después, que un juicio del mundo viene sobre las naciones en la historia del mundo, aunque nunca en el sentido de que el Derecho se disuelve en el poder. Es desde luego el caso que la figura del "poder legal" apunta hacia la inseparable coherencia entre los aspectos diquético e histórico de la realidad. Sin poder en el sentido histórico, el poder jurídico no puede existir. No obstante, la naturaleza de cada poder es intrínsecamente diferente.

LA TRADICIÓN

Toda formación histórica requiere poder. La formación, así, nunca tiene lugar sin lucha. La voluntad progresista del moldeador de la historia invariablemente choca con el poder de la tradición, el cual, como poder de la conservación, se opone a todo intento de romper con el pasado. En la tradición uno encuentra la encarnación de una herencia cultural, comunal, adquirida con el paso de las generaciones. La tradición nos forma, como miembros de un área cultural, en gran medida muy inconscientemente, porque hemos sido nutridos en ella desde nuestra niñez y así empezamos a aceptarla como algo dado sin inventariar su valor intrínseco. La riqueza de la tradición es inconmensurablemente más rica que la porción que un individuo puede apropiarse para sí mismo. Cualquiera que se atreva a oponerse a ella nunca es confrontado meramente con unas cuantas almas inclinadas al conservadurismo, sino con un poder comunal que liga el presente con el pasado y que se extiende a través de las generaciones. El innovador casi siempre tiene en menos el poder conservador de la tradición, pues sólo ve la superficie del presente, donde la tradición aparece principalmente como inercia, como una fuerza retardataria. Pero la tradición tiene dimensiones profundas que se revelan sólo gradualmente en la investigación histórica cuidadosa. Sólo bajo esa luz empieza el investigador a entender cuán grande es realmente el poder que confronta al formador de la historia.

Es infantil quejarse de la tradición como si fuera una vieja persona que-jumbrosa que simplemente jura por lo que es y que es incapaz de apre-ciar nada nuevo. La cultura no puede existir sin la tradición. El desarrollo histórico es imposible en su ausencia. Imagine que cada nueva generación tratara de borrar el pasado en un diligente esfuerzo por empezar de nuevo. Nada resultaría de ello. El mundo sería un desierto, un caos.

El desarrollo cultural, entonces, no es posible sin la tradición. El poder de la tradición está fundado en el orden de la creación, puesto que el man-dato cultural mismo es una de las ordenanzas creacionales. Sin embargo, el verdadero desarrollo histórico también demanda que una cultura no vegete en el pasado, sino que se despliegue.

El progreso y la renovación tienen un lugar con pleno derecho en la historia, al lado de la tradición y el poder de conservación. En la lucha de poder entre ambas fuerzas la voluntad progresista del conformador de la historia debe inclinarse ante la *norma de continuidad histórica*. El espíritu revolucionario de reconstrucción, el cual busca descartar el pasado ente-ramente, debe acomodarse a las formas vitales de la tradición en tanto se conforman a la *norma de desarrollo histórico*. Seguramente, esta norma de con-tinuidad histórica no es una "ley de la naturaleza" que opere en la historia aparte del involucramiento humano. En toda revolución guiada por princi-pios falsos se hace un intento por revertir completamente el orden existente. La Revolución francesa, por ejemplo, trató de empezar con el año "uno". Pero prontamente tuvo que moderar sus intenciones revolucionarias bajo la presión de la tradición. Si algún espíritu revolucionario fuera capaz de superar el poder de la tradición, la cultura misma sería aniquilada. Aunque esto puede ser posible, el hombre *no puede* derrocar el orden de la creación, el cual liga el desarrollo histórico con normas permanentes. La criatura no puede *crear* en el verdadero sentido de la palabra. Si el pasado fuera des-truido completamente, el hombre no podría crear una cultura real.

Una marca típica del espíritu historicista de la época es la creencia en que la distinción entre direcciones conservadora y progresista en la historia puede reemplazar la antítesis religiosa como línea de demarcación para los partidos políticos. Esta sugerencia, hecha por vez primera en este contexto por el historiador Johan Huizinga,[3] ha logrado amplio apoyo, particular-mente en el Movimiento Nacional Holandés. Es sintomático del espíritu de nuestro tiempo que esta distinción se origine en el aspecto histórico de la

---

[3] La referencia es al libro de Huizinga *In the Shadow of To-Morrow: A Diagnosis of the Spiritual Distemper of our Time* (Londres: William Heinemann, 1936).

realidad mismo. Pues el punto de vista de que la demarcación entre principios y metas políticos puede hacerse sobre la base de este criterio histórico es plausible sólo cuando uno absolutiza el aspecto histórico. Se hará claro, sin embargo, que este criterio es insuficiente, incluso desde un punto de vista histórico, para una determinación propia de las direcciones básicas de principios en la política.

Al examinar la estructura del aspecto histórico develamos el principio normativo de la continuidad histórica. Aunque la Escuela histórica también llegó a este principio, le dio a esta norma un sesgo irracionalista que condujo a una aceptación de un *fait accompli* [hecho consumado] y que levantó al carácter individual nacional como "destino de la nación" al *status* de ley. La apelación a la "guía de Dios en la historia" sólo enmascaró estas concepciones no escriturales que entran en conflicto con el motivo de la creación. La norma de continuidad histórica no surge del carácter nacional. Más bien, naciones y gobernantes le están sujetos. El bien y el mal pueden mezclarse en el espíritu nacional y la tradición, lo que demuestra que ninguno puede funcionar como norma.

Pero si ni la tradición ni el carácter nacional son normas, ¿es entonces la norma de continuidad un estándar adecuado para juzgar la presionante cuestión de qué es progresista y qué es reaccionario en el desarrollo histórico? Evidentemente no. No todo movimiento que se anuncia como progresista contribuye al verdadero progreso cultural. En retrospectiva, puede resultar evidente que es básicamente reaccionario.

El nacionalsocialismo indudablemente sostuvo que era un movimiento extremadamente progresista. ¿estaba justificada esa pretensión? Que nadie responda demasiado aprisa, pues temo que muchos serían abochornados si se les preguntara por el criterio para su juicio de valor histórico. Es precisamente el *historicista* el que carece de tal criterio. ¿Qué ganamos si sobre la base historicista uno sostiene que el nazismo pisoteó los "derechos del hombre" y los "fundamentos de la democracia"? Si todo está en flujo histórico y si la estabilidad de los principios es una quimera de la imaginación, entonces ¿por qué preferir una ideología de los derechos humanos a los ideales de una raza fuerte y su nexo con el suelo alemán? ¿Es la moderna concepción concerniente a los "derechos del hombre" todavía la misma que en los días de la Ilustración o la Revolución francesa? ¿Son las modernas visiones de la democracia idénticas a las de Rousseau? Si no, entonces ¿de dónde deriva el moderno historicista el derecho a describir su propia ideología, internamente minada, como progresista, y a llamar a los ideales vitales del nacionalsocialismo terriblemente reaccionarios?

Seguramente, la búsqueda de las normas de desarrollo histórico debe continuar. La norma de continuidad necesita de ulterior clarificación. A ésta sólo se puede arribar sobre la base del motivo básico de la Palabra de Dios.

APERTURA Y DIFERENCIACIÓN

La formación histórica ocurre en la batalla entre los poderes culturales conservadores y progresistas.

LA TRADICIÓN Y LA CULTURA

El poder conservador guarda la tradición, la cual liga el presente con el pasado. En la lucha de poder, la voluntad progresista del formador histórico debiera acomodarse a los elementos vitales en la tradición. La tradición misma, sin embargo, no es una norma o estándar para determinar cuál debiera ser la actitud de uno hacia un poder que se hace llamar "progresista". La tradición contiene bueno y malo, y es así que está ella misma sujeta a la norma histórica. Incluso el criterio de que una dirección progresista debiera de adoptar su punto de partida en los elementos culturales vitales en la tradición no es todavía suficiente.

Con 'elementos vitales de la tradición' nos referimos a la inseparable coherencia del desarrollo histórico con el desarrollo de la vida orgánica. He afirmado repetidamente que el aspecto histórico de la realidad no puede existir sin este nexo. En el orden divino de la creación, todos los aspectos de la realidad están ubicados en una coherencia irrompible entre ellos. Si cualquiera fuera dejado al margen de esta coherencia, los otros perderían su significado y la posibilidad de su existencia. Es una consecuencia del carácter integral de la obra creadora de Dios que todo aspecto de su trabajo está en una coherencia inseparable con los otros. Sólo en esta coherencia es posible que cada aspecto revele su naturaleza única e irreducible.

El aspecto histórico mantiene su coherencia con el aspecto orgánico a través de la *vida cultural*. La vida cultural debiera seguir su propio desarrollo. Como tal, no puede ser reducida a la vida orgánica, aun cuando la vida cultural no pueda existir sin vida orgánica. El desarrollo histórico no puede ser visto simplemente como una extensión del desarrollo orgánico de las plantas, los animales o el hombre. El desarrollo orgánico tiene lugar de acuerdo con las leyes naturales específicas prescritas por Dios en el orden de la creación. Las criaturas no son responsables del proceso de nacimiento, crecimiento y muerte de sus organismos. Pero, como vimos anteriormente, el desarrollo histórico que tiene lugar en la vida cultural está sujeto no a leyes naturales sino a normas, a las reglas de lo que debería ser. Estas normas presuponen la habilidad humana para hacer distinciones racionales, y están dadas por Dios como principios que requieren de formación completa por aquellos que poseen poder histórico.

Debido a que el desarrollo histórico está sujeto a normas en vez de a leyes naturales, es impropio ver las "fuerzas vitales" en la tradición, a las cuales tenemos que apegarnos en la continuada formación de la historia, como *dados naturales* no sujetos a los estándares de la evaluación histórica. En particular, uno no debiera seguir a la Escuela histórica, la cual argumentó que "poderes inconcientes históricamente vitales" y el "carácter nacional individual" operan en el proceso de la historia bajo la "guía providencial de Dios", justo como el "poder vital" en un organismo corpóreo. Tal apelación a la "guía de Dios en la historia" sólo puede servir como un escape de la propia responsabilidad de uno en el curso del desarrollo cultural. En este modo de pensar, la "guía de Dios" se vuelve idéntica al *Schicksal*, el destino o suerte de una nación. En la práctica, la "guía de Dios" fue reducida al punto en que el carácter nacional se convirtió en una norma. En otras palabras, la responsabilidad por el desarrollo cultural fue relegada a un misterioso "espíritu nacional" [*Volksgeist*], que no podía ser alterado, y que barrió con los miembros de una comunidad nacional como un destino irresistible.

Una visión de la historia dirigida por el motivo escritural de la creación llega a una conclusión enteramente diferente. En la tradición cultural, la "vitalidad" no está enraizada meramente en el carácter nacional, ni significa solamente que grandes partes de la tradición estén todavía apoyadas por el suficiente poder histórico para evitar su erradicación. Ambos son desde luego necesarios para el desarrollo histórico pero, por sí mismos, no son suficientes. La verdadera "vitalidad" en un sentido histórico sólo apunta a esa parte de la tradición que es capaz de ulterior desarrollo en conformidad con la *norma para la apertura o develación de la cultura*. Esta norma requiere la diferenciación de la cultura en esferas que poseen su propia naturaleza única. La diferenciación cultural es necesaria de modo que la ordenanza creacional, que llama al develamiento o despliegue de todo conforme a su naturaleza interna, pueda ser realizada también en el desarrollo histórico.

Este punto es eminentemente importante para los presionantes asuntos de la "nueva era". Desde luego, no podemos descansar hasta que hayamos logrado una clara compenetración en el significado de la norma histórica de diferenciación y en el fundamento de esta norma en el orden divino de la creación.

SOCIEDADES INDIFERENCIADAS

Anteriormente he discutido repetidamente la condición de las sociedades indiferenciadas. En tales sociedades no había todavía espacio para la formación de esferas de vida caracterizadas por su propia naturaleza interna. La vida entera de los miembros de tal sociedad estaba circunscrita por los nexos primitivos e indiferenciados de parentesco (*familia* o *gens*), tribu o pueblo (*Volk*), los cuales poseían una esfera de poder religioso exclusiva y absoluta. Estos nexos se distinguían sólo por su tamaño y alcance. Realizaban todas las tareas para las cuales, en un nivel cultural más alto, se desarrollan estructuras sociales que exhiben una naturaleza intrínseca peculiar a las mismas, como el Estado, la iglesia, la empresa de negocios, la escuela, etcétera. En un nivel indiferenciado, la comunidad absorbía a la persona individual. Había todavía poca preocupación por la vida de la persona individual como tal. Su *status* entero era dependiente de su membresía en la comunidad primitiva. Si era aislado de esa comunidad, no tenía derechos ni paz. Era un paria. Lo mismo valía para el extranjero o fuereño que no perteneciera a la parentela, la tribu o la comunidad del pueblo.

Si uno considera una comunidad primitiva en términos de su aspecto histórico, uno descubre que consistía de una esfera cultural completamente indiferenciada. Las esferas diferenciadas que se despliegan de acuerdo con su propia naturaleza, tales como la ciencia, el arte, el comercio, la iglesia, el Estado, la escuela, la actividad deportiva, etcétera, no existen. La cultura estaba rígidamente ligada a las necesidades del desarrollo orgánico de la vida comunal. Tenía un carácter predominantemente vital, orgánico. Las religiones idólatras que estampaban a estas culturas eran básicamente religiones que se enfocaban en la vida orgánica.

La tradición era todopoderosa en una cultura primitiva indiferenciada. Sus guardianes eran los líderes sacerdotales de la cultura. Rechazaban inmediatamente todo intento de renovación, creyendo que los dioses no lo aprobarían. También se guardaban temerosamente contra la infiltración de influencias extranjeras en las vidas del pueblo. Si tal cultura permanecía en este estado indiferenciado, se aislaba de la interacción cultural con otros pueblos. Ligada al desarrollo orgánico de la vida comunal, se hallaba fuera de la historia del mundo. Cuando la tribu se extinguía, la comunidad desaparecía de la escena sin dejar rastro.

Estas fueron, por ejemplo, las características de la tribu papuana de Marindamín en Nueva Guinea. Sólo unos cuantos de sus miembros existen todavía. Esta cultura muerta no tiene nada que ofrecer al desarrollo histórico de la raza humana. En contraste, Grecia y Roma se desarrollaron como una real cultura mundial después de una fase originalmente primitiva. La influencia de esta cultura continuó en el mundo cristiano germánico, y se convirtió en uno de los fundamentos de nuestra moderna civilización occidental.

LA SOCIEDAD MEDIEVAL

La sociedad medieval fue también en gran medida indiferenciada. Pero, en términos de su aspecto histórico, es evidente que la cultura medieval fue vastamente diferente de la cultura de las tribus paganas germánicas de la era precristiana. En buena medida mediante la iglesia cristiana, la cultura germánica medieval fue tremendamente enriquecida por la cultura grecorromana. También sufrió la influencia profundamente formativa de la cristiandad. La Iglesia católicorromana, la cual se convirtió en el poder líder en el desarrollo cultural medieval, constituyó un nexo social altamente diferenciado. Bajo su liderazgo florecieron la ciencia y el arte. Estableció universidades. Debido a que aún faltaba un cuerpo político real, la Iglesia funcionaba como la organización de toda la cristiandad. Trascendía los límites de tribu y nación y, con su ley canónica, fuertemente influenciada por el Derecho romano, produjo un Derecho eclesiástico mundial. La Iglesia era católica; esto es, abarcaba a todos los católicos independientemente de su origen.

Pero en la cultura medieval, la cual pasó a través de un número de fases de desarrollo, la iglesia institucional fue en buena medida la superestructura diferenciada de una subestructura altamente indiferenciada. Ambas estructuras, de acuerdo con la visión católicorromana, coexistían naturalmente, del mismo modo que la "gracia" propiamente coexiste con la "naturaleza". Este motivo religioso básico de la naturaleza y la gracia, como la fuerza dinámica central, operó en el desarrollo cultural occidental durante la Edad Media. Discutiremos esto más plenamente después. En el presente contexto sólo notaremos que la subestructura "natural", que se hallaba debajo del instituto eclesiástico de la gracia, exhibía mucho que era primitivo e indiferenciado. En la concepción medieval dominante, había una gran comunidad de la cristiandad, el *corpus christianum*. El papa era su cabeza espiritual, mientras que el emperador era su cabeza mundana. Su relación no era análoga a la moderna relación entre iglesia y Estado, pues no existía un cuerpo político diferenciado. El emperador sólo era la cabeza de la "subestructura natural" de la iglesia, cuyos miembros también eran miembros de la iglesia. La iglesia, de hecho, era el omniabarcante nexo de la cristiandad, la cual estaba diferenciada en su superestructura pero indiferenciada en su subestructura. Por esta razón, la cultura medieval fue esencialmente eclesiástica. La diferenciación nacional fue en gran medida desconocida. El hecho de que la subestructura fuera indiferenciada permitió a la iglesia de ese tiempo controlar toda la vida cultural.

Examinemos más cercanamente esta subestructura natural. Cuando el antiguo *sib* o clan germánico (una comunidad familiar patrilineal, comparable con el *gens* romano) se desintegró, los gremios germánicos preservaron el principio totalitario que yacía en el fundamento de esta esfera social indiferenciada. Originalmente un gremio fue un clan artificial, una fraternidad basada no en un linaje natural, sino en una membresía voluntaria bajo juramento. La membresía voluntaria no indicaba, como sostenía el famoso historiador alemán del Derecho Otto Gierke, que los límites de la sociedad primitiva habían sido trascendidos.* Investigaciones de antropólogos y

---

* Dooyeweerd se refiere al tercer volumen de la obra de Otto van Gierke *Das deutsche Genossenschaftsrecht* [*El Derecho cooperativo alemán*], 4 vols., (1868-1918; Graz: Akademische Druck U. Verlagsanstalt, 1954). Sólo algunas secciones de este libro han sido traducidas al inglés. La última que ha aparecido se llama *Las asociaciones y la ley: las etapas clásica y cristiana temprana,*

etnólogos han mostrado que los "moradas" secretas (las comunidades que requerían juramento) eran un rasgo común entre los pueblos primitivos. El gremio medieval revelaba su carácter primitivo en su estructura totalitaria e indiferenciada. Abrazaba a sus miembros en todas las esferas de sus vidas y podía ser visto como un modelo para cualquier comunidad indiferenciada construida sobre la base de la membresía voluntaria. Cuando surgió el pueblo medieval, los burgueses o porteros (aquellos que guardaban las puertas) se unían en un así llamado gremio del burgo. Cuando fuera de los muros los comerciantes establecían distritos mercantiles, se unían en gremios mercantiles. Los gremios comerciales posteriores se originaron del mismo modo. Los gremios comerciales no fueron como las modernas corporaciones de negocios; originalmente fueron fraternidades primitivas que claramente mostraban en sus rituales la herencia pagana de las antiguas comunidades religiosas de la era de los francos. El gremio servía también como un modelo para los municipios rurales, los cuales a veces eran explícitamente llamados "gremios" en los documentos históricos.

Un segundo modelo para la subestructura indiferenciada de la sociedad medieval fue el hogar germánico o comunidad doméstica, la contraparte de la *familia* romana. Como la *familia*, este hogar definía la esfera religiosa de autoridad de los dioses del hogar y la tierra, que representaban la continuidad de la vida entre los ancestros del hogar y sus miembros vivientes. La cabeza del hogar ejercía un poder absoluto y totalitario, al igual que el *pater familias* romano. Tenía el poder de vida y muerte sobre todos los que pertenecían al hogar. Poseía un derecho absoluto sobre ellos y sobre las propiedades del hogar.

El poder en la comunidad doméstica germánica era llamado *Mund* [boca]. Uno se volvía independiente [*mundig*] si uno era liberado del *Mund* del señor de uno y establecía una comunidad doméstica propia. En contraste con el principio del gremio, el principio del *Mund* expresaba el dominio personal del jefe sobre aquellos que pertenecían a él. Los primeros reyes merovingios construyeron la entera organización del gran reino franco sobre este principio del *Mund*.

El reino franco, establecido por Clovio en el siglo quinto, gradualmente subyugó a muchas de las tribus germánicas del continente europeo. Expandió su religiosamente enraizado poder doméstico bien lejos de sus límites originales, mediante la sujeción de sus subordinados a un *Mund* general, y trayendo a sus gobernantes y líderes militares a una esfera de *Mund* más

---

trad. e intr. de George Heiman (Toronto: University of Toronto Press, 1977). Para las cuestiones discutidas por Dooyeweerd, uno puede consultar una traducción anterior de parte del tercer volumen: Otto Gierke, *Political Theories of the Middle Age*, trad. e intr. por F. W. Maitland en 1900 (Boston: Beacon Press, 1958), especialmente la sección sobre "Unidad en la iglesia y el Estado", pp. 9-21.

estrecha y especial. La iglesia franca y otros grupos que dependían de protección real, debido a su situación desprotegida, caían bajo este *Mund* especial. Los antiguos reyes tribales germánicos habían ya extendido su poder doméstico original o *Mund* a través de la formación de los un así llamado *trustis*, una comitiva real (*Gefolgschaft*). Permanecían a la misma prominentes jóvenes germanos que aceptaban bajo juramento el servicio real de la caballería y se sujetaban incondicionalmente al *Mund* de su *Führer* real, quien tenía poder de vida y muerte sobre ellos. Los primeros reyes francos hicieron un esfuerzo especial por extender su compañía real (*Gefolgschaft*), de la cual reclutaban sus ayudantes de palacio y sus oficiales administrativos centrales. El sistema feudal posterior, bajo el cual el vasallo personalmente se sujetaba a su señor, incorporó esta idea básica del *trustis*, aun cuando el sistema feudal mismo tenía un origen diferente.

LA RETROGRESIÓN DE HITLER

Hitler —conscientemente retrocediendo a este antiguo ejemplo germánico— construyó su *Führerstaat* sobre el principio primitivo y esencialmente pagano de la *Gefolgschaft*. Usó este principio de una manera totalitaria como guía para organizar toda la vida en un deificado "Gran Imperio Germánico". Toda esfera de la vida, incluyendo el sector económico fue incorporado a la comunidad totalitaria nacional a la luz de los principios del *Führer* y la *Gefolgschaft*. Cada esfera fue entregada al poder exclusivo de un "líder divino". La idea de un *Estado* diferenciado fue explícitamente empujada hacia el trasfondo, en favor de la antigua idea germánica de la *nación* [*Volk*]. Pero los miembros del *Volk* germánico no fueron animados a recordar que el principio del *sib* o clan se había constantemente afirmado en contra del principio del *Führer* en la antigua sociedad germánica. Aun cuando el nacionalsocialismo hizo del "estudio" de estos "comienzos nacionales" una parte integral de la educación cultural, evitó cuidadosamente la verdad histórica de que los reyes francos se opusieron vehementemente al principio del clan dondequiera que el clan se afirmaba en la sociedad. La exigencia de reconocimiento por parte del clan fue una amenaza al principio del *Führer*.

Los antiguos *sibs* germánicos no sabían de señores y sujetos. Eran asociaciones que concedían iguales derechos a sus miembros. La relación de autoridad y sujeción les era ajena. No fue sino hasta que el reino franco se derrumbó, el siglo noveno, que los gremios pudieron, basados en el principio del *sib*, desarrollarse libremente y actuar como contrabalance a los principios autoritarios del *Mund* y el *Gefolgschaft*. Estos principios estaban ahora siendo incorporados —de una manera fragmentada, de seguro— en el sistema feudal, con su estructura radical de autoridad y sujeción en la relación entre señores y vasallos.

La diferencia fundamental entre el desarrollo cultural de la Roma clásica y el mundo germánico fue este: cuando surgió la ciudad-Estado romana, los antiguos lazos de linaje perdieron su importancia. La esfera indiferenciada de autoridad del hogar romano (la *familia*) permaneció limitada a sus linderos originales. Independientemente del hogar romano, un proceso de diferenciación creó tanto un verdadero cuerpo político (*res publica*) como una ley civil (*ius gentium*) de gran importancia potencial. Pero en los países germánicos el *sib* indiferenciado y la igualmente indiferenciada comunidad doméstica se convirtieron en los modelos mutuamente opuestos para organizar la "subestructura" mundana de la sociedad medieval. Por encima de esta estructura, sólo la Iglesia católica romana podía formar una comunidad cultural diferenciada de impacto mundial.

¿Siguió entonces el nacionalsocialismo una línea verdaderamente progresiva, cuando impuso sus ideas totalitarias sobre la cultura occidental, de acuerdo con el modelo del antiguo principio germánico del *Führer*? Confió en que ahora esté claro que es posible una respuesta escritural bien fundada, y que esta respuesta contiene un juicio histórico sobre las tendencias totalitarias que aun amenazan nuestro desarrollo cultural después de la caída del nacionalsocialismo.

LA DIFERENCIACIÓN

Examinemos más cercanamente la segunda norma de desarrollo histórico que hemos explorado hasta aquí. Esta norma requiere la diferenciación de la cultura en esferas que poseen una naturaleza propia. Esta norma puede ser entendida en un sentido escritural sólo cuando es vista en relación inmediata con el orden de la creación. A la luz del motivo de la creación, el desarrollo histórico debiera traer la riqueza de las estructuras creacionales a una apertura plena y diferenciada. Sólo en la diferenciación de la cultura puede revelarse la naturaleza única de cada estructura creacional.

El desarrollo histórico no es sino el aspecto cultural del gran proceso del devenir, el cual debe continuar en todos los aspectos de la realidad temporal para que la riqueza de las estructuras creacionales pueda concretarse en el tiempo. El proceso de devenir presupone la creación; es la elaboración de la creación en el tiempo. El tiempo mismo está circunscrito por la creación. El proceso de devenir, por lo tanto, no es un proceso autónomo e independiente que se oponga a la creación de Dios.

En todos sus aspectos, el proceso de devenir se desarrolla, en conformidad con la ley, de una fase indiferenciada a una diferenciada. El desarrollo orgánico de la vida comienza desde la célula germen aun indiferenciada, a partir de la cual los órganos separados se diferencian gradualmente. La vida emocional de un niño recién nacido es completamente indiferenciada, pero gradualmente se despliega en una diferenciación de la sensibilidad senso-rial, la sensibilidad lógica, la sensibilidad lingual, la sensibilidad artística, la sensibilidad diquética y así consecutivamente. El curso del desarrollo social humano no es diferente. Aquí también las formas indiferenciadas se diferencian gradualmente en las varias estructuras sociales, a través de un largo proceso de desarrollo histórico. Esta diferenciación ocurre de acuerdo con su aspecto *histórico* mediante una "ramificación" de la cultura en las intrínsecamente diferentes esferas de poder de la ciencia, el arte, el Estado, la iglesia, la industria, el comercio, la escuela, las organizaciones voluntarias, etcétera.

La diferenciación cultural necesariamente termina con el poder absoluto y exclusivo de las esferas indiferenciadas de la vida. Ni una sola esfera dife-renciada de la vida —de acuerdo con su verdadera naturaleza— puede abarcar al hombre en todas sus relaciones culturales. La ciencia es tan incapaz de esto como lo es el arte; el Estado es tan inapropiado para hacer esto como la iglesia institucional, el mundo de los negocios, la escuela, o una organización laboral. ¿Por qué es esto así? Porque cada una de estas esferas, *de acuerdo con su naturaleza interna* está limitada *en su esfera cultural de poder*. La esfera de poder del Estado, por ejemplo, está típicamente caracterizada como el poder de la espada. Este poder es indudablemente atemorizador. Pero no puede abarcar el poder ya sea de la iglesia, las artes o las ciencias. El poder cultural ejercido por cualquier esfera de la vida está limitado por la naturaleza de la esfera. Como institución temporal, la iglesia no puede reclamar todo el poder cultural. Dios no dio a la iglesia el llamamiento histórico que dio a la ciencia, al arte, al Estado, o a la empresa económica. El poder espiritual de la iglesia no puede incorporar las otras esferas de poder.

Ciertamente, el poder eclesiástico fue muy extenso en la Edad Media, cuando la Iglesia católica romana abarcaba toda la cristiandad. La prohi-bición papal podía suspender incluso el deber que uno tenía de obedecer un gobierno mundano. Pero incluso en ese tiempo la iglesia tenía que reco-nocer la limitación inherente de su poder. Tuvo el cuidado de nunca ceñirse la espada de poder del gobierno temporal. Permitió a la ciencia "profana" su propia esfera cultural de poder, imponiendo su poder eclesiástico sólo en asuntos que afectaran las "almas de los fieles". No obstante, de acuerdo con su concepción de su tarea específica, la iglesia exigía el *liderazgo* de toda la vida cultural. Por esta razón, uno puede desde luego hablar de una sobreex-tensión del poder cultural eclesiástico. La iglesia se sobrepasó no debido a la naturaleza del poder espiritual de la iglesia, sino debido al motivo religioso básico que regía a toda la cultura medieval: el motivo de la naturaleza y la gracia en su formulación típicamente católicorromana. Como potencia cul-tural líder, la Iglesia católica romana fue la portadora de este motivo básico, el cual se opuso a la diferenciación de la "subestructura natural" de la cultura medieval. El motivo básico catolicorromano tuvo una propensión totalitaria a concebir la sociedad temporal en términos del esquema del todo y sus partes. Esta inclinación estuvo relacionada con el hecho de que el motivo forma-materia griego dominó al motivo escritural de la creación en el motivo básico de la naturaleza y la gracia.

Aun así, uno puede hablar de una sobreextensión de la esfera de poder cultural de la iglesia sólo si otras esferas culturales diferenciadas, tales como el arte y la ciencia, ya existen al lado de la iglesia. Cuando la cultura permanece en un estado primitivo e indiferenciado, sólo tiene una esfera indiferenciada de poder. Aunque los hogares, los clanes y las tribus pueden coexistir, no son distintos conforme a su naturaleza. Un proceso de sobreextensión en la cultura, por lo tanto, presupone un proceso de diferenciación. Entra así en conflicto con las normas que Dios ha establecido para la diferenciación en el orden de su creación. Toda expansión extrema de la esfera de poder histórico de una esfera específica de la vida ocurre a costa de las otras esferas de la vida, pues retarda su despliegue de modo insano.

LA ECONOMÍA CULTURAL

Hemos arribado ahora a una determinación más exacta de la norma de desarrollo histórico. La llamaré *principio de economía cultural.* Si observamos cuidadosamente, notamos que este principio no es otro que el de la soberanía de las esferas aplicado al proceso de desarrollo histórico. La "economía cultural" requiere que la esfera de poder histórico de cada esfera cultural diferenciada sea restringida a los límites puestos por la naturaleza propia de cada esfera de la vida.

El principio de economía cultural es una garantía de que la visión de la historia desarrollada hasta aquí se halla desde luego en el curso trazado por el motivo escritural de la creación. La línea del verdadero progreso histórico está claramente delineada por las ordenanzas creacionales mismas. Dondequiera que una imagen totalitaria de la cultura se dibuja como el ideal que borra el difícilmente ganado reconocimiento de la soberanía de las esferas —ya sea que la apelación sea a las antiguas costumbres germánicas o a la iglesia medieval— uno puede estar cierto de que encaramos una dirección reaccionaria en la historia. No debiéramos ser engañados por el adjetivo "progresista", una etiqueta que cualquier movimiento espiritual gustosamente reclama para sí. ¡Por sus frutos los conoceréis!

INDIVIDUALIZACIÓN E IDENTIDAD NACIONAL

Intentaremos mostrar ahora cómo es que, en la realización concreta de la norma histórica de diferenciación, el aspecto de la cultura empieza a *exhibir* su significado. Esta *exhibición* ocurre cuando el aspecto de la cultura expresa concretamente su coherencia interna con los subsecuentes aspectos de la realidad, y así revela su "universalidad de esfera". Prestaremos atención primero a la coherencia entre el aspecto de la cultura y el aspecto de interacción social.

Hemos visto que una cultura que no ha empezado todavía a diferenciarse se aísla de la interacción cultural entre los pueblos y las naciones que juegan un papel en la historia del mundo. Tal cultura está rígidamente atada al aspecto orgánico de la comunidad y a una religión de la naturaleza, del flujo de la vida. En estas culturas no puede surgir ni la ciencia, ni un arte independiente, ni un cuerpo político, ni una vida industrial independiente. Pues toda esfera diferenciada de la vida depende, para su desarrollo histórico, de la *interacción cultural* en la historia del mundo. Con el intercambio cultural, el aspecto histórico exhibe su coherencia con el aspecto de interacción social.

En esta conexión debemos notar que la diferenciación de las distintas esferas culturales va de la mano con la *individualización*. La individualización aquí se refiere al desarrollo de características *nacionales* genuinamente individuales. Debido a ello, uno puede hablar de una cultura francesa, británica y holandesa. Una cultura primitiva, encerrada, nunca es *nacional*. Lo "nacional" consiste en la *individualidad* de un pueblo caracterizado por experiencias históricas comunes y una comunidad de cultura patente. Esta individualidad histórica se desarrolla primero en las relaciones culturales y el intercambio entre pueblos civilizados. Esta individualidad es así enteramente diferente de los rasgos individuales de las comunidades tribales y raciales que estan basadas en factores "vitales" u orgánicos.

La diferenciación nacional de la cultura es así consistente con la *apertura* de la cultura. En la idea del "Gran Imperio Germánico", propagada por el nacionalsocialismo, el elemento *nacional* fue suprimido a propósito. Aquí puede uno también cerciorarse del carácter reaccionario del nacionalsocialismo como movimiento histórico y cultural. Se nutrió del mito de la "sangre y el suelo", el cual no hacía lugar a la individualidad nacional de la cultura. La individualidad nacional fue sustituida con la idea primitiva de un *pueblo* [*Volk*] basado en la comunidad "vital" u orgánica de raza y tribu.

El carácter nacional de un pueblo no es producto de la naturaleza, sino el resultado de la actividad culturalmente formativa. La formación cultural está sujeta a la norma que Dios estableció para la apertura histórica de la cultura. Es así que un ejemplo específico de individualización nacional, realmente desarrollado en un tiempo y lugar particulares, nunca puede ser elevado al *status* de una norma. Pues es muy posible que tal ejemplo específico exhiba rasgos antinormativos tales como carencia de iniciativa, sectarismo, inconfiabilidad, provincialismo burgués, una ilusión de grandeza nacional, o una glorificación apóstata de la cultura nacional.

La norma para la formación de una nación consiste en un *tipo* de individualidad cultural que *debiera* ser realizado con creciente pureza como el *llamamiento especial* de un pueblo. Ilustraremos esto con referencia a la nación holandesa.

El carácter nacional holandés puede ser visto como un "tipo normativo". De acuerdo con este "tipo", el carácter de la nación holandesa está marcado por su inclinación calvinista, su humanidad, su estilo de vida sobrio y con los pies en la tierra, su sentido de libertad religiosa y política, su espíritu emprendedor estimulado por su constante lucha contra el mar, su pronunciada orientación internacional, su especial aptitud para el arte de pintar y la investigación científica natural, etcétera. La honestidad espiritual del carácter nacional holandés, nutrido por el calvinismo, conlleva una fuerte orientación hacia los principios que pone su marca en los partidos políticos, la educación y las organizaciones sociales.

Uno puede indudablemente sostener, por lo tanto, que está de acuerdo con el carácter nacional de los holandeses que las pretendidas síntesis entre cosmovisiones contradictorias pierden su efecto, especialmente en tiempos de revitalización espiritual. Al mismo tiempo, uno puede ciertamente no reducir la antítesis entre la religión cristiana y el humanismo a un fenómeno cultural típicamente holandés. La religión no está determinada por la cultura nacional, sino viceversa; es la religión la que trae su poder formativo a influenciar la cultura nacional. Puesto que la antítesis religiosa, puesta por el motivo básico escritural, ha sido una influencia principal en la nacionalidad de los Países Bajos mediante el poder cultural del calvinismo, el continuado impacto de esta antítesis, también en la formación de partidos políticos y la organización social, ciertamente no ha de ser considerado como antinacional.

El Movimiento Nacional Holandés no hace justicia al carácter nacional holandés cuando espera la abolición de la antítesis en la vida política y social para reforzar la conciencia nacional holandesa. Si es cierto que el motivo básico escritural no tendrá ya un impacto sobre los principios políticos y sociales, entonces el carácter nacional estaría sujeto a una *degeneración* fundamental. Esto probaría que el pueblo holandés había borrado el impacto de su formación escritural calvinista en la historia.

En este punto, el Movimiento Nacional Holandés puede plantear la pregunta: ¿no es verdad que el humanismo también había trabajado formativamente sobre el carácter nacional holandés? Es indudable que lo ha hecho en muy buena medida. Desde un punto de vista puramente histórico, ha hecho más por el reconocimiento de la libertad pública para las convicciones religiosas que el calvinismo del siglo diecisiete. Ha trabajado formativamente sobre los talentos científicos y artísticos y sobre las instituciones políticas. En estos respectos el humanismo ha desde luego cumplido con su llamamiento cultural. Pero, antes de que sucumbiera a un periodo de decaimiento interno, el humanismo siempre fue muy conciente de su antítesis con el calvinismo escritural. Particularmente en los Países Bajos, nunca dudó en reconocer la estrecha conexión entre sus principios políticos y su cosmovisión, siempre que era confrontado con el cristianismo escritural. Un humanismo verdaderamente holandés es un humanismo con principios que a su manera expresa la honestidad espiritual del carácter nacional holandés. Si el humanismo no ve ya la necesaria conexión entre su convicción religiosa y sus principios políticos y sociales, entonces se ha degenrado internamente tanto en su cosmovisión como en su papel histórico como potencia nacional en la cultura holandesa. La identidad nacional entera degenera si se vuelve infiel a su tipo normativo histórico.

EL JUICIO DE DIOS EN LA HISTORIA

La diferenciación cultural conduce al surgimiento de la individualidad nacional. También abre el camino para que el *potencial personal e individual* se haga sentir en la historia. La personalidad individual ya no es absorbida por la comunidad indiferenciada, la cual antes determinaba toda la actividad cultural, sino que recibe una oportunidad para el libre despliegue de su talento y genio. Es en este contexto que los conformadores individuales de la historia entran en la escena. Su actividad formativa asume importancia histórica mundial.

Los rasgos individuales no se hallan, desde luego, ausentes en las esferas culturales primitivas cerradas. Pero esta individualidad cultural exhibe una uniformidad relativa a través de las generaciones sucesivas, mantenida por el poder de la tradición fija. De seguro, individuos excepcionalmente talentosos aparecen en las culturas primitivas, como los antropólogos han observado repetidamente. Su influencia, sin embargo, está limitada a los estrechos límites de una comunidad cerrada. Una cultura descubierta, por otra parte, tiene formas individuales de carácter histórico mundial sobre las que los líderes individuales ponen su estampa personal.

La genuina *conciencia histórica* surge primero en una cultura descubierta, abierta. Esta conciencia empieza a distinguir lo que es históricamente importante de lo históricamente insignificante. También contribuye al impulso de registrar lo que es históricamente memorable en símbolos, tales como las explicaciones históricas, los movimientos, las inscripciones, etcétera. En la vida relativamente uniforme de una cultura primitiva, cerrada, la musa de la historia no tiene materiales para su crónica. La carencia de conciencia histórica en tal cultura resulta en la carencia de escritura histórica. Aunque en cualquier sociedad subdesarrollada uno encuentra ciertos mitos extraños concernientes al origen de su pueblo y al origen del mundo, uno busca en vano información verdaderamente histórica concerniente al desarrollo de su cultura. Pues tal cultura carece de conciencia crítica de distancia con respecto al pasado. Sólo una cultura abierta revela la notable conexión que hay entre el aspecto cultural y el aspecto del lenguaje, cuyo núcleo es la designación simbólica o significación, ya sea mediante palabras o signos. Es así que la presencia de monumentos, inscripciones históricas, o crónicas, es un criterio confiable para determinar que una cultura ha pasado más allá de la etapa indiferenciada.

Sin duda, muchos vestigios de formación cultural primitiva existen incluso en culturas muy altamente desarrolladas y abiertas. Recordatorios de antiguas costumbres paganas están todavía con nosotros hoy: conejos de pascua, Santa Claus, la "celebración" de un eclipse, y así consecutivamente. Pero tales vestigios no están *vivos* en nuestra cultura. Son reliquias fosilizadas, petrificadas, de la tradición. Hoy las clasificamos como "folklore".

El nacionalsocialismo trató de imbuir nueva vida a los vestigios petrificados de una cultura germánica primitiva y pagana. Estas reliquias recibieron un lugar de honor en la cultura de la "raza", de acuerdo con las exigencias del mito nacionalsocialista de "la sangre y el suelo". Una retrogresión más pronunciada, o un espíritu de reacción más desnudo, no se conoce en la historia de la humanidad. El nacionalsocialismo sólo puede ser explicado como la levadura venenosa de un historicismo sin dirección, que ha perdido toda conciencia de distancia histórica ante los vestigios muertos de la tradición.

Una vez que empieza el proceso de diferenciación en la cultura, las conexiones entre el aspecto histórico y los aspectos posteriores de la realidad se ponen de manifiesto. Ya hemos mencionado la conexión con los aspectos del lenguaje, la interacción social y la economía. La relación entre el aspecto histórico y el aspecto estético puede servir como ilustración adicional. Sólo cuando una cultura observa el principio de economía cultural es que garantiza el desarrollo cultural *armonioso*. Toda transgresión de la norma histórica expresada en este principio conduce a un desarrollo cultural disarmonioso.

Abundan los ejemplos de tal disarmonía. En los días de la Ilustración, la influencia del ideal humanista de la ciencia concedió un poder virtualmente ilimitado a las ciencias naturales. Se esperaba que todo progreso en la historia de la humanidad proviniera del ulterior desarrollo de la ciencia. Debido a su penetración en la iglesia, la primera víctima de la deificación humanista de la ciencia fue la vida de la fe. El "modernismo", predicado desde el púlpito por predicadores ilustrados, esparció un espíritu de racionalismo rígido y provinciano que estranguló la fe bíblica. Para el "ilustrado", los milagros y los misterios de la fe en la revelación de Dios eran anacrónicos. La ciencia, después de todo, tenía una explicación natural para todo.

Al mismo tiempo, la vida económica, legal y moral fue infectada con un espíritu de utilitarismo e individualismo superficiales. El Estado fue visto como un producto artificial construido con "elementos", así como un compuesto en un laboratorio. Incluso el arte cayó bajo la influencia del espíritu racionalista de la época. Fue sujetado a fórmulas racionales, rígidas, y a inflexibles patrones artísticos.

A la larga, la cultura no puede sobrevivir bajo una sobreextensión de la esfera de poder de la ciencia natural. Un *juicio* empieza entonces a tener lugar en la historia, el cual abre la relación entre los aspectos histórico y fídico de la realidad. Bajo la guía de Dios, la Revolución francesa ejecutó este juicio. Y, después de su liquidación, la Revolución francesa fue a su vez seguida por un periodo de reacción, la Restauración, en la gran lucha por la libertad de las naciones contra el conquistador Napoleón. De modo similar, la sobreextensión medieval del poder eclesiástico, la cual subordinó toda expresión cultural a su liderazgo autoritario, fue seguida por una contrafuerza individualista que rechazó toda creencia en la autoridad e intentaba liberarse de todo lazo social.

¡Qué gran juicio histórico ha sido ejecutado sobre la excesiva expansión del poder cultural de la ciencia histórica en nuestro más reciente periodo historicista y relativista! La primera fase de este juicio se halla atrás de nosotros: hemos sido testigos del inefablemente sangriento y reaccionario régimen del nazismo, la progenie espiritual degenerada del historicismo moderno. Los ideales totalitarios "raciales"[*volkse*], inspirados en el mito de "la sangre y el suelo", revirtieron la cultura occidental a la oscura noche de las religiones paganas de la naturaleza. Más aun, estos ideales totalitarios fueron respaldados por el poderío militar de un poderoso Estado moderno. La "raza" germánica entera —¡incorporada a un Estado totalitario! El poderío militar del Estado nazi alemán se expandió sin límites, intentando romper toda oposición de las otras esferas culturales. La ciencia y el arte, la crianza y la educación, la industria y la tecnología, las organizaciones laborales y la filantropía —todas se pusieron al servicio de la idea pangermánica de *Volk*. Cada una se convirtió en un segmento del Estado omniabarcante. El Estado totalitario condujo a una guerra totalitaria entre las naciones que no hizo distinción entre soldado y civil. Grandes ciudades y grandes tesoros culturales fueron transformados en ruinas humeantes. Ciertamente, ¡esto fue el juicio de Dios en la historia del mundo!

La segunda guerra mundial ha terminado. Pero, ¿acaso la derrota política y militar de los Estados totalitarios nos ha librado del espíritu del historicismo moderno, con su sobreestimación de la comunidad *folk* y su vuelo hacia una totalidad omniabarcante? ¿No detectamos ideas totalitarias de naturaleza ya sea eclesiástica o política alrededor de nosotros? Seguramente, nadie desea hoy un poder estatal centralizado. Hoy la gente prefiere la "descentralización funcional", la cual busca eliminar la carga de los órganos centrales de gobierno creando "nuevos órganos sociales" y reconociendo su autonomía y autogobierno. Lo que los hombres no reconocen, sin embargo, es el gran principio creacional de la soberanía de las esferas, el principio de que la soberanía está enraizada en la naturaleza intrínseca de las esferas de la vida de acuerdo con sus estructuras creacionales. Tampoco reconocen los hombres la norma divina para el desarrollo histórico que está enraizada en el principio de la soberanía de las esferas. Esta es la norma de diferenciación, la cual exige que las estructuras de la creación se descubran también en el aspecto cultural de la sociedad humana. Tampoco respetan los hombres de hoy la norma de economía cultural, la cual no concede a ninguna esfera diferenciada mayor expansión de su poder cultural que la que concuerda con su naturaleza.

Muchos viven todavía en el allanador mundo relativista del pensamiento historicista. Se habla mucho de *democracia industrial*, pero hay poca evidencia de un pensamiento cuidadoso acerca de si la democracia, como una forma de organización *política* típica, puede ser trasplantada a la vida de la industria, cuya estructura es tan diferente. Se habla mucho de *autonomía* y *autogobierno* de las esferas de vida dentro del Estado en términos de un esquema universal de planeación, como si la relación entre las esferas no políticas y el Estado fuera muy similar a la relación entre el Estado y sus partes autónomas. Precisamente hoy, cuando en vista de la situación internacional completa es difícilmente concebible que el péndulo de la historia del mundo oscilara de una absolutización de la comunidad a una sobreestimación de la libertad individual, el peligro de las ideas totalitarias, no importa cuál sea su apariencia, es mayor que nunca.

En vista de esto, la concepción escritural de la antítesis espiritual *debe* continuar afirmándose en la vida política y social de hoy. Quizá nunca ha sido necesaria tan urgentemente como en estos tiempos de desarraigo espiritual y ruptura. La continuada penetración de la antítesis espiritual es hoy el único camino no para dividir la nación sino, por el contrario, para salvar los mejores rasgos de nuestra identidad nacional.

Hasta ahora hemos explorado la visión escritural de la historia en términos del motivo bíblico de la creación. Pero la unidad indivisible del motivo cristiano básico exige que ahora ubiquemos esta historia bajo la plena luz de la caída radical del hombre y su redención a través de Jesucristo. En última instancia, la disarmonía en el proceso histórico de desarrollo cultural puede ser entendida sólo en términos de la caída, y la antítesis puede ser captada sólo en términos de la redención.

IV

LA FE Y LA CULTURA

LA ESTRUCTURA DE LA FE

Hasta aquí hemos visto que las relaciones entre el aspecto histórico y los aspectos posteriores de la realidad se vuelven transparentes en el proceso de apertura cultural. Hemos trazado estas relaciones a través del aspecto diquético, encontrando que con el "juicio de Dios en la historia del mundo" el desarrollo histórico apunta adelante, hacia el aspecto diquético del orden divino de la creación. Recomenzando con la relación jurídica, examinaremos ahora estas relaciones con más detalle.

PODER Y DERECHO EN LA HISTORIA

La conexión entre ley e historia se revela de un modo *típico* en la vida política. En la guerra, por ejemplo, el descuido de la defensa nacional por parte del gobierno se venga a sí mismo. De acuerdo con su naturaleza típicamente interna y orden, el Estado está típicamente fundado sobre una organización monopólica del poder de la espada dentro de su área territorial. Sólo sobre la base de este poder puede el Estado cumplir su destino típico como la comunidad pública legal de gobierno y pueblo. Antes que nada, el Estado debiera obedecer la norma historicopolítica de actualizarse y mantener el fundamento típico de su existencia como un poder independiente. Si el Estado deja de proteger este fundamento, no merece la independencia. Es así que Hegel afirma que una nación demuestra su derecho a la existencia en la guerra y que el que la historia revela una "justicia más alta" contiene un momento de verdad. Pero desafortunadamente estas aserciones descansaban sobre una peligrosa confusión entre poder y derecho, una típica consecuencia de la visión historicista de la realidad. Hegel negó la validez de la ley internacional, argumentando que las relaciones internacionales estaban gobernadas simplemente por el "derecho del más fuerte". El nacionalsocialismo elevó posteriormente esta posición hegeliana al *status* de dogma incuestionable.

Como tal, el poder histórico nunca puede ser identificado con el derecho legal. No obstante, la norma que Dios estableció en el desarrollo histórico para la formación de poder por un Estado nunca puede ser establecida fuera de su conexión con la norma diquética. Por dondequiera las ordenanzas de Dios que valen para los variados aspectos de la realidad creada despliegan una coherencia mutua e indisoluble, pues su unidad de raíz yace en el ordenamiento religioso sencillo de que amemos a Dios con todo nuestro corazón. Aquí el orden de la creación revela su carácter integral. Sólo reconociendo las demandas de la ley [*Recht*] como un aspecto único de la sociedad puede uno hablar de la ejecución de un juicio divino en la historia revelado en la lucha de poder histórica. Desde luego, esta lucha nunca exhibiría los rasgos de un *juicio histórico* sin una conexión con la *ley* [*Recht*].

Anteriormente encontramos que la violación de la norma de economía cultural, basada en la excesiva expansión de poder perteneciente a una esfera cultural específica, necesariamente se venga en la historia. Supusimos entonces que las esferas de vida diferenciadas de la cultura abierta poseen un *derecho original* propio. Jurídicamente también, entonces, las esferas de la vida son soberanas en su propia esfera. Para parafrasearlo negativamente, las esferas de la vida no derivan del Estado su derecho a desarrollarse de acuerdo con su propia naturaleza interna. Una ley estatal que fundamentalmente viola la soberanía jurídica de las esferas no estatales no puede ser vista como una *ley válida*, pues Dios no le dio al Estado un poder jurídico absoluto e ilimitado. Más que soberanía absoluta sobre las esferas de vida no estatales, el Estado posee soberanía sólo dentro de su propia esfera, limitada por su naturaleza y orden [*levenswet*] específicos concedidos por Dios. Sólo en conexión con la esfera de soberanía *jurídica* de cada esfera de vida, como una ordenanza *legal* divina, puede uno hablar legítimamente —con referencia al aspecto del desarrollo de la cultura— de un *derecho* mundano histórico perteneciente a las esferas diferenciadas basado en un reconocimiento de sus respectivas esferas de poder.

AMOR A LA CULTURA

Sólo un reconocimiento de este *derecho* histórico de la cultura puede conducir al desenvolvimiento de un *amor* a la cultura que a su vez es la primera condición para un desarrollo armonioso de la civilización. Sólo cuando la ciencia, el arte y el comercio siguen libremente su propia ley de vida, florece el amor cultural, mientras que sin un celo moral por cumplir una tarea histórica una cultura se seca y se marchita. Si la ciencia y el arte están atados a un Estado o iglesia totalitario, pronto pierden su autenticidad interna. Dejando de estar inspirados por el amor por su tarea cultural, los científicos y artistas se vuelven instrumentos en manos de un régimen tiránico que les niega su propio derecho a la vida cultural.

El amor a la cultura abre el nexo entre los aspectos histórico y moral de la realidad. El núcleo del aspecto moral es el principio del amor, en tanto que como amor se revela en las relaciones *temporales* de la vida. De acuerdo con las varias esferas de la vida, el principio de amor moral se diferencia en amor al vecino, amor por los padres e hijos, amor patriótico, amor a la verdad científica, amor a la belleza artística, y así consecutivamente.

LA FE COMO EL ASPECTO LÍMITE

La relación última y omnicontroladora que se desenvuelve en el proceso de desarrollo histórico es el nexo entre *historia* y *fe*. En último análisis, la fe de las potencias culturales líderes determina la dirección entera del proceso abridor de la cultura. El motivo religioso básico detrás de todo desarrollo cultural en una fase de la historia se manifiesta dentro del tiempo primero en la fe de aquellos que son llamados a hacer historia. La conexión entre fe e historia requiere especial atención debido al lugar excepcional que ocupa el aspecto de la fe en el orden temporal del mundo. Encontrándose en el límite entre el tiempo y la eternidad, este aspecto es el último en la realidad temporal.

Aunque la función de la fe se halla en el filo del tiempo, no puede ser confundido con la unidad religiosa radical del corazón, alma o espíritu de la existencia humana. El enunciado "del corazón mana la vida temporal" incluye los asuntos de la fe. Para todos los hombres la fe es una *función subjetiva* de su conciencia interna, ya sea que uno sea un creyente en Cristo o que la fe de uno se halle en la dirección de la apostasía. En términos de la dirección y el contenido, la fe es o bien una fe apóstata o bien la fe que está activa en el hombre a través del Espíritu Santo. Ambas fes operan dentro de la misma estructura de la función temporal de la conciencia que Dios dio a la naturaleza humana en la creación. Ambas están encerradas dentro del aspecto "límite" de la realidad temporal.

Todas las criaturas temporales distintas del hombre funcionan *objetivamente* en el aspecto de la fe. Todas las cosas temporales son objeto de la función subjetiva de la fe del hombre, así como su color y sabor son objetos de la percepción sensorial y sus características lógicas son objetos de conceptualización. Las palabras majestuosas que abren el libro del Génesis, "En el principio creó Dios los cielos y la tierra", debieran determinar el contenido de nuestra fe con referencia a la creación; pues el cielo y la tierra, junto con todo lo que se ha desplegado en ellas, se hallan dentro de los objetos temporales de esta fe, o bien de una fe apóstata que se aleja de la revelación de la Palabra de Dios.

Al relacionar todas las cosas con un flujo eterno de la vida, las religiones paganas de la naturaleza convirtieron a todas las criaturas en objetos de su fe primitiva. Lo mismo vale para el evolucionista moderno, quien cree que todo lo que vive proviene de una fuente original. De modo semejante, para cualquiera que crea en las escrituras, todas las escrituras son los objetos de la fe en la creación.

Más puntualmente, hay muchas cosas concretas que están caracterizadas por una función *objetiva* de fe; esto es, su destino o cualidad distintivo está intrínsecamente relacionado con la vida de la fe humana subjetiva. Por ejemplo, la entera arquitectura del edificio de una iglesia está caracterizada por su destino litúrgico objetivo. O considere el pan y el vino de la santa comunión. En la vida fídica de los participantes, el pan y el vino son objetos de fe como símbolos del cuerpo crucificado y la sangre vertida de nuestro Salvador. Como símbolos de fe, son un medio para fortalecer la fe de los creyentes. Todo esto carecería de significado si la *realidad* del pan y el vino estuviera *encerrada* en el aspecto fisicoquímico de estas entidades. Esto no es el caso. Estas entidades exhiben una *función objeto* en todos los aspectos postfisicoquímicos, incluyendo el aspecto de la fe.

Debemos entonces hacer distinciones claras entre lo siguiente:

1. El *aspecto* fe de la realidad.
2. La *función* subjetiva de creencia que los seres humanos poseen en este aspecto.
3. La función *objetiva* que todas las cosas temporales poseen en este aspecto.
4. El *contenido* de nuestra fe subjetiva.

Nuestra función subjetiva de fe está sujeta a la revelación de Dios, a la norma para la fe. Más aun, brota de la raíz religiosa de nuestra vida temporal; a saber, el corazón, alma o espíritu del hombre. Debido a la caída en el pecado, el corazón del hombre se apartó de Dios y el motivo religioso de la apostasía se apoderó de la fe del hombre y de su vida temporal entera. Sólo el Espíritu de Dios causa el renacimiento de nuestros corazones en Cristo y revierte radicalmente la dirección de nuestra función temporal de fe.

Abraham Kuyper fue probablemente el primero en volver a ganar para la teología la compenetración escritural de que la fe es una función única de nuestra vida interna implantada en la naturaleza humana en la creación. La escolástica había traicionado completamente esta compenetración, bajo la influencia del motivo básico aescritural de la naturaleza y la gracia. El pensamiento escolástico catolicorromano identificó la fe con la creencia en la doctrina católicorromana, argumentando que la fe era el don sobrenatural de la gracia para el intelecto, mediante la cual el intelecto aceptaba las verdades sobrenaturales de la salvación. Es así que la función de la fe se convirtió en una extensión sobrenatural de la función lógica que se encuentra en la naturaleza humana. La fe consistía en una aceptación puramente *intelectual,* pero mediante una luz más alta que trasciende los límites de la razón natural. La compenetración en la naturaleza única de la función de la fe, dentro del aspecto límite de la realidad temporal, había desaparecido completamente de esta concepción escolástica.

La concepción griega de la naturaleza humana, la cual fue conformada por el motivo religioso forma-materia, y la cual había sido aceptada por los pensadores escolásticos, fue la razón de su desaparición. A la luz de esta concepción griega, los pensadores escolásticos vieron la "naturaleza humana" como una composición de un "cuerpo material" y un "alma racional" (caracterizada por la función lógica del pensamiento). El alma fue considerada como la forma inmortal del cuerpo material. Desde el principio, la filosofía griega despreció la fe, relegándola al inferior ámbito de las percepciones sensoriales. En la visión griega, el pensamiento teórico era el único camino a la verdad; la "creencia" fue meramente opinión subjetiva [*doxa*] que no descansaba sobre ninguna base confiable. Cuando la escolástica aceptó la visión griega de la naturaleza humana, su única alternativa fue transferir la fe a un ámbito sobrenatural, puesto que en la conepción griega la función de la fe no merecía un lugar en el "alma racional". Los escolásticos pusieron así a la fe completamente fuera de la "naturaleza humana", ubicándola en el "ámbito de la gracia".

Los teólogos dialécticos de hoy (Barth, Brunner y otros) no han escapado del motivo básico aescritural de la naturaleza y la gracia, a pesar del hecho de que su visión de la "vida natural" no es griega, sino que se halla más en línea con el humanismo. Ellos identifican la "naturaleza" con el "pecado". Como resultado, pueden desde luego reconocer que la visión humanista de la naturaleza es radicalmente pecaminosa en su orgullo, y al mismo tiempo no reemplazar la visión humanista con un enfoque escritural. Barth explícitamente mantiene que un hiato absoluto divide a la "naturaleza" de la "gracia". Para él, la fe cristiana, un divino don de la gracia, no tiene un sólo punto de contacto con la "pecaminosa naturaleza humana". Entiende la fe como la actividad exclusiva de Dios que ocurre enteramente sin insumo humano.

La visión escritural de la función de la fe de Kuyper debe ser firmemente sostenida contra tales apartamientos de la revelación de la Palabra. El *status* de la función de la fe tiene un efecto decisivo sobre nuestra visión del alcance de la antítesis en la vida temporal y en nuestra visión de la historia. Consecuentemente, debemos investigar más la naturaleza y lugar de la función de la fe en la vida temporal.

FE Y REVELACIÓN

La conexión entre fe e historia nos condujo a examinar más detenidamente el lugar del aspecto de la fe en el entero orden de los aspectos de la realidad. El excepcional lugar de la fe en la vida temporal se malentiende completamente si no se capta su posición como límite entre el tiempo y la eternidad. La fe es tanto el aspecto límite de la realidad temporal la *ventana* que mira hacia la eternidad.

La fe no puede existir sin la revelación de Dios. Por naturaleza, la fe está orientada a esta revelación. En el uso no espiritual y ambiguo del lenguaje, el término *creencia* frecuentemente tiene el significado de "opinión" y "conocimiento incierto". (En un enunciado como este, por ejemplo: "Creo que ya nos habíamos presentado".) Este fue el uso preferido en la filosofía griega, como acabamos de ver. La verdadera fe, sin embargo, es el opuesto exacto de la opinión incierta; pues en el núcleo de su significado es *certeza última en el tiempo con respecto al fundamento seguro de la existencia de uno*, una certeza adquirida cuando uno es capturado en el corazón del propio ser de uno por una revelación de Dios, el origen de todas las cosas. No importa cuán profundamente haya caído apartándose de la verdad, la fe siempre está orientada hacia la revelación divina. Por lo tanto, términos como "certeza intuitiva" y "evidencia" no describen suficientemente el núcleo o corazón de la fe.

La revelación divina conecta lo temporal con lo eterno. Dios es lo eterno que se revela al hombre en el tiempo. Cristo Jesús, la Palabra hecha carne, es la plenitud de la revelación divina. Es precisamente esta revelación la que representa la gran piedra de tropiezo para el arrogante pensamiento del apóstata; el hombre no desea la revelación de Dios porque amenaza su pretendida autosuficiencia. Quiere mantener a Dios a una distancia teórica infinita para especular acerca de él en paz como el "ser más perfecto", un "Ser" que se halla muy alejado de lo que toca la vida temporal. Pero Dios no respeta la divison teórica, humanamente urdida, de tiempo y eternidad. Se revela en medio del tiempo. Los pecadores redimidos por Cristo que oyen esta revelación oran: "Señor, ten misericordia de nosotros. Hemos cubierto tu mundo con odio, enojo, sangre y lágrimas. Y mira, ¡tú estás ahí y todo lo ves!". ¡Esta es la revelación de Dios en su Palabra y en todas las obras de sus manos! La revelación arroja el fuego de la antítesis sobre la tierra. Divide a los padres y a los hijos; pone a amigo contra amigo; produce desavenencias dentro de la nación; vuelve al hombre contra sí mismo. Dice el Salvador: "No penséis que he venido para traer paz a la tierra; no he venido para traer paz, sino espada" [Mateo 10:34].

LAS ANALOGÍAS DE LA FE

Es la irrompible conexión entre la revelación de Dios y la función de la fe (junto con el aspecto de la fe en el que esta función opera) lo que otorga a la fe su posición como límite entre el tiempo y la eternidad. Como tal, la función de la fe está abarcada dentro del orden temporal del mundo. Pertenece a la vida temporal del mismo modo que las funciones orgánicas, síquicas, lógicas y linguales. La estructura del aspecto de la fe mismo demuestra que la fe se halla en el tiempo; como las estructuras de todos los otros aspectos, su estructura expresa una coherencia con todo otro aspecto de la realidad temporal. El aspecto de la fe es el último en el orden temporal. Los otros le preceden. No obstante, está relacionado con lo que *trasciende* al tiempo; a saber, al fundamento absoluto y origen de toda la vida temporal.

Es así que el momento nuclear de la estructura del aspecto de la fe apunta más allá del tiempo hacia la raíz religiosa y origen de nuestra existencia temporal. Al mismo tiempo, este momento nuclear está ligado inseparablemente a una serie de momentos apuntan hacia atrás, a los momentos nucleares de todos los aspectos anteriores. Considere, por ejemplo, la relación de la fe con el aspecto moral. La fe en el sentido real de la palabra no es posible sin adoración o culto. La fe tiene una analogía moral en la adoración que se refiere al amor, el núcleo del aspecto moral. Pero la adoración está naturalmente dirigida a Dios. Si está dirigida a una criatura se vuelve idólatra. Esta orientación de la fe también implica que la magia —la cual se encontró en las naciones paganas, así como en la cristiandad medieval y el tiempo del Renacimiento— no es realmente un fenómeno auténticamente religioso. Ciertamente la magia es imposible sin algún tipo de fe. Pero como tal está dirigida a "controlar" las fuerzas naturales con medios impropios. En esencia, por lo tanto, no es un acto religioso dirigido a la adoración de una deidad.

La estructura de la fe también exhibe una analogía diquética que apunta hacia la conexión entre el aspecto de la fe y el aspecto diquético. El Dios que se revela al hombre tiene el *derecho* a la adoración de la fe. Ciertamente, este derecho no es un "derecho" en el sentido diquético original. No es comparable con el derecho de un comprador a sus bienes o con el derecho de un propietario a su propiedad. Más bien, es una *analogía* jurídica dentro del significado de la fe, la cual, como una analogía moral, apunta más allá del tiempo hacia la relación religiosa de dependencia que caracteriza al nexo entre Dios y hombre.

La referencia escritural a la justificación por la fe es también una analogía jurídica. Esta analogía nunca debe ser entendida en un sentido técnicamente legal sino, como las otras analogías jurídicas, su significado fídico sólo puede ser captado a través de su coherencia con el aspecto diquético de la realidad, el cual es uno de los aspectos que ata el aspecto de la fe al orden temporal. Antes que nada, la revelación divina se dirige al corazón, al centro religioso de la existencia, y de allí se mueve a la vida temporal completa de uno en la coherencia de sus aspectos. Es por ello que la justicia de Dios, el significado de la cual es dado en la fe, no puede ser entendida sin referencia al aspecto diquético.

La estructura de la fe exhibe una ulterior analogía con el aspecto estético cuyo eje nuclear es la armonía bella. En la fe encontramos un momento de armonía a través del cual el hombre llevado a la verdadera comunión con Dios. Éste no es armonía estética, y todo intento por concebir la fe estéticamente conduce a su desnaturalización. Pero, precisamente porque la fe orienta *todos* los aspectos de la realidad hacia Dios, el aspecto de la fe está entretejido con el aspecto estético.

La fe también revela una coherencia interna estructural con el aspecto económico de la realidad. La verdadera fe está siempre acompañada por una disposición al sacrificio. Incluso entre los paganos el sacrificio es una expresión esencial de la vida de la fe. La verdadera disposición sacrificial de la fe cristiana descansa sobre la evaluación que hace el hombre de los tesoros temporales o eternos. La respuesta de Cristo al joven rico que le preguntó "Maestro bueno, ¿qué bien haré para tener la vida eterna?" fue esta: "anda, vende lo que tienes, y dalo a los pobres, y tendrás tesoro en el cielo; y ven y sígueme" [Mateo 19:16ss]. Aquí aparece claramente enfocada la analogía económica dentro de la fe. Ninguna posesión temporal fuera de Cristo puede ser comparada con el tesoro que se nos garantiza en el Reino de Dios. Deben ser sacrificados por la "perla de gran precio", com proclamara Cristo en la parábola. Nuevamente, la valoración que tiene lugar en la fe no es económica, pero sí está inseparablemente entretejida con la valoración económica.

También esencial a la estructura de la fe es una analogía con el aspecto de la interacción social. Inherente a la fe es la comunión del creyente con Dios y sus correligionarios. El compañerismo en la fe es de una naturaleza espiritual. No puede ser reducido a la interacción en el sentido social, el cual está sujeto a las normas sociales únicas de amabilidad, tacto, buenos modales, cortesía, respeto y demás. Pero el compañerismo en la fe nos retrotrae al momento nuclear del aspecto social.

Una analogía lingual pertenece también a la estructura de la fe. En el núcleo de su significado, el aspecto lingual es significación simbólica lograda a través del uso de signos (palabras, gestos, señales y así consecutivamente). Es inherente a la fe un simbolismo en el que la revelación de Dios es "significada" y nos es puesta en claro. La analogía lingual dentro del significado de la fe no es reducible a la función original del lenguaje. La Santa Escritura significa para nosotros la verdadera revelación de la Palabra de Dios. Esta revelación sólo puede ser entendida a través de la fe guiada por el Espíritu Santo, quien opera en el motivo religioso básico de la revelación de la Palabra-revelación de Dios. Si leemos la escritura con un corazón incrédulo, podemos desde luego captar el significado lingual de sus palabras y enunciados, pero su verdadero significado fídico se nos escapa. Es por ello que la exégesis de la escritura no es simplemente un asunto lingüístico que sea la preocupación de los filólogos expertos. No es ni siquiera un asunto puramente teológico que sólo presuponga un conocimiento teológico científico sólido. Un rabino judío lee Isaías 53 de modo diferente de como lo lee un cristiano creyente, y un teólogo moderno no comprende su profecía relativa al sufrimiento y muerte expiatorios del Mediador. Quien no entienda el motivo religioso de la escritura carece de la clave para el conocimiento fídico. Este motivo bíblico básico no es una verdad *teórica* que pueda uno entender *científicamente*. Más bien, es el poder dinámico y omnicontrolador del Espíritu de Dios el que debe abrir nuestro corazón a lo que Dios tiene que decirnos y quien, con nuestros corazones así abiertos, debe develar el significado fídico de la Santa Escritura. Pero nuevamente, aun cuando la analogía lingual que yace dentro de la estructura de la fe no pueda ser reducida al significado original del lenguaje, la fe no puede existir sin éste. Hacer exégesis de la escritura puede no ser un asunto meramente lingüístico, pero sin embargo no es posible sin un análisis lingüístico.

Es casi innecesario explicar los peligros de la exégesis "alegórica" de la escritura practicada por los agnósticos y los padres griegos de la iglesia en los primeros siglos de la era cristiana. Los exégetas alegóricos son dados a citar a Pablo: "la letra mata, mas el espíritu vivifica" [II Corintios 3:6]. Pero Dios ató su Palabra-revelación a la escritura, conectando así el significado fídico con el significado lingual. Quienquiera que corte este nexo no sigue la guía del Espíritu de Dios, sino meramente sus visiones arbitrarias. Como resultado, no puede entender el significado fídico de la escritura.

Anteriormente discutimos el nexo irrompible que hay entre la fe y la historia, al cual nos aproximamos desde la estructura del aspecto histórico. Establecimos que la fe, impulsda por un motivo religioso básico, conduce el proceso de apertura en el desarrollo histórico.

Vista desde el lado de la fe, encontramos que la estructura del aspecto de la fe expresa una coherencia con el aspecto histórico mediante una analogía histórica. Esta analogía consiste en la *formación* de la fe en armonía con el patrón de desarrollo de la revelación divina como la norma de la fe. Esta formación ocurre en las doctrinas de la fe. Como posesiones vivientes de la iglesia, estas doctrinas no pueden ser confundidas con la teología dogmática, la teoría científica concerniente a la doctrina. Sólo la autoridad eclesiástica basada en la Palabra de Dios puede establecer y mantener las enseñanzas de la fe cristiana. La autoridad de las teorías teológicas concernientes a estas doctrinas nunca puede igualar la autoridad eclesiástica, tanto porque la ciencia carece de autoridad con respecto a la doctrina, como porque la iglesia carece de autoridad en la esfera de la ciencia.

La confusión del *dogma* eclesiástico (los artículos de fe) con la *dogmática* (la teoría científica relativa al dogma) es una fuente continua de división y cisma dentro de la iglesia. El dogma eclesiástico tiene su propio desarrollo histórico, el cual está estrechamente ligado a la lucha histórica de poder entre la iglesia de Cristo y la herejía —una lucha de vida y muerte por mantener el motivo básico escritural de la religión cristiana. La herejía surgió constantemente en los círculos teológicos y filosóficos que eran susceptibles a los motivos básicos aescriturales. Como resultado, la iglesia fue forzada a buscar consejería teológica en la formulación de su dogma. Pero en tales asuntos el asunto clave fue siempre el mantenimiento de los artículos de fe disputados, no la imposición obligatoria de una *teoría* teológica concerniente a los mismos.

Puesto que la tarea fundamental de la doctrina de la iglesia es dar expresión positiva al motivo religioso básico de la Palabra de Dios, siempre es responsable ante esa Palabra. Pero, con respecto a su aspecto fídico, la Palabra-revelación divina misma mantiene una coherencia interna con la historia. La revelación exhibe una progresión desde el Antiguo hasta el Nuevo Testamento, y el Nuevo Testamento mismo está fundado históricamente en la aparición de Cristo. Esta progresión, sin embargo, no significa que en su función como *norma para la fe* la revelación de Dios sea un fenómeno *histórico*. Tal equívoca concepción es el error fundamental del historicismo, el cual niega todo fundamento sólido de verdad al absolutizar el aspecto histórico de la realidad. Este error se hace plenamente transparente sólo cuando son vistas la inherente naturaleza de la fe y su coherencia interna con el aspecto de desarrollo histórico. La estructura del aspecto de la fe exhibe una analogía con la historia pero esta analogía —este "eslabón"— mantiene su carácter de fe. La Palabra-revelación de Dios mantiene su verdad eterna para la fe, la cual en su núcleo apunta más allá del tiempo. Con respecto a su aspecto temporal como *norma para la fe*, la divina Palabra-revelación exhibe una *apertura* [disclosure] progresiva —del Antiguo al Nuevo Testamento— de la verdad divina. Esta apertura está históricamente fundada. Pero también en este carácter progresivo la norma divina para la fe mantiene su propia naturaleza, en distinción de la del desarrollo histórico.

La fe también exhibe una analogía lógica en su estructura, la cual garantiza la irrompible conexión de la fe con el aspecto del pensamiento lógico. Por naturaleza la fe es el conocimiento seguro que reposa sobre el discernimiento espiritual. No es sugestión ciega, pues es capaz de dar cuenta de sus fundamentos. Es así que la fe no puede existir sin un fundamento en la distinción lógica, y no obstante el discernimiento que la fe hace de la verdad es en principio diferente de la conceptualización lógica. Está orientado hacia los asuntos eternos que trascienden los conceptos humanos, asuntos que, de acuerdo con Pablo, sólo pueden ser "discernidos espiritualmente" [cf. I Corintios 2:14]. El discernimiento espiritual sólo es posible cuando el corazón de uno se entrega en plena rendición religiosa a la guía del Espíritu Santo.

Por naturaleza, el espiritualmente discernido conocimiento de la fe está asociado con la confianza firme. Este momento expresa una analogía con el aspecto del sentimiento dentro del aspecto de la fe. La confianza de la fe nunca es sin un sentimiento de seguridad pero esta confianza no es ella misma una emoción, pues las emociones sufren cambios y dependen de los humores. La confianza de la fe busca su fundamento seguro no en el sentimiento y en el humor, sino sólo en la Palabra de Dios.

Todos estos rasgos garantizan la naturaleza peculiar de una verdadera *vida* de la fe, la cual expresa el eslabón entre la fe y el aspecto orgánico de la existencia humana. La vida de la fe, la cual tiene una maduración propia desde la niñez hasta la edad adulta, está inseparable ligada al desarrollo orgánico de la vida. No obstante, retiene su propio carácter irreducible y obedece su propia ley. Es nutrida espiritualmente con la oración, la predicación de la Palabra y los sacramentos. La "nutrición espiritual" debe ser relacionada con los estadios de desarrollo de la vida de la fe, como indicara el apóstol Pablo cuando hablara de "alimentar con leche" a los niños en la fe que todavía no pueden soportar la "comida sólida" [cf. I Corintios 3:2]. La relación entre la función de la fe y la función orgánica, explícitamente mencionada por Pablo, también incluye la relación íntima entre la fe y los sentidos: "la fe es por el oir" [cf. Romanos 10:17]. Los pensadores griegos, quienes sostuvieron que la teoría filosófica era el único modo verdadero de conocer a Dios, hubieran considerado a este enunciado como prueba suficiente de su juicio sobre la carencia de valor de la fe para conocer la verdad. Para ellos, el "alma racional" tenía que desenmarañarse de la engañosa apariencia de realidad producida por los sentidos.

En conclusión, la relación entre fe e historia, vista desde cualquier lado, nos pone ante preguntas muy difíciles. Hemos mostrado que la vida de la fe es susceptible de *apertura* y *profundización*, así como la vida histórica de la cultura está sujeta al proceso de apertura. En todo aspecto de la realidad anterior a la fe podemos distinguir una condición *cerrada* y una *abierta*. Un aspecto está cerrado sólo cuando exhibe relaciones que apuntan hacia *atrás*, a aspectos anteriores de la realidad. Un aspecto es abierto también cuando se despliegan aquellos momentos que apuntan hacia *adelante*, a los aspectos posteriores de la realidad.

Por ejemplo, la vida emocional de un animal existe en una condición cerrada. Rígidamente atada a los sentidos del organismo viviente, no puede surgir por encima del nivel snsorial. En el caso del hombre, por otra parte, uno puede hablar de una vida emocional abierta, puesto que el sentimiento lógico, el sentimiento histórico, el sentimiento lingual, el sentimiento estético, el sentimiento jurídico, etcétera, manifiesta una relación entre el aspecto del sentimiento y aspectos subsecuentes.

En este punto de nuestra investigación se presentan inmediatamente dos problemas. En primer lugar, ¿cómo hemos de concebir un proceso de apertura con respecto a la vida de la fe? ¿Cómo hemos de pensar la fe en una condición cerrada cuando el aspecto de la fe, el último aspecto, se halla en la frontera de la realidad temporal? No le sigue ningún aspecto posterior. Y relacionada con este problema está la siguiente pregunta: ¿cómo es posible que la apertura cultural genuina tenga lugar bajo la dirección de una fe apóstata que está gobernada por un motivo básico idólatra? ¿Qué influencia tiene la fe apóstata sobre la manera de la apertura cultural en el desarrollo histórico? No entenderemos la importancia de la antítesis entre la religión cristiana y los motivos básicos apóstatas, para el desarrollo histórico, hasta que estas dos preguntas extremadamente importantes hayan sido contestadas.

LA FE EN UNA CULTURA CERRADA

Pongamos brevemente el contexto para el primer problema. La apertura cultural en la historia es conducida por la fe. Como cualquier otro aspecto, el aspecto histórico de la realidad es abierto o cerrado. En un estado cerrado, un aspecto se revela a sí mismo sólo en su coherencia interna con aspectos anteriores; está, por lo tanto, rígidamente, atado a ellos. Las conexiones internas con los aspectos posteriores de la realidad se despliegan mediante un proceso de apertura que profundiza el significado entero del aspecto anterior.

Se halla más allá de duda que también las culturas primitivas, en su condición de indiferenciación estrictamente cerrada, se hallan totalmente en el puño de una fe particular. Quienquiera que estudie la vida de los pueblos paganos primitivos es siempre impactado por la cercana conexión entre su sociedad entera y su religión y concepciones de fe. ¿Cómo es posible que también en esta situación la fe de *guianza* a la vida mientras que esta guianza no conduce a una real apertura en los aspectos cultural y posteriores de la sociedad? ¿Podemos hablar también de un estado cerrado y uno abierto con respecto al aspecto de la fe?

La teología cristiana siempre ha distinguido entre la revelación general de Dios que se encuentra en la "naturaleza" (significando con ella la completa obra de la creación de Dios) y la revelación Palabra general y especial. Mientras que puede parecer razonable buscar la revelación en la "naturaleza" como nuestro punto de partida al discutir el sentido específico de la estructura "cerrada" de la función de la fe, debemos estar atentos a la relación original entre la "revelación natural" de Dios en todas las obras de sus manos y la Palabra-revelación. Al crear el mundo, Dios se reveló en la creación tanto en su raíz religiosa (el corazón del hombre) como en su orden y coherencia tenporales. Pero desde el mismo comienzo la revelación de Dios en todas las obras de sus manos fue sostenida y explicada por la Palabra-revelación, la cual, incluso después de la caída, se dirigió no a unas cuantas personas en particular, sino a toda la humanidad. Una línea independiente de desarrollo en la Palabra-revelación que ya no estuvo dirigida hacia toda la humanidad empieza primero con Abraham. De esta "revelación especial" se hizo el pueblo de Israel portador provisional separado hasta la aparición de la Palabra misma encarnada.

En esta Palabra-revelación Dios *habla* al hombre y el hombre es llamado a *escuchar* con fe. Pues sólo escuchando fielmente a esta Palabra de Dios puede revelarse el verdadero significado de la revelación de Dios en la "naturaleza de la creación" y en "todas las obras de sus manos". La caída desde Dios empezó en el punto en que el hombre ya no escuchó la Palabra, pues al separar su corazón de la Palabra cerró la función de la fe a la voz de Dios.

Como resultado de la caída, la revelación de Dios en la creación, pero especialmente su revelación en el corazón del hombre, asumió el carácter de un juicio. Donde el corazón se cerró y le dio la espalda a Dios, allí también se cerró la función de la fe a la luz de la Palabra de Dios. No obstante, la función de la fe todavía permaneció en la posición limítrofe entre el tiempo y la eternidad. Conforme a su misma naturaleza, permaneció orientada hacia el firme Fundamento de la verdad y la vida que se reveló en la creación. Después de la caída, sin embargo, el hombre buscó este firme fundamento dentro de la creación misma, absolutizando idolátricamente lo que es relativo y autoinsuficiente. La dirección del hombre se volvió apóstata, y la fe natural se volvió *incredulidad* ante la Palabra de Dios.

Por "estructura cerrada de la fe", entonces, entiendo el límite de la capacidad de la fe para la apostasía: la fe caída hasta su punto más bajo. A la luz de la revelación de la Palabra de Dios, este límite puede ser detectado en el orden mismo de la creación. Ha de encontrarse en ese punto donde la fe apóstata evita la apertura tanto del aspecto histórico como de los aspectos normativos posteriores. Si este es desde luego el límite final en la dirección apóstata de la fe, entonces hemos llegado a la respuesta a nuestra primera pregunta, ya sea que podamos hablar de una condición abierta o cerrada de la fe. Es importante, para la visión que uno tiene de la historia, lograr alguna compenetración en el límite final de la apostasía de la fe, pues sólo en términos de ese límite puede uno entender las culturas primitivas. En su estructura cerrada, la fe nunca puede ser el punto de partida para un desarrollo positivo y una apertura de la función de la fe implantada en el hombre en la creación. Más bien, la condición cerrada de la fe es el límite de su declinamiento, degeneración y deterioro. No obstante, es posible que tal estructura cerrada pueda funcionar como el punto de partida para la apertura en el proceso de la apostasía. Discutiremos este asunto posteriormente.

El punto de partida para una apertura y profundización positiva de la vida de la fe, en la plenitud de la fe cristiana, debe buscarse en la estructura de la función de la fe, tal y como ésta fue creada originalmente en el hombre. Debe ser descubierta en su apertura original ante la revelación divina de la Palabra. Debido a la caída, esta apertura positiva sólo es posible a través del Espíritu de Dios, quien por gracia abre el corazón del hombre. El Espíritu no crea una *nueva* función de fe en el hombre, sino que abre la función caída de la fe transformando radicalmente la *dirección* de la fe. Esto es una conversión dependiente del renacimiento del corazón, una conversión que el hombre caído mismo nunca puede lograr.

Si incluso en los límites de la apostasía la función de la fe siempre opera dentro de la estructura del aspecto de la fe como tal, y si en apostasía la fe permanece atada a su ley —a saber, la revelación divina— entonces surge la pregunta de qué principio de la revelación divina controla normativamente la fe que cae a su nivel más profundo. Como lo mencioné arriba, este principio de la revelación puede encontrarse en el orden temporal de la creación mismo bajo la guía de la Palabra de Dios, pues la estructura cerrada de un aspecto siempre está caracterizada por su dependencia rígida e inerte de los aspectos anteriores de la realidad. En un nivel cerrado de desarrollo histórico, toda la vida cultural está atada estáticamente a los aspectos emocional y orgánico de la realidad. Acordemente, la fe apóstata que tiene en el puño a una cultura primitiva deifica las misteriosas y cerradas "fuerzas de la naturaleza" que controlan no sólo la vida y la muerte, sino la fertilidad, la esterilidad, y en general los aspectos biológicos y sensuales de la sociedad primitiva. Debido a sus rígidos nexos con los impulsos emocionales, su creencia en los dioses está frecuentemente fundada en el temor, aunque uno no debe ciertamente intentar explicar el origen de la religión primitiva en términos de temor. Es igualmente imposible el intento del sociólogo francés Emile Durkheim, por explicar el origen de la religión primitiva desde el punto de vista de la organización social.[1] Es la incomprensible revelación de Dios lo que llena al hombre de temor y temblor.

La deificación de las fuerzas cerradas de la naturaleza encadena las funciones normativas de la existencia humana a la "naturaleza irracional". La "noche de la naturaleza" cubre a una comunidad primitiva. A través de la deificación de una interminable corriente de vida, el motivo materia griego de las antiguas religiones de la naturaleza llenó a los griegos primitivos con temor hacia el ciego destino de la muerte (*Anangké*). Inevitable e impredeciblemente, el destino los golpeaba y cortaba toda esperanza de un mejor futuro. El principio revelacional de este estado cerrado, la norma para la función de la fe, era una deidad que se revelaba inmanentemente dentro de

---

[1] La referencia es a Emile Durkheim, *Las formas elementales de la vida religiosa* (Nueva York: Free Press, 1965).

las "fuerzas cerradas de la naturaleza". Demandaba culto con sacrificios y ritos.

Un principio revelacional cerrado se vuelve una maldición y un juicio para el hombre en la degeneración de su fe. No obstante, este principio está todavía fundado en el orden divino de la creación y es por ello que se halla por encima de la invención y la arbitrariedad humanas. Por lo tanto, la revelación de la Palabra, la cual encuentra su cumplimiento en Cristo Jesús, no elimina un principio revelacional cerrado (Dios, desde luego, se revela también en las fuerzas de la naturaleza). Más bien, la Palabra-revelación descubre el significado verdadero del principio revelacional cerrado, al relacionarlo con el motivo básico y la unidad radical de la autorrevelación divina: creación, caída y redención a través de Jesucristo.

La fe primitiva frecuentemente da forma a su principio revelacional cerrado —la revelación de Dios en las fuerzas de la naturaleza— de las maneras más fantásticas. Cuando el corazón y la fe del hombre están cerrados a la revelación, el hombre empieza a interpretar el principio revelacional divino, la norma para la fe, a su manera. Deificando las fuerzas incomprendidas de la naturaleza, estimula su imaginación de muchas maneras; hila mitos salvajes y bárbaros alrededor de sus primitivos dioses de la naturaleza. Estos mitos frecuentemente impactan al "ilustrado" occidental como fuertemente patológicos. Para fomentar su "superioridad" el hombre occidental prefiere "explicar" las mitologías primitivas de un modo racional, científico natural. Pero tales intentos de explicación científica son enteramente inválidos. Goethe ya los ridiculizó en su *Fausto* cuando hizo que el pensador "ilustrado" dijera, lleno de poderosa indignación ante la fe del hombre en los demonios y en los fantasmas, estas palabras sin precio:

> *Ihr seid noch immer da? Nein, das ist unerhört.*
> *Verschwindet doch! Wir haben ja aufgeklärt!*

> *¿Todavía estáis aquí? ¡Oh no! Ello carece de precedente.*
> *¡Por favor, idos,! ¿Que no hemos traído ya la Ilustración?*[2]

Contra el occidental ilustrado escuchamos la palabra de nuestro Señor: "Pero este género no sale sino con oración y ayuno" [Mateo 17:21]. Desde luego, cualquiera que sostenga que la ciencia moderna ha eliminado radicalmente la creencia en los demonios naturales ha olvidado que un ejército completo de demonios "modernos" está listo para ocupar los lugares vacantes en la fe apóstata de hoy. La superstición es más fuerte que la ciencia natural; su origen no se halla en la mente sino en la raíz religiosa de la existencia humana apartada de la revelación divina de la Palabra de Dios.

---

[2] *Goethe's Faust*. Walter Kaufmann, líneas 4158-4159.

La fe se halla en una condición cerrada cuando está en los límites extremos de su apostasía respecto de la revelación de Dios. En ese punto ha caído en una deificación primitiva de las incomprensibles fuerzas de la naturaleza que controlan los aspectos biológicos y sensuales de la sociedad. En una condición cerrada de fe, el hombre carece de cualquier conciencia de que trasciende los reinos inorgánico, de las plantas y animal.

LA CREENCIA *MANA*

La desintegración de un sentido de la personalidad humana, presente entre muchos pueblos paganos primitivos, se expresa de un modo particular en las así llamadas creencias *mana*. El bien conocido etnólogo Robert Codrington fue el primer en llamar la atención del mundo científico a esta creencia, en su libro sobre los melanesios (1891).[3] Desde entonces se ha mostrado que la creencia *mana* existe bajo diferentes nombres entre varios pueblos primitivos a través de la superficie de la tierra. Del vívido debate que tuvo lugar después de su descubrimiento, uno puede destilar estos resultados tentativos: la fe *mana* está caracterizada por una fluidez peculiar, por un extraño interflujo entre lo natural y lo "sobrenatural" y de lo "personal" y lo 'impersonal". *Mana* es una fuerza vital misteriosa. Se eleva por encima de la familiar cara cotidiana de la vida y asume una corporeidad fragmentariamente en figuras míticas que pueden ser plantas, animales, espíritus, un clan o tribu completos, o cosas inórganicas con formas inusuales (rocas, piedras, y así consecutivamente).

El totemismo está marcadamente influenciado por la creencia *mana*. En éste, un animal o una planta es adorado como el ancestro masculino o femenino de un clan o familia. Los miembros del clan se *identifican* con el totem; *son* águilas, o canguros, o palmeras de dátiles, y así consecutivamente. Esta identificación muestra claramente cuán difusa y dispersa es la conciencia de la personalidad en una estructura de fe cerrada. Aquí, nuevamente, se destaca la verdad de la irrompible relación entre autoconocimiento y conocimiento de Dios.

Aparentemente, muchos pueblos primitivos abrigaron una vaga noción de una deidad más alta junto con una creencia que descarriadamente se revolvía alrededor de una misteriosa fuerza vital. Esta deidad no tenía tratos directos con el hombre y no era adorada de un modo organizado. ?Debiéramos, no obstante, entenderla como un remanente de la revelación general de la Palabra entre estos pueblos? Uno debe ser cauto en este punto, pues la información es frecuentemente demasiado vaga y demasiado contradictoria como para justificar tal conclusión. En cualquier caso, la concepción primitiva de

---

[3] Ver Robert Codrington, *The Melanesians: Studies in their Anthropology and Folklore* (New Haven: HRAF Press, 1957).

un "dios más alto" no tiene una influencia discernible sobre la sociedad primitiva. Las creencias verdaderamente operativas se hallaban en un estado cerrado.

LA APERTURA DE UNA FE APÓSTATA

Volteamos ahora a nuestro segundo problema principal: la apertura de la fe una dirección apóstata. ¿Cómo debemos entender este tipo de apertura? ¿Cómo es posible? Una discusión de este problema es de eminente importancia para nuestra idea de desarrollo histórico, puesto que éste siempre tiene lugar bajo la guía de la fe.

No se puede negar que una fe apóstata de pueblos paganos, que eventualmente se volvieron líderes en la historia del mundo, sufrió un proceso de apertura después de un periodo inicial de una primitiva y difusa "creencia de naturaleza". Este proceso estuvo directamente relacionado con el hecho de que tales pueblos fueron más allá de sus condiciones culturales más o menos primitivas. Entre los griegos, por ejemplo, observamos una transición clara de las religiones de la naturaleza originales primitivas, que adoraban el flujo impersonal e informe de la vida, a una religión de la cultura, en la que los dioses se convirtieron en potencias culturales idealizadas con forma y configuración personal suprahumana. En este proceso de desarrollo y apertura, la religión apóstata trascendió la creencia primitiva en la naturaleza y se orientó a la revelación de Dios en los aspectos normativos de la realidad temporal. Dando forma *cultural* a su fe idólatra, el hombre caído empezó a concebir a sus dioses como configuraciones personales idealizadas. Conducida por este desarrollo de la fe, la norma de diferenciación histórica empezó a operar en el desarrollo cultural griego. Esto estuvo a su vez acompañado por una individualización de la cultura, la cual tuvo lugar en la más abarcante comunidad cultural nacional.

El famoso académico alemán Ernst Cassirer llamó la atención a este estado de cosas desde un punto de vista muy diferente.[4] Observó que en las sociedades primitivas el todo se traga completamente la individualidad de sus miembros. Pero observó que, tan pronto como surge la creencia en dioses personales, el individuo se empieza a liberarse de la absorción dentro de las relaciones de la sociedad. Por lo menos el individuo recibe una cierta independencia y "rostro personal" con respecto a la vida del clan y de la tribu. Más aun, a lo largo de la tendencia hacia lo *individual* surge una nueva tendencia hacia lo *universal*; entidades más abarcadoras y diferenciadas se elevan por encima de las unidades más estrechas de la tribu y el grupo. Los

---

[4] La discusión de este punto por Cassirer se halla en el volumen dos de *Filosofía de las formas simbólicas*. Hay traducción española: México, FCE.

dioses personales de la cultura fueron desde luego los primeros dioses *nacionales* de los griegos, y como tales crearon una conciencia helénica común. Como dioses universales de las tribus griegas, no estaban confinados ni a un solo distrito ni a un lugar específico de adoración. Es así que la liberación de la conciencia personal y la elevación de la conciencia nacional tiene lugar en una misma apertura de fe apóstata. Desde luego, una apertura de la fe en apostasía de la divina revelación de la Palabra sólo puede ser entendida como un proceso en el que *el hombre se vuelve autoconciente en su apostasía*. La estructura de la función de la fe no tiene momentos que estén relacionados con aspectos posteriores de la realidad; como resultado, la fe apóstata debe alcanzar a la raíz religiosa apóstata de la existencia humana —a saber, la autonciencia humana— para lograr la apertura.

Cuando el hombre se vuelve conciente de la supremacía de sus funciones "racionales" sobre las fuerzas "irracionales" de la naturaleza, la fe en su dirección apóstata se levanta por encima de los rígidos confines de la primitiva fe en la naturaleza. Viéndose a sí mismo y a sus dioses a la luz de los aspectos "racionales" o normativos de la realidad temporal, el hombre toma a la ciencia, la cultura, el arte y la moralidad como sus objetos de deificación. Esta es una transición en la que el hombre caído viene a una creciente autoconciencia en la fe. El hombre gradualmente se vuelve conciente de su *libertad* para configurar su futuro histórico de acuerdo con un diseño, a diferencia de la rigidez de una sociedad cerrada en la que la tradición es casi omnipotente.

EJEMPLO: EGIPTO

Las inscripciones en las pirámides egipcias son probablemente los registros más antiguos extantes que documentan el desarrollo gradual de la fe apóstata de una condición cerrada a la deificación de las funciones jurales y morales de la personalidad humana. Estas inscripciones muestran cómo la creencia enla inmortalidad acentúa crecientemente la concepción ética del ego humano. Por ejemplo, en los textos más antiguos, Osiris, diosa de los muertos, era todavía un semianimal al que, mediante fórmulas mágicas, se le imploraba que aceptara las almas de los muertos. Pero gradualmente fue concebido como juez del bien y el mal. Crecientemente, el poder de la magia fue reemplazado con una súplica, hecha ante el juez divino, por la inmortalidad del alma.

El resultado de este desarrollo es como sigue: guiado por una apertura apóstata de la *fe*, tiene lugar un proceso de apertura *histórica* que también se mueve en una dirección apóstata. Como resultado, debemos preguntar: ¿cómo se revela la apertura histórica en la dirección de la apostasía? Hasta aquí sólo hemos visto que es posible que la vida de la fe se abra en una dirección opuesta a la revelación. Nuestra tarea ahora es descubrir de qué modo tiene lugar una apertura en el desarrollo histórico bajo la guía de una fe apóstata.

LA APERTURA DE UNA CULTURA APÓSTATA

La dirección apóstata de la fe siempre se revela en la deificación y absolutización de ciertos aspectos de la creación. Si la fe apóstata guía la apertura de la cultura, entonces rompe la norma de economía cultural, lo que resulta en una nítida desarmonía en la vida cultural.

Resumamos brevemente nuestras discusiones anteriores acerca de la norma de economía cultural. Buscando un criterio para distinguir una dirección progresiva saludable de una dirección reaccionaria en el desarrollo histórico, señalé que Dios puso el desarrollo histórico bajo normas y estándares. Estas normas deben ser descubiertas en la coherencia completa del orden divino de la creación; esto es, deben ser exploradas en las varias relaciones que atan el aspecto histórico con los otros aspectos de la realidad temporal. Notamos que en una condición cerrada y primitiva la cultura exhibe un carácter indiferenciado. Está enteramente cerrada a todo intercambio cultural fructífero con naciones que estén incluidas en el proceso de la historia del mundo. La tradición es todopoderosa en tales culturas, y la entera vida comunal de los pueblos primitivos se halla en el puño de una creencia pagana en la naturaleza, la cual en su estado cerrado hace imposible una verdadera apertura de la cultura.

También encontramos que el primer criterio para detectar una genuina apertura de la cultura se halla en la norma de diferenciación. Esta norma consiste en el creacionalmente fundado principio de la soberanía de las esferas, el cual sostiene que Dios creó todo conforme a su género. Específicamente, encontramos que el principio de la soberanía de las esferas se revela en su aspecto histórico a través de la norma de diferenciación cultural que sostiene que una verdadera apertura de la cultura sólo es posible cuando se desarrolla en las esferas diferenciadas del Estado, la iglesia, el arte, la industria, el comercio y así consecutivamente. Aunque cada esfera diferenciada revela su propia naturaleza inherente y posee su propia esfera histórica de poder, sólo se puede desarrollar un proceso de diferenciación, de acuerdo con establecido por Dios, si la norma de economía cultural es obedecida. Esta norma, la cual expresa la coherencia entre los aspectos histórico y económico de la realidad, implica que toda expansión excesiva del poder de una esfera diferenciada dada entra en conflicto con el desarrollo cultural armonioso y ocurre a costa de un crecimiento saludable de otras esferas. Debido a que incita una reacción por parte de las esferas amenazadas, la desarmonía cultural se venga en el juicio de la historia que tiene lugar en el mundo. En este punto podemos amarrar nuestro argumento: la excesiva expansión de poder dentro de una esfera cultural dada siempre ocurre bajo la guía de una fe apóstata que absolutiza y deifica tal esfera cultural.

EJEMPLO: LA ILUSTRACIÓN

Considere, por ejemplo, la Ilustración del siglo dieciocho, cuando una fe humanista en la omnipotencia de la ciencia moderna de la naturaleza dominó la cultura occidental. El ideal Ilustrado era *controlar* la realidad mediante el descubrimiento de las leyes de la naturaleza. Se supuso que tal control era posible debido a que leyes naturales determinaban el curso de los eventos en una cadena cerrada de causa y efecto. El método de la nueva ciencia de la naturaleza fue indebidamente impuesto a las otras ciencias. Consistía en analizar fenómenos complejos en sus partes "más simples", cuyas relaciones pudieran ser determinadas mediante ecuaciones matemáticas.

Difícilmente puede uno negar que las ciencias naturales se desarrollaron inmensamente bajo la influencia del humanismo Ilustrado. Pero detrás de las investigaciones estuvo una fuerza religiosamente dinámica: el ideal humanista de la ciencia. Influenció incluso a los científicos cristianos aunque algunos —piénsese en Pascal— protestaron fuertemente contra la sobreextensión de los métodos científicos naturales.

La influencia histórica del ideal de la ciencia no estuvo limitado a la esfera cultural de la ciencia. Impulsado por la fe, el ideal se extendió a toda otra área cultural. La "Ilustración" a través del avance de la ciencia fue el *slogan* del día. Se esperó que todo "progreso" de la humanidad proviniera de la explicación racional de la ciencia. Todo aspecto de la sociedad humana fue visto en términos del "método científico natural". La sociedad misma requirió disección en sus "elementos más simples": los individuos. El nuevo método condujo a una visión individualista de la sociedad humana que ignoró la naturaleza interna de las diferentes *relaciones* sociales, tales como la iglesia, el Estado y la familia. Más aun, la moralidad se volvió cabalmente individualista, construida sobre el superficial principio ético de la utilidad. La fe Ilustrada penetró en las iglesias bajo la forma de "modernismo", arruinando la fe cristiana dondequiera que ganaba influencia. En la vida económica entronizó al *homo economicus*, una persona ficticia motivada exclusivamente por el interés propio privado económico. Ni siquiera el arte escapó a la influencia de esta nueva fe; se le impuso la camisa de fuerza de las formas rígidas, racionalistas, del "clasicismo". En resumen, el desarrollo saludable y armonioso de la cultura fue evitado por el impacto de la ciencia natural, la cual fue más allá de sus límites a costa de otras esferas de la civilización occidental.

Hay desde luego otra faceta en nuestra valoración de la fe Ilustrada. Estaríamos enteramente fuera de propiedad si dejáramos de reconocer su gran importancia para el desarrollo de la civilización occidental. La Ilustración fue formativa en la historia y activa en la apertura de la cultura más allá del alcance de la ciencia natural y la tecnología basada en esa ciencia. Con respecto a la economía, abrió la brecha para desarrollar la iniciativa individual, la cual, a pesar de su énfasis originalmente individualista, hizo avancer grandemente la vida industrial. Con respecto al orden legal, abogó incansablemente no sólo por el establecimiento de los derechos individuales del hombre, que hoy forman el fundamento de la ley civil, sino también por la eliminación de formas jurídicas indiferenciadas que trataban a partes de la autoridad gubernamental como "objetos comerciales". La Ilustración también puso muchas piedras angulares para el moderno Estado constitucional (*Rechtsstaat*). En el área del derecho penal contribuyó a la introducción de un tratamiento más humano, a la abolición de la tortura, y a la eliminación de los juicios contra las brujas. Sin cesar abogó por la libertad de palabra y la libertad de religión. En todas esas áreas la Ilustración pudo contribuir a la formación histórica auténtica porque siguió el camino de la genuina apertura cultural. Sus ideas revolucionarias, en su realización, tenían que ajustarse a las ordenanzas divinas. En su lucha de poder contra la tradición, estas ideas se doblaron bajo la presión de la norma de la continuidad cultural, con el resultado de que perdieron sus momentos de arbitrariedad subjetiva. La Ilustración también se tuvo que adaptar a la influencia de la Reforma, la cual, aunque jugó sólo un papel secundario, aun así se afirmó en el desarrollo histórico.

Pero el lado oscuro de la contribución de la Ilustración a la apertura de la cultura occidental consiste en el impacto disolvente de su individualismo y el racionalismo, el cual resultó en una severa *desarmonía* de la sociedad occidental. El "juicio" en la historia del mundo fue ejecutado sobre la Ilustración y muy comprensiblemente provocó la reacción del historicismo con su sobrestimación de la comunidad humana. Sin embargo, una visión de la historia verdaderamente bíblica no debe, en su batalla contra las ideas de la Ilustración, buscar un acomodo con el historicismo, el cual se opuso a la Ilustración de una manera *reaccionaria*. Una visión de la historia verdaderamente escritural no puede negar los elementos fructíferos y beneficiosos de la influencia histórica de la Ilustración. Al igual que los elementos válidos de la visión historicista de la realidad, deben ser valorados como frutos de la gracia común.

Todo movimiento cultural, no importa cuán opuesto a Dios en su apostasía, debe ser reconocido propiamente por sus méritos históricos en la medida en que haya contribuido a la apertura cultural —un asunto que debe ser examinado a la luz de las normas divinamente puestas para el desarrollo de la cultura. Pues una visión verdaderamente cultural de la historia no puede ser fanática y de mente estrecha. No comparte ni la fe optimista en un progreso rectilíneo del hombre, ni la creencia pesimista en la inminente decadencia de Occidente. Detrás del gran proceso de desarrollo cultural reconoce la batalla en la raíz de la creación entre la *civitas Dei* y la *civitas terrena*, el Reino de Dios en Cristo Jesús y el reino de las tinieblas. Sabe que esta batalla fue decidida en el Gólgota y que la victoria del Reino de Dios es segura. Sabe que la gran antítesis entre el motivo básico de la revelación divina de la Palabra y el motivo básico del espíritu apóstata opera en la lucha de poder por el futuro de la civilización occidental. También sabe que Dios usa los poderes apóstatas en la cultura para desarrollar aun más los potenciales que puso en la creación.

A través de la sangre y las lágrimas, a través de la revolución y la reacción, el proceso de desarrollo histórico se mueve hacia el día del juicio. El cristiano está llamado, en el nombre de Aquel a quien toda potestad le ha sido dada en el cielo y en la tierra, a tomar parte en la gran lucha de poder de la historia, con el compromiso de su entera personalidad y todos sus poderes. El resultado es seguro y esto da al cristiano, no importa que sesgo puedan tomar los eventos particulares, una paz y un descanso dignos de un conquistador.

EL DESAFÍO RADICAL DE LA PALABRA DE DIOS

Hemos visto que el motivo básico de la religión cristiana —creación, caída y redención a través de Jesucristo— es una dinámica espiritual que transforma la visión entera de la realidad *en su raíz* tan pronto como logra plena autoridad sobre la actitud de uno sobre la vida y el pensamiento. También hemos visto que el motivo cristiano básico moldea nuestra visión de la historia, pues nos ofrece un criterio para distinguir las tendencias verdaderamente progresivas de las reaccionarias con disfraz. Hemos reconocido la omniabarcante importancia del motivo cristiano básico para los quemantes asuntos de la "nueva era". Hemos entendido de qué manera este motivo básico desenmascara la peligrosa ideología comunitarista de hoy y sus tendencias totalitarias. Hemos notado que el motivo cristiano básico pone la inconmovible firmeza del orden de la creación de Dios en oposición al así llamado espíritu dinámico de nuestros tiempos, el cual se rehúsa a reconocer fundamentos firmes para la vida y así ve a todo "cambiando". Hemos llegado a conocer la divina *radicalidad* de este motivo básico que toca la raíz religiosa de nuestras vidas. Hemos llegado a entender, espero, que el motivo básico cristiano no permite la ambigüedad dualista en nuestras vidas, ninguna "claudicación entre dos pensamientos" [cf. I Reyes 18:21].

Considere el costo de tomar seriamente este cristianismo radicalmente escritural. Pregúntese usted de qué lado debe ponerse en la tensa batalla espiritual de nuestros tiempos. El hacer concesiones no es una opción. No es posible una posición a medias tintas. O bien el motivo básico de la religión cristiana opera radicalmente en nuestras vidas, o bien servimos a otros dioses. Si la antítesis es demasiado radical para usted, pregúntese si un cristianismo menos radical no es como la sal que ha perdido su sabor. Afirmo la antítesis de manera tan radical para que nuevamente experimentemos el doble filo y el poder de la Palabra de Dios. Debe usted experimentar la antítesis como una tormenta espiritual que impacta con relampagueo su vida y que limpia el aire viciado. Si no lo experimenta usted como un poder espiritual que requiere la rendición de todo su corazón, entonces no producirá ningún fruto en su vida. Entonces usted estará apartado de la gran batalla que siempre instiga la antítesis. Usted no puede pelear esta batalla. Más bien, la dinámica espiritual de la Palabra de Dios pelea la batalla *en* nosotros y nos jala a pesar de nuestra "carne y sangre".

Mi esfuerzo por imprimir sobre nosotros el alcance de la antítesis está también dirigido hacia los cristianos comprometidos. Creo que si la cristiandad se hubiera aferrado a motivo básico de la Palabra de Dios, y *solamente* a él, nunca hubiéramos atestiguado las divisiones y cismas que han plagado la iglesia de Cristo. La fuente de todos los cismas y disensiones es la inclinación pecaminosa del corazón humano a debilitar el significado integral y radical de la Palabra divina. La verdad es tan intolerable para el hombre caído que, cuando se apodera de él, todavía busca escapar de su exigencia total de todos los modos posibles.

El motivo de la creación impacta este mundo caído tan tremendamente que el hombre se ve a sí mismo en plena desolación ante Dios, del cual nunca puede escapar. Piense en las poderosas palabras del Salmo 139:

> ¿A dónde me iré de tu Espíritu?
> ¿Y a dónde huiré de tu presencia?
> Si subiere a los cielos, allí estás tú;
> Y si en el Seol hiciere mi estrado,
> he aquí, allí tú estás.

El hombre no puede mantener un solo átomo de su existencia ante el creador como su propia propiedad. El hombre no puede encontrar ningún refugio en la creación que pudiera proporcionarle un escondite para su existencia pecaminosa independiente de Dios. El hombre no puede tolerar esto.

El motivo básico triple de la Palabra es una unidad indivisible. Cuando uno debilita el carácter integral del motivo creación, se vuelve incomprensible el sentido radical de la caída y la redención. De mismo modo, cualquiera que se entromete con el sentido radical de la caída y la redención no puede experimentar el poder pleno del motivo creación.

V

LA GRAN SÍNTESIS

ESCENARIO TEMPRANO

Cuando el motivo cristiano entró en el mundo de pensamiento helenístico, griego tardío, su unidad indivisible fue amenazada por todos lados. Ya en las primeros siglos de su historia, la iglesia cristiana peleó una batalla de vida y muerte para mantener su motivo básico libre de las influencias del motivo básico griego y de los que posteriormente se mezclaron con la religión griega en su contacto con las diferentes religiones del Cercano Oriente, notablemente el Zoroastrismo persa.

Todos estos motivos básicos no bíblicos fueron de una naturaleza dualista, divididos contra sí mismos. Desgarrados por contradicciones internas, no conocieron ni a Dios el creador, el origen absoluto de todas las cosas, ni al hombre en la raíz de su ser. En otras palabras, fueron apóstatas en su dirección.

Hemos discutido el motivo forma-materia con alguna extensión en capítulos previos. Se originó en un conflicto irreconciliable dentro de la conciencia religiosa griega, entre la más antigua religión de la naturaleza y la más nueva religión cultural de los dioses olímpicos. El momento espiritual de este motivo básico internamente dividido condujo al pensamiento maduro griego a aceptar un origen doble del mundo. Incluso cuando los pensadores griegos reconocieron la existencia de un orden cósmico, originado a través de un designio y plan divinos, todavía negaron categóricamente una *creación* divina. Los griegos creían que todo lo que vino a la existencia surgió meramente a través de una actividad divina de dar forma a una materia informe ya presente. Concibieron la formación divina sólo en términos de actividad cultural humana. La "deidad racional" era meramente un "arquitecto celestial" que formó un material dado de acuerdo con un libre diseño. No era capaz de anticiparse a la ciega actividad autónoma del principio materia.

Una concepción dualista de la naturaleza humana estuvo directamente relacionada con esta idea dualista de la naturaleza divina. Esto demuestra una vez más que el autoconocimiento del hombre depende de su conocimiento de Dios. Así como la deidad racional encontró la autonomía del principio materia en contra de sí misma, así también el "alma racional" de la naturaleza humana confrontaba un cuerpo material terrenal. El centro real del alma racional era el pensamiento teórico, el cual era divino en carácter. El alma era la "forma" invisible de la existencia humana, y como facultad de pensamiento teórico era inmortal. Por contraste, el cuerpo material, la "materia" del ser del hombre, estaba sujeto al flujo de la vida y al ciego destino.

En el periodo helenístico no fue difícil combinar el motivo básico griego con los motivos dualistas básicos de las religiones del Cercano Oriente, con las que los griegos ya habían hecho contacto. El motivo básico de la religión persa de Zoroastro consistió en una batalla entre un principio divino de luz y un principio malo de oscuridad. Es así que uno podía identificar fácilmente el motivo forma griego con el motivo zoroastriano de la luz, y el motivo materia griego con el principio malo de la oscuridad.

LA TENTACIÓN DEL DUALISMO

La iglesia cristiana se dio cuenta del enorme peligro que el motivo grecozoroastriano representaba para el motivo básico puro de la revelación divina. En su lucha de vida o muerte contra este motivo, la iglesia formuló la doctrina de la unidad divina del Padre y el Hijo (el Verbo o *Logos*) y poco después la doctrina de la trinidad del Padre, el Hijo y el Espíritu Santo. Esta determinación de la posición doctrinal básica de la iglesia cristiana no pretendía ser una teoría científica teológica, sino una formulación necesariamente imperfecta de la confesión viviente del Cuerpo de Cristo, en la cual el motivo básico puro buscaba expresión. Específicamente, estas formulaciones del credo rompieron la peligrosa influencia del gnosticismo durante las centurias tempranas de la iglesia cristiana, de tal modo que fue restaurado un punto de partida puramente escritural.

Bajo las influencias griega y cercanoriental, el movimiento gnóstico se revirtió hacia un origen dualista de la creación. Distinguió entre un más bajo "Dios Creador" del Antiguo Testamento y un más alto "Dios Redentor" del Nuevo Testamento. El primero era el Dios de los judíos que no podía ser perfecto porque había entrado en contacto con materia inmunda en la creación. Y así como la filosofía griega había visto hacia el conocimiento de Dios en la teoría filosófica, así también el "gnosticismo cristiano" ponía a la contemplación de Dios [*gnosis*] por encima de la fe escritural de la comunidad cristiana. El apóstol Juan había sido ya forzado a hacer una advertencia en contra de los precursores del "gnosticismo cristiano", la secta de los nicolaítas.

Especialmente al mantener la unidad irrompible del Antiguo y el Nuevo Testamentos, la iglesia cristiana, bajo la guía de Dios, había sido capaz de superar el dualismo religioso que se había trepado con el gnosticismo en su intento por meter una cuña entre creación y redención. Desafortunadamente, sin embargo, el motivo básico griego se metió en el pensamiento cristiano de otros modos.

Por ejemplo, la influencia del motivo básico griego fue evidente entre los así llamados padres apostólicos de la iglesia, quienes se habían echado a cuestas la defensa del cristianismo contra el pensamiento griego. Los padres griegos de la iglesia concibieron la creación como resultado de la dotación de forma a la materia. No podían considerar a la materia como divina. Consecuentemente, vacilaron en reconocer que el Verbo, a través del cual todas las cosas habían sido creadas y que se hizo carne en Jesucristo, se halla a la par de Dios. Acordemente, degradaron el Verbo (el *Logos*) a un "semidiós" quien, como "mediador" de la creación, se hallaba entre Dios y la criatura.

Los padres griegos de la iglesia también ubicaron el conocimiento contemplativo teórico de Dios por encima de la fe. De una peligrosa manera, su teoría filosófica relegaba a la fe cristiana al nivel de una "ética moral más elevada". El sacrificio expiatorio de Cristo en la cruz fue empujado al trasfondo en favor de la idea de un "maestro divino" que abogaba por un caminar moral en la vida más elevado. Es así que a la religión cristiana se le robó su carácter indivisible y radical. Ni la creación, ni la caída, ni la redención fueron entendidas en su significado escritural. Incluso después de que la iglesia cristiana estableciera la doctrina de la Trinidad, la influencia del motivo religioso básico griego continuó en el pensamiento de los padres de la iglesia.

AGUSTÍN

La dirección ortodoxa del pensamiento cristiano alcanzó un punto alto en Agustín. Agustín puso su estampa sobre la reflexión cristiana hasta el siglo trece, e incluso después mantuvo una considerable influencia. El motivo básico de su pensamiento fue indudablemente escritural. Después de su conversión, su poderoso y talentoso intelecto crecientemente abrevó de esta fuente. Sin embargo, la teología cristiana de su día fue confrontada con problemas filosóficos cuyas soluciones no podía ser eludidas. En tanto los padres de la iglesia habían sido educados filosóficamente —Agustín lo había sido considerablemente— habían llegado a absorber el modo de pensamiento griego. Se habían apropiado sus visiones del orden cósmico, la naturaleza humana y la sociedad humana. Los padres de la iglesia habían intentado limpiar estas concepciones de sus elementos paganos y adaptarlos a la religión cristiana. Sin embargo, no entendieron que este motivo básico controlaba no meramente unos cuantos componentes, sino su fundamento y elaboración enteros. En otras palabras, no vieron que debido a su carácter radical el motivo básico de la religión cristiana exige una *reforma interna* de la visión que uno tiene del orden del mundo y la vida temporal. En vez de *reforma*, buscaron *acomodo*; buscaron adaptar el pensamiento pagano a la revelación divina de la Palabra.

Esta adaptación sentó las bases para la *escolástica*, la cual hasta el presente impide el desarrollo de una dirección verdaderamente reformacional en la vida y el pensamiento cristianos. La escolástica busca una *síntesis* entre el pensamiento griego y la religión cristiana. Se pensó que tal síntesis podía ser exitosamente lograda si la filosofía, con su base griega, ha de ser convertida en sierva de la teología cristiana.

Aquí Agustín jugó nuevamente un papel clave. Negó la autonomía de la filosofía; esto es, su independencia con respecto a la fe cristiana. Para él, esto desde luego significó que la fe cristiana debe dar guía también al pensamiento filosófico, pues sin esta guía sería dominado por una fe apóstata. Como tal, esta idea era enteramente escritural. Sin embargo, la búsqueda de acomodo y síntesis por Agustín lo condujo a elaborar esto de un modo inaceptable. A la filosofía, no intrínsecamente reformada, no se le permitió desarrollarse independientemente, sino que tuvo que ser sujetada al control de la teología dogmática. Las cuestiones filosóficas sólo podían ser tratadas dentro de un marco teológico de referencia. Agustín intentó cristianizar la filosofía sobre estas líneas, suponiendo que la teoría teológica y la religión cristiana eran idénticas.

Uno no puede negar que Agustín fue influenciado por la concepción griega de la teoría contemplativa, la cual se presentaba como el camino hacia el verdadero conocimiento de Dios. Anteriormente, Aristóteles había elevado la metafísica (teoría filosófica de los primeros principios, la cual culminaba en la "teología" o conocimiento filosófico de Dios) a "reina de las ciencias"; nunca se les permitiría que la contradijeran. Agustín meramente reemplazó esta noción griega de "teología filosófica" con la teología cristiana, la teoría científica concerniente a las doctrinas cristianas.

Agustín aceptó el motivo básico de la revelación en su pureza. Pero no lo pudo desarrollar radicalmente debido a que el motivo básico griego, transmitido por la filosofía griega, impuso un firme control sobre su entera cosmovisión. Por ejemplo, leyó la descripción de la creación con ojos griegos. De acuerdo con él, "la tierra desordenada y vacía" significaba "materia" aun sin forma, aunque en oposición a la noción griega creía que esta materia era creada por Dios. De modo semejante, concibió la relación entre el "alma" y el "cuerpo" dentro del marco del motivo básico griego. Para él, el alma era una sustancia inmortal caracterizada por la facultad de pensamiento teórico.

El cuerpo era meramente un "vehículo material" del alma racional. La revelación divina de la unidad religiosa radical de la existencia humana era así, otra vez, socavada por el dualismo griego.

Especialmente en su doctrina del "pecado original", el motivo materia griego adquirió un impacto práctico peligroso sobre la entera visión de la vida de Agustín. Para Agustín, el "pecado original" era deseo sexual. El matrimonio era meramente un artificio terapéutico para controlar la lascivia desmedida en pos de la carne. Desafortunadamente, esta visión ha lisiado la ética marital cristiana durante siglos. Como una regla, los cristianos no ven el pecado original como algo asentado en el corazón del hombre, sino como un impulso temporal natural. El impulso sexual fue visto como pecaminoso y la abstinencia sexual fue aplaudida como una virtud cristiana de las más altas. Pero este ascetismo no es escritural; su linaje se retrotrae a Platón, quien explicó los impulsos sensuales en términos del ominoso principio de la materia. Al mismo tiempo, Agustín defendió la enseñanza escritural de la caída radical. Entendió la depravación que se encuentra en la raíz de la naturaleza humana.

El ejemplo de Agustín demuestra claramente cómo, incluso en un gran padre de la iglesia, la potencia espiritual del motivo básico griego operó como una peligrosa contrafuerza al motivo básico de la revelación. No es correcto ocultar esto por amor y respeto a Agustín. La compenetración en los asuntos en los que Agustín no debiera ser seguido no tiene por qué eliminar el amor y respeto que sentimos por él. Es un asunto urgente que nosotros, abiertamente e independientemente de las personas, tomemos partido en este asunto: *reforma* o *acomodo*. Esta cuestión domina la vida cristiana de hoy. Solamente el motivo básico de la revelación cristiana puede dotarnos con la respuesta apropiada.

EL MOTIVO BÁSICO CATÓLICORROMANO

El esfuerzo por tender un puente entre los fundamentos de la religión cristiana y el pensamiento griego necesariamente implicaba el intento adicional por encontrar una reconciliación más profunda entre sus respectivos motivos religiosos. Durante la Edad Media, cuando la iglesia de Roma gradualmente obtuvo el control sobre toda la sociedad temporal, esta intentada síntesis religiosa produjo un nuevo motivo básico dialéctico en el desarrollo de la cultura occidental: el bien conocido motivo de la "naturaleza y la gracia" (naturaleza y supernaturaleza). Su inherente ambigüedad y desarmonía dominaron incluso el pensamiento de la Reforma en buena medida, aunque en principio la Reforma había superado su tensión dialéctica regresando a la enseñanza escritural de la importancia radical de la caída para la naturaleza humana, así como a la confesión de la justificación por la sola fe.

EL IMPACTO DEL PENSAMIENTO GRIEGO

¿Cómo concibió la "naturaleza" el catolicismo romano? Derivó su concepto de naturaleza de la filosofía griega. Como vimos anteriormente, la visión de la "naturaleza" (*fisis*) estuvo enteramente determinada por el motivo religioso de la materia y la forma. El motivo materia se hallaba en el fundamento de las más antiguas religiones de la naturaleza, las cuales deificaban una corriente informe y eternamente fluyente de la vida terrestre. Todo lo que poseía forma individual surgía de esta corriente y luego desaparecía. En contraste, el motivo forma controlaba la más reciente religión griega de la cultura, la cual concedía a los dioses una forma racional invisible imperecedera que era sobrenatural en carácter.

Aristóteles enlistó los varios significados de la palabra *fisis* en el pensamiento griego, en el capítulo cinco de su famosa *Metafísica*. En su versión, el antiguo concepto de "naturaleza" alternaba entre una corriente informe de devenir y decaimiento (el principio materia) y una forma invisible e imperecedera, la cual era entendida como la sustancia duradera de las cosas perecederas. Para Aristóteles, quien dio prioridad religiosa al principio forma, el segundo significado era el más auténtico. Definió "naturaleza" como la "forma sustancial de las cosas que en sí misma posee un principio de movimiento (devenir, crecimiento y maduración)". De este modo buscó reconciliar los principios de la materia y la forma.

La visión griega de la naturaleza de Aristóteles era pagana. No obstante, el motivo católico básico de la naturaleza y la gracia buscó acomodar el motivo básico griego al de la divina revelación. Los escolásticos argumentaron que todo lo que estaba sujeto a nacimiento y muerte, incluso el hombre, estaba compuesto de materia y forma. Dios creó todas las cosas conforme a este arreglo. Como un ser *natural*, por ejemplo, el hombre consiste de un "alma racional" y un "cuerpo material". Caracterizado por su capacidad para el pensamiento, el alma racional era tanto la "forma esencial invisible" del cuerpo como una "sustancia" imperecedera que podía existir aparte del cuerpo.

Mas aún, la escolástica mantuvo que cuando Dios creó al hombre lo dotó con un don "sobrenatural" de gracia, una facultad suprahumana de pensamiento y voluntad por la cual el hombre podía permanecer en una relación correcta con Dios. El hombre perdió este don en la caída, y como resultado quedó reducido a mera "naturaleza humana" con su inherente debilidad. Pero esta "naturaleza" humana, la cual es guiada por la luz natural de la razón, no fue corrompida por el pecado y por ello no necesita ser restaurada por Cristo. La naturaleza humana sólo es "debilitada" por el pecado. Continúa siendo fiel a la "ley natural" con que fue creada y posee una autonomía, una independencia relativa y autodeterminación distinta del ámbito de la gracia de la religión cristiana. La naturaleza sólo es conducida a un forma de perfección más alta por la gracia, la cual proviene de Cristo y alcanza a la naturaleza a través de la mediación de la iglesia institucional. Esta gracia debe ser merecida y preparada por las buenas obras en el ámbito de la naturaleza.

Claramente, este nuevo motivo religioso básico entra en conflicto con el motivo de la creación, la caída y la redención en cada punto. Introduce una partición interna en el motivo creación al distinguir lo natural de lo sobrenatural y al restringir el alcance de la caída y la redención a lo sobrenatural. Esta restricción roba al motivo básico escritural su carácter integral y radical. Roto por la contrafuerza que "acomodó" el motivo naturaleza griego al motivo creación, el motivo escritural ya no pudo tomar el control sobre el hombre con todo su poder y absolutez.

Una consecuencia de esta tendencia dualista fue que la enseñanza escolástica sobre la relación entre el alma y el cuerpo no permitía compenetración alguna en el significado radical de la caída, o en el de la redención en Jesucristo. Si el alma humana no es la unidad radical espiritual de la existencia temporal *completa* del hombre, sino que consiste en "la forma racional de un cuerpo material", entonces ¿cómo podría uno hablar del hombre como corrompido en la misma raíz de su naturaleza? El pecado no surge de la función del pensamiento sino del corazón, de la raíz religiosa de nuestro ser.

Al igual que el motivo forma-materia griego, el motivo básico de la naturaleza y la gracia contenía una *dialéctica religiosa* que impulsaba a la vida y al pensamiento del polo natural al polo sobrenatural. La actitud naturalista citaba a las verdades eclesiásticas de la gracia a comparecer ante la corte de la razón natural, y un misticismo sobrenatural intentaba escapar de la "naturaleza" en la experiencia mística de la gracia. Ultimadamente, esta dialéctica conducía a una proclamación consistente del abismo infranqueable entre la naturaleza y la gracia; la naturaleza se volvió independiente, perdiendo todo punto de contacto con la gracia. Sólo la autoridad oficial de la Iglesia católica romana fue lo suficientemente poderosa como para sostener esta seudosíntesis, al denunciar formalmente las herejías que buscaban un seguimiento sobre la base de este motivo básico. Su defensa se apoyo fuertemente en la filosofía de Tomás de Aquino [1225-1274], el príncipe de la escolástica.

TOMÁS DE AQUINO

Para Tomás, la naturaleza fue la independiente "piedra de paso hacia la gracia", la subestructura de una superestructura cristiana. Interpretó la mutua relación entre estos motivos antitéticos al estilo griego, entendiéndola como una relación entre "materia" y "forma". Creyó que la naturaleza es materia para una perfección más alta que le era otorgada por la gracia. En otras palabras, el Redentor opera a la manera de un escultor que moldea su material para darle una nueva forma.

Pero es evidente que esta construcción, derivada de Aristóteles, no podía verdaderamente reconciliar los motivos inherentemente contradictorios de la naturaleza y la gracia. La reconciliación sólo hubiera sido posible si se hubiera encontrado un punto de vista más alto, el cual pudiera haber trascendido y abarcado ambos motivos. Sin embargo, tal motivo no estaba disponible. Para la iglesia de Roma de hoy, la "gracia" no lo es "todo", pues de otra manera la gracia se "tragaría" la naturaleza. Pero este estado de cosas ¿no testifica acaso que el motivo básico catolicorromano no es el de la Palabra de Dios? ¿No está claro que el motivo naturaleza divirgió significativamente del motivo creación de la revelación escritural?

Seguramente, la Iglesia católica romana no incorporó el motivo básico griego en su propia visión de la naturaleza sin revisión. Puesto que la iglesia no podía aceptar un origen dual del cosmos, trató de armonizar el motivo griego con el motivo escritural de la creación. Una de las primeras consecuencias de este acomodo fue que el motivo forma-materia perdió su significado religioso original. Pero, debido a su pretendida reconciliación con el motivo naturaleza griego, el catolicismo romano le robó al motivo bíblico de la creación su alcance.

Para la mente griega, ni la materia del mundo ni la forma pura invisible podían haber sido creadas. En el mejor de los casos, uno podía admitir que la *unión* de la forma y la materia había sido posibilitada por la razón divina, el arquitecto divino que formó el material disponible. De acuerdo con Tomás de Aquino, el doctor medieval de la iglesia, la materia concreta de los seres perecederos fue creada simultáneamente con su forma concreta. Sin embargo, ni el *principio* materia (el principio del devenir y el decaer interminable) ni el *principio* puro de la forma (el principio de la perfección) fueron creados. Son los dos principios metafísicos de toda existencia perecedera, pero con respecto a su origen Tomás guardó silencio.

Tomás mantuvo que el principio de la materia era el principio de la imperfección, argumentando que lo que "viene a ser" es todavía imperfecto. Conversamente, continuamente llamó "divina" al "alma pensante", la "forma racional" de la naturaleza humana. Nunca se refirió a la materia como divina. Claramente, el motivo forma-materia griego condujo a un dualismo en la concepción de Tomás de la creación, un dualismo reforzado por el contraste entre naturaleza y supernaturaleza. ¿Cómo, por ejemplo, podría un principio de imperfección originarse en Dios? Inintencionalmente, Tomás permitió que el motivo forma-materia griego aplastara el motivo creación de la religión cristiana. Aunque reconoció a Dios como la "primera causa" y la "meta última" de la naturaleza, dividió el orden de la creación en un ámbito natural y uno sobrenatural. Y su visión del "orden natural" surgió de Aristóteles.

LA PRETENDIDA BASE BÍBLICA

Los pensadores catolicorromanos creen que el contraste entre la naturaleza y la gracia está bíblicamente fundamentado. Apelan en particular a Romanos 1:19-20 y 2:14-15. Estamos obligados a considerar estos textos en detalle, empezando con Romanos 1:19-20, donde leemos:

> Porque lo que de Dios se conoce les es manifiesto, pues Dios se lo manifestó. Porque las cosas invisibles de él, su eterno poder y deidad, se hacen claramente visibles desde la creación del mundo, siendo entendidas por medio de las cosas hechas, de modo que no tienen excusa.

¿No admite Pablo, por lo tanto, que el hombre pueden alcanzar un grado de conocimiento concerniente al Dios verdadero mediante la *luz natural de la razón*? Sólo necesitamos referirnos al texto mismo. En ninguna parte dice Pablo que el hombre llegue a este conocimiento a través de la luz natural de la razón. Por el contrario, escribe: "lo que de Dios se conoce les es manifiesto, pues *Dios se lo manifestó*". En este contexto, Pablo se refiere a la revelación general de Dios a los hombres caídos quienes, debido a su inclinación apóstata, "detienen con injusticia la verdad" [Romanos 1:18]. La revelación se escucha y se entiende sólo en *fe*. La función de *fe* del hombre también está activa en el pensamiento humano concreto. Es a través del pecado que la fe se desarrolló en una dirección apóstata, de acuerdo con Pablo. Debido a que el corazón del hombre se apartó de Dios, Pablo fustiga las tendencias idólatras tanto del griego como del "bárbaro": "Profesando ser sabios, se hicieron necios" [Romanos 1:22].

Tomás empleó la idea aristotélica de Dios en su "teología natural". Esta idea fue el producto no de un puro razonamiento intelectual, sino del motivo religioso básico del pensamiento griego. Las varias "demostraciones" de la existencia de Dios, que Tomás desarrolló siguiendo los pasos de Aristóteles, se sostienen o caen con la aceptación por uno tanto del motivo básico forma-materia, como de la prioridad religiosa que Aristóteles atribuyó al motivo forma de la religión cultural. Para Aristóteles, Dios era pura forma que se hallaba completamente aparte de la materia. Esta forma divina el el "pensamiento puro" mismo. Aristóteles no concedió un *status* divino a la materia, el principio de la eterna corriente de la vida, pues la materia representaba el principio de la imperfección. Sobre la premisa de esta idea de Dios, la primera demostración de Aristóteles de la existencia de tal deidad es un argumento lógico apretado. Procede como sigue: por doquier en nuestra experiencia percibimos movimiento y cambio. Todo movimiento es causado por otra cosa. Si ésta también está en movimiento, otra vez presupone una causa de su movimiento. Pero esta cadena causal no puede ser posiblemente infinita, puesto que una cadena infinita de causas nunca puede ser completa. Por ende debe haber una primera causa que no es movida ella misma. Debe haber un "motor inmóvil"que cause el entero proceso del movimiento. El "motor inmóvil" es Dios, pura "forma", quien es perfecto y completo.

Esta demostración parece *lógicamente* válida. Para el pensador que procede desde una creencia en la autonomía de la razón teórica en el sentido tomista, parecería que ni una sola presuposición de fe juega papel alguno. Después de todo, la demostración empieza a partir de datos innegables de la experiencia (el cambio y el movimiento continuo de las cosas temporales) y se restringe a una reflexión consistente sobre el concepto de la causa del movimiento.

Así podría *parecer*. Pero supongamos que estoy de acuerdo con los filósofos tempranos de la naturaleza. Supongamos que veo lo verdaderamente divino como un eterno flujo vital y no como una forma absoluta. Mi fe puede entonces revertir la dirección de la "demostración" entera. La demostración procedería como sigue: en nuestra experiencia siempre percibimos formas completas —las formas de las plantas, los animales, los hombres, y así consecutivamente. Sin embargo, también vemos que todas estas formas surgen y desaparecen. Si se detuviera este proceso de devenir y perecer, cesaría la gran corriente de la vida. Esto a su vez significaría el fin de todo lo que viene a existir en forma y configuración individual. La gran corriente de la vida, la cual se encuentra por encima de toda forma y la cual es ella misma informe, no puede devenir o desaparecer. Es por lo tanto la primera causa de todo lo que recibe una forma concreta. Esta primera causa es Dios.

Confió en que el lector estará de acuerdo en que esta demostración de la existencia de Dios es tan lógicamente correcta como la de la "teología natural" de Tomás, y que también empieza con datos innegables de la experiencia. Pero la *creencia*, la *presuposición* que yace en la base de esta segunda demostración es diferente; lo verdaderamente divino se encuentra no en la forma pura, como pensó Tomás, sino en el principio materia de la eternamente fluyente corriente de la vida.

Claramente, nuestro pensamiento lógico no es "autónomo" con respecto a la fe. Siempre está guiado y dirigido por un compromiso de fe que a su vez está controlado por el motivo religioso básico que captura el pensamiento de uno, ya sea de modo implícito o concientemente. El motivo básico del pensamiento de Tomás, el motivo catolicorromano de la naturaleza y la gracia, era un motivo que asignaba un lugar al motivo griego. Es extraño a la Escritura y a su mensaje de creación, caída y redención a través de Jesucristo, en comunión con el Santo Espíritu.

El pensador catolicorromano apelará adicionalmente a un enunciado de Pablo en Romanos 2:14-15, el cual dice:

Porque cuando los gentiles que no tienen ley, hacen por naturaleza lo que es de la ley, estos, aunque no tengan ley, son ley para sí mismos, mostrando la obra de la ley escrita en sus corazones, dando testimonio su conciencia, y acusándoles o defendiéndoles sus razonamientos.

Este texto ha estimulado mucha especulación. Ha sido saludado como demostración de la influencia de la visión griega de la naturaleza en el pensamiento de Pablo. Es ciertamente verdadero que Pablo, un hombre educado, estaba familiarizado con esta visión griega. Pero el enunciado de Pablo no puede posiblemente significar que él propugnaba la autosuficiencia o independencia del entendimiento natural frente a la revelación divina. El texto debe ser leído contra el trasfondo del pasaje recién considerado, donde vimos que Dios grabó la ley en el corazón de la existencia humana ya en su "revelación general". Los escolásticos interpretaron esta ley como una ley racional, natural, que el hombre podría conocer mediante la "luz natural de la razón" aparte de la fe. Acordemente, tradujeron la palabra *corazón* con la palabra *mente*, una lectura que eliminó el significado profundo de las palabras de Pablo. Pablo hace su enunciado en el contexto de un fuertemente impactante bosquejo de la profunda apostasía tanto de los judíos como de los griegos, por virtud de la cual ambos estaban perdidos. Este enunciado está por lo tanto gobernado por el motivo de la caída, la cual afecta la raíz espiritual de la existencia. ¿Cuál es el pecado de un pagano si conoce la ley para la creación sólo "racionalmente" y si esta ley no está grabada en su corazón, en la raíz de su ser?

La iglesia de Roma, por supuesto, no enseña que el pecado surja en la mente. Para el católico romano, el mero conocimiento racional de la ley no es suficiente para justificar el juicio de Pablo en el sentido de que el que peca perece. Más bien, la ley como ley de la revelación general está escrita en el corazón del hombre, y por lo tanto el hombre no tiene excusa. Un serio daño cerebral puede causar que un hombre pierda la conciencia moral temporal, y puede forzarlo a mentir, robar, o engañar. Una persona mentalmente deficiente puede carecer de un entendimiento intelectual de lo que es bueno o malo. Pero la ley que está inscrita en nuestros corazones toca la escondida raíz de la vida, donde el juicio sólo se reserva a Dios.

LA VISIÓN CATÓLICA ROMANA DE LA SOCIEDAD NATURAL

El sistema filosófico de Tomás de Aquino se halla tras la visión católico-rromana oficial del Estado y las otras esferas sociales. Es indudablemente verdadero que en los círculos catolicorromanos algunos se adhieren a concepciones distintas de las de Aquino. Las tendencias agustinianas ciertamente no son carentes de importancia. Pero la filosofía tomista, apoyada por recomendación oficial en una serie de encíclicas papales, tiene un *status* especial entre los catolicorromanos. Las dos famosas encíclicas sociales y socioeconómicas *Rerum Novarum* (1891, de León XIII) y *Quadragesimo anno* (1931, de Pío XI) están basadas en un fundamento tomista. Presentan lineamientos para una solución a las cuestiones sociales y los problemas del orden económico desde una aventajada posición católicorromana.

LA NATURALEZA SOCIAL DEL HOMBRE RACIONAL

La visión de la sociedad humana de Tomás estuvo completamente dominada por el motivo religioso básico de la naturaleza y la gracia en su sentido catolicorromano. Las principales líneas de su visión de la sociedad *natural* fueron derivadas de Aristóteles. Hemos notado ya que en conformidad con Aristóteles concibió la naturaleza humana como una composición de forma y materia. Esta concepción de la naturaleza humana es la base para la visión de la sociedad de Tomás. La "forma" del hombre era el alma racional y su "materia" el cuerpo material, el cual debía su ser real al alma. Toda criatura compuesta de forma y materia surgía y venía a ser, y el principio de la forma le daba a este devenir la dirección hacia una meta. Por naturaleza, toda criatura luchaba por alcanzar su perfección a través de un proceso en el que su "forma esencial" se realizaba en la materia de su cuerpo. Es así que una planta luchaba por desarrollar su semilla hasta alcanzar la forma madura de una planta, y un animal se desarrollaba hacia su forma madura. La perfección natural del hombre consistía en el desarrollo completo de su naturaleza racional, la cual lo distinguía de las plantas y los animales. Su naturaleza racional estaba equipada con una ley natural innata, racional, que lo impelía a hacer el bien y abstenerse del mal. Así, de acuerdo con Tomás, el hombre *naturalmente* luchaba por el bien. Esta concepción entra en un conflicto radical con la confesión escritural del total depravación de la "naturaleza humana".

Tomás también creía que el hombre no podía alcanzar su perfección individual como un individuo aislado. Venía al mundo desnudo y desvalido, y por lo tanto dependiendo de la sociedad, la cual tenía que ayudarle proveyendo para sus necesidades materiales y morales. Es así que para Tomás es también innata a la naturaleza racional humana una inclinación social o predisposición hacia la sociedad. Esta propensión social se desarrolla en etapas, a través de la formación de comunidades más pequeñas y más grandes, relacionadas mutuamente en términos de *lo más bajo* a *lo más alto, medio* a *fin, parte* a *todo*.

La comunidad más baja es la familia, la cual provee la oportunidad para satisfacer las necesidades más bajas del hombre, tales como la comida y el sexo. La comunidad más alta es el Estado, el cual lleva la tendencia social del hombre a su perfección. Todas las comunidades más bajas se relacionan con el Estado como con su compleción pues, a diferencia de las otras formas sociales naturales, el Estado es la comunidad omniabarcante y perfecta. Posee autarquía y autosuficiencia, puesto que en el ámbito natural es la comunidad más alta y más abarcante. El Estado está basado en la disposición racional de la naturaleza humana. Su esencia está *caracterizada* por su *meta*, el bien común. Esta meta natural es también la base inmediata de la autoridad gubernamental, sin la cual no puede existir el cuerpo político. Así, si el Estado está basado en la "naturaleza", también lo está la autoridad del gobierno. Tomás ciertamente reconoció que *ultimadamente* la autoridad del gobierno está basada en la soberanía del creador pero, en un estilo típicamente catolicorromano, *insertó el motivo de la naturaleza racional entre el hombre y el creador*. En este motivo naturaleza vino a expresarse el motivo forma-materia griego.

En tanto que influencia plenamente la visión que uno tiene de la sociedad humana, el motivo escritural de la creación siempre apunta hacia la naturaleza intrínseca de las esferas de la vida de nuestra existencia temporal. La concepción escritural de que Dios creó todo conforme a su naturaleza no tolera la idea de que en el ámbito natural el Estado es la comunidad perfecta que abarca tanto a los individuos como a las otras estructuras sociales como *partes*. La naturaleza de una parte siempre está determinada exclusivamente por la naturaleza del todo. Es indudablemente correcto mantener que las provincias y las municipalidades son partes del Estado; gobernadas por la misma ley intrínseca de la vida, son de la misma naturaleza intrínseca. Similarmente, es correcto decir que las manos, los pies y la cabeza son partes esenciales del cuerpo humano. Sólo son miembros del cuerpo, y como tales su naturaleza está determinada por la naturaleza intrínseca y la ley del todo.

Una relación parte-todo no excluye la posibilidad de que las partes posean *autonomía* dentro del todo. Las municipalidades, los condados y las provincias son, desde luego, constitucionalmente autónomas. Es decir, son relativamente independientes dentro del todo. Instituyen estatutos particulares y reglas que gobiernan sus asuntos internos incluso aunque el control último se encuentra en la autoridad central. Pero en el Estado moderno el límite de esta autonomía siempre depende del interés del todo, el así llamado bien común.

Desde un punto de vista escritural, la relación entre el Estado y las esferas de la vida de diferente estructura interna es radicalmente distinta de la relación parte-todo dentro del Estado. De acuerdo con su carácter intrínseco y peculiar ley de vida, estas esferas nunca debieran ser descritas como partes del Estado. En principio, son de una naturaleza diferente del cuerpo político institucionalizado. Son soberanas en su propia esfera y sus límites están determinados no por el bien común del Estado, sino por su propia naturaleza y ley intrínseca. Están desde luego relacionadas con el Estado, pero su relación sólo involucra aquellos asuntos que pertenecen a la competencia del Estado y no a la jurisdicción de otra esfera.

En otras palabras, cada esfera debe dejar intacto el principio de la soberanía de las esferas. Para su aplicación práctica, la soberanía de las esferas
exige una investigación más estrecha de la estructura interna de las varias
esferas de la vida, pero en este punto solamente enfatizo nuevamente que la
soberanía de las esferas está firmemente enraizada en la creación. Cuando
el carácter integral del motivo creación está operativo en la vida y el pensamiento de uno, tarde o temprano conduce a un reconocimiento de la
soberanía de las esferas.

EL PRINCIPIO DE SUBSIDIARIEDAD

El motivo naturaleza griego, con su dualismo entre el principio forma y
el principio materia, permeó la visión de la sociedad humana de Tomás
de Aquino. En su opinión, el Estado, basado en la naturaleza racional del
hombre, era necesario para que la forma racional de la naturaleza humana
pudiera arribar a un desarrollo perfecto y para que el principio materia —
expresado en los deseos sensuales— pudiera ser mantenido bajo control. En
conformidad con el pensamiento griego, Tomás sostuvo que el Estado era
la comunidad total, omninclusiva en el ámbito de la naturaleza. Todas las
otras esferas de vida eran meramente sus partes subordinadas. Tomás por
lo tanto concibió la relación entre el Estado y las otras esferas de la vida
en términos de la relación parte-todo. Ciertamente no defendería un absolutismo de Estado que gobernaría toda la vida desde "arriba". Los modernos regímenes totalitarios del nacionalsocialismo y el fascismo hubieran
encontrado en Tomás un oponente resuelto, así como lo encontraron en los
modernos tomistas. Tomás inmediatamente agregó una restricción después
de declarar que los individuos y las comunidades "más bajas" eran partes del
Estado; mantuvo que eran partes sólo en tanto que fueran del *mismo orden*.
Para empezar, esta limitación excluía al orden sobrenatural de la jurisdicción
del Estado. Tanto los individuos como el matrimonio (en su superestructura sacramental) participaban en el orden sobrenatural, y la jurisdicción
del Estado no se extendía más allá de lo natural. En segundo lugar, esta
limitación significaba que la visión del Estado de Tomás era anticentralista
en principio. Tomás argumentó que el Estado era construido *desde abajo* en
una jerarquía de comunidades más bajas y más altas. Todo aquello de lo que
pudiera hacerse cargo una comunidad más baja no debiera ser subsumido
en una comunidad más alta.

El famoso principio de *subsidiariedad* está enraizado en este tren de pensamiento. La encíclica *Quadragesimo anno* (1931, de Pío XI) defendió la "subsidiariedad" como una guía para delimitar la tarea del Estado en la organización del trabajo y la industria. El principio de subsidiariedad sostiene que
el Estado debiera contribuir al bien común sólo con aquellos elementos que

la persona individual no pudiera proveer, ya sea por sí misma o mediante las comunidades más bajas. A primera vista, este principio parece ser otro nombre para "soberanía de las esferas". Aquellos que están de acuerdo con los puntos de vista de Groen van Prinsterer concernientes a la estructura del Estado congeniarán con la idea de que el Estado debiera ser organizado no desde arriba sino desde abajo. No obstante, existe una diferencia decisiva entre los principios de subsidiariedad y de soberanía de las esferas.

La teoría social católicorromana desarrolló el principio de la subsidiariedad sobre la base de la visión tomista de la "naturaleza racional" del hombre, la cual fue derivada del concepto griego de naturaleza. La perfección natural del hombre, la cual consistía en realizar la "forma esencial racional" de su naturaleza, no podía ser lograda en el aislamiento. Vino al mundo desnudo y desvalido, con el resultado de que dependía de la comunidad para proveerle en sus necesidades "materiales" y "morales racionales". Por ende, una propensión social se encontraba implantada en su naturaleza racional, una propensión que se desarrolló paso a paso en las formas sociales que empezaban con la más baja (la familia) y terminaban con el Estado, la comunidad perfecta y más alta en la sociedad natural.

Entretanto, el ser humano como *individuo* siempre permanecía como el punto de partida tomista, pues sólo él era verdaderamente una *sustancia*. En el contexto del pensamiento griego esto significaba que el individuo poseía una existencia *independiente*, mientras que la comunidad era considerada meramente como una *unidad de orden* sustentada por el individuo. En este patrón de pensamiento, una comunidad como el Estado no posee *la misma realidad* que el individuo, así como uno no puede atribuir la misma realidad al *color* rojo que a la *rosa* roja. El color rojo es sólo una propiedad de la rosa y presupone a la rosa como su portador.

Por razones análogas, el punto de vista oficial catolicorromano mantiene que el Estado y las comunidades sociales más bajas no pueden agotar la realidad del individuo como un "ser natural". La ley racional de la naturaleza mantiene que el hombre depende de la comunidad sólo para aquellas necesidades que él mismo no puede satisfacer como individuo. La misma ley natural sostiene también que una comunidad más baja, como la familia o la escuela, depende de las comunidades más altas (ultimadamente del Estado) sólo en aquellos intereses que la misma no puede manejar. Básicamente, esta estructura jerárquica describe el contenido del principio de subsidiariedad.

Pero el tomismo todavía concebía tanto el individuo como a las comunidades sociales más bajas en el ámbito natural como partes del Estado. Es en contra de esta visión (esencialmente griega) de la sociedad humana que se dirige el principio escritural de la soberanía de las esferas. Enraizada en el motivo creación de la revelación, la soberanía de las esferas nos compele a dar una explicación precisa de la naturaleza intrínseca de las esferas de la vida. Dios creó todo de acuerdo con su propia naturaleza. Dos partes que difieren completamente en género no pueden volverse partes del mismo todo.

Esta compenetración en la estructura interna y naturaleza de las esferas diferenciadas era ajena a la teoría social tomista. El tomismo distinguió las comunidades sólo en términos del propósito inmediato que servían en su cooperación hacia la perfección natural del hombre. Por ejemplo, el matrimonio (aparte de su dimensión eclesiástica sacramental) fue entendido como una institución jurídica basada en la naturaleza humana en aras de la procreación de la raza humana. ¿Se enfoca esta definición en lo absoluto en la naturaleza intrínseca y estructura de la comunidad matrimonial? Si lo hace, ¿qué debiéramos decir de un matrimonio en el que ya no se esperan niños? ¿Cuál es la norma interna del nexo matrimonial en su carácter interno? ¿Identifica uno realmente la naturaleza *interna* de la vida marital describiéndola como una institución *jurídica*? ¿No sería el matrimonio un consumado infierno si el punto de vista jurídico dirigiera todos sus asuntos?

Siguiendo a Aristóteles, Tomás vió la familia como una comunidad natural al servicio de las más bajas necesidades económicas y sexuales de la vida. La familia consistía de tres relaciones: esposo y esposa, padres e hijos, y amo y siervos. ¿Se aproxima esto de alguna manera al carácter interno de la familia? ¿Incluye realmente la familia a los siervos? ¿Es verdad que la familia sirve solamente a las necesidades "más bajas"?

Finalmente, la teoría social tomista consideraba al Estado como la comunidad humana perfecta. Su meta era el "bien común" de sus miembros. *Pregunto: ¿Cómo puede esta orientación a metas teleológicas ayudarnos a definir la naturaleza interna y la estructura del Estado?* El concepto de "bien común" en la teoría política tomista era tan vago que también se aplicaba a las estructuras sociales "más bajas". Por ejemplo, el tomista moderno no vacila en hablar del "interés público" de una corporación industrial, distinguiéndolo del "interés específico" de las personas que trabajan dentro de ella. Para el tomista, el "bien común" en el cuerpo político sólo puede referirse al interés del "todo" que abarca las comunidades "más bajas" y los individuos como "partes". Desde esta perspectiva, sin embargo, es imposible indicar un criterio interno para el "bien común", puesto que un tomista no ve el Estado de acuerdo con su propia naturaleza intrínseca y estructura. Sabemos cómo es que incluso el más repugnante absolutismo estatal busca justificarse con apelaciones al bien común. Como lo mencionamos antes, el tomismo ciertamente no desea un Estado absoluto, pero no tiene más defensa contra el absolutismo estatal que el principio de subsidiariedad, un principio derivado no de la naturaleza intrínseca de las esferas de la vida, sino de la concepción aristotélica de la "naturaleza social" del hombre y de los "propósitos naturales" de las diferentes comunidades sociales.

EL PENSAMIENTO SOCIAL CATÓLICO ROMANO MODERNO

Bajo esta luz, no es sorprendente que la moderna teoría social católicorromana contenga dos tendencias potencialmente conflictivas. En primer lugar, notamos una *idea de orden social* completamente orientada hacia la visión griega del Estado como totalidad de la sociedad natural. Como una totalidad, el Estado debe ordenar todas sus partes en cooperación armoniosa. El tomista que sostiene esta concepción del orden social verá el principio de la soberanía de las esferas como una consecuencia de la "revolucionaria" Reforma, la que meramente ubicó las diferentes esferas de la vida una al lado de la otra y buscó su unidad más profunda en la comunidad religiosa *suprarracional* de la raza humana. La idea católicorromana del orden social, en contraste, concibe las varias esferas de la vida dentro el "ámbito de la naturaleza" como *ordenadas dentro de un todo natural* (el Estado), el cual encuentra su más alta perfección en la comunidad "supranatural" de la iglesia como instituto de gracia divina.

En segundo lugar, notamos el *principio de subsidiariedad*, el cual debe servir para evitar el absolutismo político totalitario mediante un "orden" no impuesto "desde arriba", sino desarrollado "desde abajo", de modo que el gobierno central deje la tarea de establecer un orden socioeconómico tanto como sea posible a los individuos y las comunidades más bajas.

La cuestión de cómo debieran reconciliarse estos dos puntos de vista es decisiva para la posición que el catolicismo romano asumirá con respecto a los asuntos del orden social en la posguerra.[*]

No es sorprendente, entonces, que hoy encuentre uno la teoría social católicorromana partida en dos o más campos divergentes. Una corriente pone gran énfasis en la relación parte-todo que, supone, tiene lugar entre el Estado y otras esferas de la vida "naturales". Insiste en la idea de ordenar la sociedad sin privar a las otras esferas de la vida de su "autonomía natural". Pero no reconoce ninguna diferencia básica, por ejemplo, entre la posición que la vida industrial organizada debe ocupar dentro del Estado y la posición que constitucionalmente le ha sido dada a las municipalidades y las provincias.

Este campo está grandemente influenciado por Othmar Spann [1878-1950], el bien conocido teórico social de Viena que llamó a su sistema "universalismo" [*Ganzheitslehre* o *Allheitslehre*]. El punto de partida para su visión es la comunidad, no el individuo. De acuerdo con él, todo lo que es individual o singular sólo puede existir como expresión del todo, el cual se realiza a través de sus partes de este modo. Mientras que es verdad que desde su punto de ventaja el todo existe sólo *en* sus miembros y no tiene existencia

---

[*] Recuérdese que este libro surgió de artículos periodísticos que Dooyeweerd escribió al fin de la segunda guerra mundial. [N. del T.]

aparte de ellos, el todo existe *antes* de sus miembros. Yaciendo en la base de sus partes, no cesa de existir cuando perecen sus miembros individuales. Es así que el todo es "todo en todos"; todo esta en el todo y el todo está en todo. Para Spann, los individuos y las comunidades más bajas del "ámbito de la naturaleza" son parte y parcela del Estado, así como el Estado mismo es parte de la "comunidad de las naciones".

La segunda corriente es la así llamada ala solidarista, fundada por el economista y teórico social catolicorromano Heinrich Pesch (1854-1926). En su obra en cinco volúmenes sobre los principios de la economía, Pesch buscó aplicar la ética social del solidarismo a la economía.[1] En su concepción, la sociedad es

> un todo compuesto de muchas y diferentes partes. Cada parte está por naturaleza dirigida a una meta y al cumplimiento de un servicio social (o político) específico. Debido a esta orientación cada parte es una unidad. Puesto que, sin embargo, todas estas metas parciales son muchas ramas de la perfección única de la vida humana, las partes se hallan en una cierta relación natural entre sí y con un todo más grande. Por lo tanto, deben cumplir su tarea en sociedad y en cooperación armoniosa, de modo que el desarrollo y bienestar del todo (el Estado) pueda ser el resultado de esto.[2]

Hasta este punto, el solidarismo y el universalismo están todavía muy en acuerdo. Pero la diferencia es esta: sobre la base del hecho de que sólo el individuo como persona tiene existencia independiente, y de que la comunidad es solamente una "unidad de orden" independiente, el solidarismo infiere que el individuo no puede estar dirigido a la comunidad en todo o en un sentido último, ni siquiera en el "nivel natural". El solidarismo no acepta la tesis universalista de que como un ser natural el hombre es completamente parte de la comunidad. Sostiene que el individuo es "más viejo" y anterior a la comunidad, y que posee una "esfera personal" de intereses naturales frente al Estado. En *Casti connubii*, la famosa encíclica sobre el matrimonio del 31 de diciembre de 1930, el papa Pío XII aplicó estas ideas al problema de la esterilización:

> los magistrados públicos no tienen poder directo sobre los cuerpos de sus sujetos; por lo tanto, donde no ha tenido lugar un delito y no hay causa presente para un castigo grave, nunca pueden directamente dañar o entrometerse con la integridad del cuerpo, ya sea por razones de eugenesia o por cualquier otra razón.[3]

---

[1] Ver Heinrich Pesch, *Lehrbuch der Nationalökonomie* [*Tratado de economía nacional*], cinco vols. (Friburgo de Brisgovia: Herder, 1922-26).

[2] W. M. J. Koenraadt y Max van Poll, *Handboek der maatschappijleer* [*Manual de sociología*] (1937), vol. I, pp. 24ss.

[3] Citado en *The Church and the Reconstruction of the Modern World* [*La iglesia y la reconstrucción del mundo moderno*], editado con una introducción por Terence McLaughlin (Garden City: Image Books, 1957), pp. 141ss.

Es consistente con esta idea solidarista que la jurisdicción del gobierno sobre las "comunidades más bajas" se limite tanto como sea posible. Sobre este punto, el ala solidarista, la cual indudablemente representa el punto de vista oficial catolicorromano, apoya en la práctica al calvinismo con su principio de soberanía de las esferas, más que la moderna noción de orden que ve las diferentes esferas de la vida como meramente partes del Estado.

No obstante, enfatizar el principio de subsidiariedad no ofrece una garantía fundamental contra el totalitarismo que continúa amenazando la sociedad incluso después del derrumbe de los regímenes nacionalsocialista y fascista. Para el caso, ni siquiera el principio de la soberanía de las esferas nos arma contra el totalitarismo si se separa del motivo escritural de la creación y de ese modo se le roba su real intención. Antes de explorar más esto, completaremos nuestro bosquejo de la teoría social católicorromana poniendo atención al ámbito de la sociedad humana llamado "específicamente cristiano" o "sobrenatural".

LA VISIÓN CATÓLICA ROMANA DE LA SOCIEDAD CRISTIANA

El motivo religioso básico catolicorromano (naturaleza y gracia) requiere una estructura omniabarcante de carácter "sobrenatural" por encima de la subestructura natural de la sociedad humana. El hombre posee no sólo un propósito *natural* en la vida (la perfección de su "naturaleza racional"), sino por encima de éste un propósito *sobrenatural final* a través del cual la naturaleza racional del hombre debe ser elevada a la esfera de la gracia.

Dentro de este ámbito sobrenatural, donde está en juego la salvación eterna del alma, el catolicismo romano pone un alto a la interferencia del Estado. Sólo la Iglesia católica romana institucional puede dispensar gracia sobrenatural al creyente por medio de sus sacramentos. Si, de acuerdo con la concepción católicorromana, la sociedad natural ha de tener desde luego un carácter *cristiano*, debe sujetarse a la guianza de la iglesia en todos los asuntos que pertenecen a la salvación eterna del alma. Así como en el ámbito de la naturaleza el Estado es la comunidad perfecta que abarca todas las otras esferas naturales de la vida como sus partes, así también en el ámbito de la gracia la Iglesia católica romana es *el todo de la sociedad cristiana en su perfección sobrenatural*. Es la comunidad perfecta de la cristiandad.

Nuestros compañeros cristianos catolicorromanos de hoy todavía están influenciados por la idea del *corpus christianum* (Cuerpo de Cristo), la idea de que la iglesia institucional abarca toda la cristiandad y toda la vida cristiana. Este ideal de la comunidad cristiana se eleva muy por encima de la concepción griega de la "subestructura natural", como un imponente domo. Aquí también, sin embargo, no es el motivo básico escritural el que gobierna la mente católicorromana. Más bien, el catolicismo romano se somete a una concepción griega semicristianizada que entiende la sociedad temporal en términos del esquema parte-todo, y que niega la naturaleza intrínseca de la esferas de la vida en tanto que enraizadas en el orden divino de la creación.

El catolicismo romano busca el todo —la unidad total— de la sociedad cristiana en la iglesia temporal institucional. Pero, de acuerdo con el motivo básico de la revelación de Dios, la verdadera unidad de toda la vida cristiana sólo se encuentra en la comunidad radical supratemporal de la humanidad, la cual ha renacido en Cristo. Esta comunidad es el Reino de Dios, el cual reside no en una institución temporal, sino en los corazones de los redimidos. Sin duda, la iglesia aquí en la tierra en su organización temporal institucional, como comunidad de creyentes en Cristo, sólo puede existir como una manifestación *temporal* del "Cuerpo de Cristo". La "iglesia visible" no puede ser separada, por lo tanto, de la "iglesia invisible". Ésta es el "alma", la "raíz religiosa" de aquella. Pero esta "manifestación temporal" no es idéntica a la así llamada "iglesia invisible", la cual, como el Reino espiritual de Cristo Jesús nuestro Señor, *trasciende* el tiempo y existirá por toda la eternidad. Así como el alma y la unidad radical espiritual del hombre no yacen en su existencia temporal, así tampoco la unidad radical espiritual y verdadera totalidad de la vida cristiana yacen en la "iglesia visible", la cual pertenece a la sociedad temporal.

Obsérvese entonces que la visión católicorromana de la iglesia se conforma a la concepción escolástica de la relación entre el cuerpo y el alma en la naturaleza humana. Recordemos que la visión escolástica estuvo gobernada por el motivo religioso básico de la forma y la materia. El alma se entendía como una parte abstraída de la existencia temporal del hombre, la parte caracterizada por la función de pensamiento lógico. Frente al alma estaba el "cuerpo material", la materia informada por el alma. A pesar de su relación con el cuerpo, el "alma racional" poseía una existencia inmortal e independiente a través de su función intelectual.

Vimos anteriormente que esta idea griega del alma es radicalmente diferente del enfoque escritural. Lo que está en juego en el asunto del alma es el autoconocimiento, y el autoconocimiento depende enteramente del conocimiento que uno tenga de Dios. Es solamente a través de la revelación de Dios de la creación, la caída y la redención que el hombre descubre la raíz religiosa, el alma de su existencia. Pero en la visión católicorromana de la naturaleza humana el motivo dualista griego naturaleza de la forma y la materia limitaba la vitalidad espiritual de este motivo bíblico básico. Acordemente, la visión católicorromana perdió de vista la unidad espiritual radical de la naturaleza humana. Buscó el "alma inmortal" en una parte abstracta de la existencia temporal del hombre, cediendo de esta manera el carácter radical de la caída y la redención en Jesucristo.

Por lo tanto, no es difícil entender que el catolicismo romano haya ubicado la unidad radical de la sociedad cristiana en la iglesia temporal institucional. Como "comunidad perfecta" del ámbito sobrenatural, la iglesia era la "forma" más alta de sociedad natural, su "materia". La sociedad natural, que alcanza su clímax en el Estado, estaba relacionada con la sociedad cristiana sobrenatural de la iglesia como el cuerpo material estaba relacionado con el alma racional. *Inintencionalmente, entonces, la concepción grecorromana del Estado totalitario fue transferida a la Iglesia católica romana institucional.* El catolicismo romano anunció a la iglesia como la comunidad total, omniabarcante, de la vida cristiana.

El catolicorromano de hoy mantiene que la vida familiar cristiana, la escuela cristiana, la acción social cristiana, e incluso un partido político cristiano, debe portar la estampa de la iglesia. Ciertamente no rechaza la base natural de estas esferas de la vida. Argumenta que, en tanto que operan en el nivel "natural" no son parte de la iglesia. En este nivel poseen autonomía. La autonomía vale primero que nada con respecto al mismo Estado. Pero, con respecto a sus propósitos *cristianos* específicos, el Estado y todas las otras esferas deben someterse a la guianza de la iglesia. El matrimonio tiene también una "subestructura natural"; el matrimonio es la comunidad de esposo y esposa, fundada sobre la ley natural, que tiene como propósito la procreación de la raza humana. Pero también es un sacramento, y por lo tanto pertenece a la esfera eclesiástica de la gracia. Y en vista de este carácter sacramental la iglesia exige reglamentar el matrimonio por la ley canónica, excluyendo la ley del magistrado civil.

De acuerdo con la visión católicorromana, la naturaleza y la gracia no pueden ser separadas en una sociedad verdaderamente cristiana. Esto significa que la Iglesia catolica romana puede intervenir en el ámbito natural. Consecuentemente, la relación entre la iglesia y el Estado cristiano (esto es, el catolicorromano) nunca puede corresponder a la relación entre dos esferas soberanas de la vida. Uno podría ser conducido a pensar de otro modo cuando Tomás argumentaba que el Estado no está sujeto a la intervención de la iglesia en asuntos puramente naturales. La ilusión se rompe, sin embargo, cuando nos damos cuenta de que la iglesia se reserva la interpretación obligatoria de "moralidad natural", a la cual el magistrado cristiano está tan atado como cualquier miembro individual de la iglesia. De hecho, la Iglesia católica romana delimita los linderos de la autonomía del Estado cristiano. Así, cuando León XIII y Pío XI escribieron sus encíclicas *Rerum novarum* y *Quadragesimo anno*, ofrecieron directivas no meramente para el lado "específicamente cristiano" de los asuntos sociales y socioeconómicos del día moderno; también explicaron las exigencias de la "ley natural" y la "moralidad natural" para estos problemas. En ambas cuentas, entonces, la Iglesia católica romana exige que un gobierno cristiano se sujete a la guianza

eclesiástica. El Estado es autónomo sólo al dar forma concreta a los principios de la ley natural en la determinación de la así llamada ley positiva.

En conclusión, resumamos brevemente nuestra discusión de la visión católicorromana de la sociedad humana. El catolicismo romano no puede
reconocer la soberanía de las esferas de las esferas temporales de la vida.
Influenciada por el motivo griego forma-materia, concibe toda la sociedad
temporal en términos del esquema parte-todo. Por virtud de su carácter
católico ("católico" significa "total" u "omniabarcante"), la iglesia institucional católica romana funciona como la comunidad total de toda vida cristiana.

UNA REAFIRMACIÓN RECIENTE

Durante la ocupación alemana de Holanda apareció un documento "clan-
destino" intitulado *La casa de cristal. ¿Otra vez un partido catolicorromano?*[4]
Áptamente expresa la posición católicorromana en estas palabras:

> El lugar de la autoridad de la iglesia en estos asuntos aparece a plena vista
> cuando consideramos la cuestión de quién debe decidir si un asunto tem-
> poral está necesariamente conectado con la salvación del alma. Esto sólo
> le compete a la iglesia. Sólo ella tiene la divina misión de guiar al hombre
> en los "asuntos concernientes al cielo". Así, la iglesia es competente para
> determinar el alcance de su real jurisdicción. Muchos han tomado la
> competencia de la iglesia para determinar su propia competencia como
> la esencia de la verdadera soberanía. La jurisprudencia alemana la llama
> *Kompetenz-Kompetenz.* Ahora bien, la soberanía en el sentido anterior sólo
> puede ser adscrita a la Iglesia católica romana. Es en esta luz que debe
> ser ubicada la relación jurídica entre la iglesia y el Estado. Esto no es una
> cooperación voluntaria de la que el Estado sea libre de sustraerse o de
> determinar como le plazca. La relación se expresa mejor como sigue:
> debe existir… un "nexo ordenado" entre la iglesia y el Estado, como lo
> dijera (el papa) León XIII (en la encíclica *Immortale Dei*). León compara
> este nexo con la conexión entre alma y cuerpo —una comparación común
> entre los padres de la iglesia.

El autor cita de la encíclica:

> Cualquier cosa, por lo tanto, que en las cosas humanas sea de carácter
> sagrado, cualquier cosa que pertenezca a la salvación de las almas o a la
> adoración a Dios, por su propia naturaleza o por razón del fin al cual
> está referido, está sujeto al poder y al juicio de la iglesia.[5]

---

[4] Una segunda edición, ampliada, apareció en 1949. Ver F. J. F. M. Duynstee, *Het glazen huis. Beschouwingen over den inhoud en den vorm van het staatkundig streven der nederlandse katholieken* [*La casa de cristal. Reflexiones sobre el contenido y la forma de las metas políticas de los católicos holandeses*].

[5] Tomado de *Social Wellsprings: Fourteen Epochal Documents by Pope Leo XIII* [*Manantiales sociales: catorce documentos de la época por el papa León XIII*], ed. por Joseph Husslein (Milwaukee: The Bruce Publishing Company, 1940), p. 72.

El autor concluye que "la iglesia, por lo tanto, tiene autoridad jurídica sobre el Estado en el pleno sentido de la palabra".

El argumento de *La casa de cristal* ciertamente subraya nuestra observación sobre la visión católicorromana de la relación entre la iglesia y el Estado. Una sociedad catolicorromana reconoce sólo una autoridad verdaderamente *soberana* —la de la iglesia institucional. Las otras esferas de la vida, incluyendo el Estado, sólo tienen *autonomía*. Aunque el escritor de este documento habla de "soberanía del Estado" en todas las cuestiones "que caen fuera de la esfera religiosoética", rápidamente le da a esto el correcto significado catolicorromano al reducir esta así llamada soberanía a autonomía.

El autor entiende la relación entre la iglesia y el Estado como análoga a la que hay entre el alma y el cuerpo. Hemos visto que la visión católicorromana del alma y el cuerpo era griega, no escritural, y que estuvo enteramente determinada por el motivo básico griego de la forma y la materia. El autor afirma esta influencia en su enunciado:

> La concepción católica de la naturaleza del hombre está inmediatamente conectada con esto: "el alma humana no puede ser exhaustivamente definida excepto en relación con el cuerpo, al cual el alma dota de vida y con el que forma una unidad real y sustancial", como dice Antonin Sertillanges.[6] La redención, la iglesia, los sacramentos y la resurrección de la carne están estrechamente conectados con este carácter humano. La valoración del cuerpo, de las cosas materiales, de lo natural y de lo racional, junto con la espiritualización de todos estos a través de la gracia —juntos testifican el carácter omniabarcante del catolicismo, su maravillosa armonía.

Pero debido a que la Iglesia de Roma ya no entendió el alma en el sentido escritual como la raíz religiosa de la naturaleza humana, concibiéndola en vez de ello como un complejo abstracto de funciones temporales, la iglesia identificó el "alma" de la sociedad temporal humana con la iglesia institucional.

UN PARALELO: FE Y FILOSOFÍA

La visión oficial (esto es, tomista) católicorromana de la relación entre fe, por un lado, y filosofía y ciencia, por el otro, es paralela a la relación entre Estado e iglesia. En las décadas apenas anteriores a la segunda guerra mundial, los académicos catolicorromanos estuvieron preocupados con la cuestión de la posibilidad de una filosofía cristiana. Mientras que la tendencia agustiniana

---

[6] Sertillanges [1863-1948] fue uno de los más autorizados comentaristas modernos de la filosofía de Tomás de Aquino.

de pensamiento escolástico frecuentemente respondió esta cuestión afirmativamente, la tendencia opuesta fue dominante entre los tomistas. Como ya hemos visto, el tomismo representa la posición oficial católicorromana.

A diferencia de Agustín, Tomás defendió la "autonomía" del pensamiento natural con respecto a la fe cristiana. Creyó que la filosofía debe perseguir su propia tarea independientemente de la teología o la revelación. Debe proceder sola bajo la "luz natural de la razón". Si miramos con cuidado, vemos que esta "autonomía" de la ciencia "natural" frente a la luz de la revelación es diferente en principio de la "autonomía" defendida por el humanismo moderno. Al no reconocer una luz más alta de revelación, el humanista cree que la razón natural es verdaderamente soberana. Su noción de la "autonomía de la ciencia" está controlada por el motivo religioso básico de la naturaleza y la libertad, el cual será considerado en capítulos posteriores. En contraste con el motivo humanista, la visión tomista está enraizada en el motivo catolicorromano de la naturaleza y la gracia.

Como los tomistas prefieren parafrasearlo, su filosofía "bautizó" a Aristóteles. Es decir, dentro el campo de la filosofía acomodó el pensamiento griego de Aristóteles al dogma eclesiástico. El pensamiento griego, por lo tanto, siempre está bajo el control del dogma eclesiástico, al cual nunca puede contradecir. De acuerdo con Tomás, tal contradicción no es ni siquiera posible si el entendimiento natural razona con pureza. Si surgen los conflictos, pueden ser el resultado de errores en el pensamiento que la filosofía tomista prontamente expone. Por ende, el tomista siempre mantiene que la filosofía católicorromana del Estado y la sociedad puede ser aceptada por todos los hombres razonables aparte de la aceptación de la fe católicorromana.

Pero en realidad las cosas son muy diferentes. La escolástica ortodoxa nunca está desprejuiciada con respecto a la religión y el dogma eclesiástico. La filosofía siempre está determinada por un motivo religioso básico sin el que no puede existir. Formando una unidad inseparable con la creencia eclesiástica católicorromana, el pensamiento tomista es catolicorromano de principio a fin. La filosofía tomista es la piedra de paso hacia la fe eclesiástica.

LA FORMACIÓN DE PARTIDOS CATÓLICORROMANOS

Dondequiera que el catolicismo romano presente una explicación crítica de su propio motivo básico, seguramente reconocerá el alcance universal de la antítesis establecida por la religión cristiana. Sin embargo, entiende esta antítesis a la luz del motivo religioso básico de la naturaleza y la gracia. En esta luz, la antítesis es vista como una oposición entre el principio *apóstata* que separa a la "naturaleza" del dogma eclesial, y el principio catolicorromano que, bajo la guianza de la autoridad eclesiástica, pone a la "naturaleza" al servicio de la "perfección sobrenatural". La naturaleza y la gracia (suprana-turaleza) no pueden ser *separadas* en la concepción católicorromana. Quien-quiera que crea que la "vida natural" es "soberana" se halla en un conflicto irreconciliable con el catolicismo romano.

Este modo de caracterizar la antítesis también tiene implicaciones para la actividad social y política. El autor anónimo de *La casa de cristal* que citamos anteriormente era muy conciente de esto. Desde luego, en un país verdaderamente catolicorromano sin una población mixta, los católicos no tienen necesidad de un partido político o de organizaciones sociales basadas en principios catolicorromanos. Pero en una población diversificada deben normalmente aceptar la antítesis también en las áreas política y social. Nues-tro escritor afirma:

> Uno debe ser conciente de la elección: una organización política cató-licorromana es un partido cuyo punto de partida es la relación propia entre iglesia y Estado; en otras palabras, un partido que busca el verda-dero bienestar de los ciudadanos en tanto que la religión ofrece normas para el mismo. Este partido político garantiza la base de toda actividad política. Está abierto a las demandas y directivas de la iglesia para que corrija sus actividades si es necesario. La iglesia tiene el derecho de exi-gir tal corrección. Este partido protege a los católicos de los peligros y conflictos que experimentarían en partidos basados sobre una inacepta-ble visión de la política, esto es, partidos en los que se niega la autoridad eclesiástica. Sólo un reconocimiento formal de la autoridad eclesiástica puede garantizar que las metas políticas concretas del partido, tanto ahora como en el futuro, estén de acuerdo con las declaraciones presen-tes y futuras de la iglesia.

"Más aun", continúa, "la reflexión sobre la competencia eclesiástica en los asuntos temporales conduce a la conclusión de que la cuestión de si una organización politica católicorromana es necesaria puede volverse un asunto sujeto a la jurisdicción o autoridad moral de la iglesia". En esta conexión uno podría recordar la posición asumida por el episcopado alemán (en las elecciones de 1929, por ejemplo) en apoyo del catolicorromano Partido del Centro. La posición del episcopado holandés fue muy similar, al menos antes de mayo de 1940.[7] De directa importancia es una declaración hecha por el papa Pío XI (al obispo Aengenent el 3 de noviembre de 1932): "Unidad política entre los católicos: antes que todo, después de todo, por encima de todo, y a cualquier costo. Uno debe sacrificar la opinión y visión personal a esta unidad, y contarla como más alta que el interés privado".

Inmediatamente después de la segunda guerra mundial, un número de católicos holandeses, llamados el "Grupo Cristóbal", se unieron al Partido

---

[7] Poco después de la guerra el episcopado catolicorromano holandés reiteró su preferencia por un partido católico sobre el fundamento que salvaguarda mejor el interés catolicorromano.

del Trabajo en un esfuerzo conciente por abrirse camino a través de la antítesis católica en la arena política. Este grupo no puede ser considerado como representativo de la posición oficial católicorromana, como las más recientes elecciones dejaron abundamente en claro. Más aun, pronto después de la formación del Movimiento Nacional Holandés, católicos romanos influyentes, como los profesores Sassen y Kors, advirtieron contra los intentos en la posguerra por eliminar la antítesis católicorromana en la arena política.

Ciertamente, en ciertos países la iglesia puede considerar la formación de un partido o sindicato catolicorromano indeseable sobre bases pragmáticas. En el caso de México, el papa Pío XI explícitamente declaró que los católicos mexicanos no deberían establecer un partido que se autodenominase "católico" (2 de febrero de 1926). Una vez más, nuestro autor anónimo subraya:

> Es probable que en lugares donde los enemigos de la iglesia están en el poder y están preparados para usar su poder contra la iglesia, enemigos que aceleran la batalla rápidamente sin razón aparente, un partido católico solamente agregaría combustible a las llamas y sería por lo tanto inapropiado. Uno podría decir que un país originalmente católico [se refiere a Francia] que actualmente es anticlerical, aun cuando todavía está conectado con la iglesia de muchos modos, un partido católico provocaría que se esparciera el anticlericalismo y dañaría las almas de muchos anticlericales que la iglesia continúa cuidando. Uno podría argumentar también que en un país con sólo un ligero antipapalismo un partido católico podría promover el antipapalismo, un detrimento que sería de los más serio si el partido católico no tuviera gran poder… Sobre éste y otros fundamentos similares, uno debe concluir que un partido político es inapropiado en México y quizá también en Francia e Inglaterra.

Pero el mismo autor correctamente defiende la tesis de que "un partido político es en principio la opción apropiada dondequiera que el Estado no reconozca la autoridad eclesiástica".

El Grupo Cristóbal, cuyos adherentes provienen en gran medida de las provincias sureñas católicorromanas de los Países Bajos, estuvieron quizá tentados a esperar la realización de una sociedad ideal católicorromana, una sociedad no realizable en la nación holandesa. Supongo que se volverán más realistas cuando descubran que han actuado sobre la base de una situación inexistente y que se han apartado de la mayoría de sus contrapartes católicas. Ni siquiera es seguro que el partido catolicorromano se juntará con el Partido del Trabajo en la formación de un gabinete de coalición. Estoy seguro de esto: si se forma tal coalición —y desde luego la posición debilitada del Partido del Trabajo ha creado nuevas posibilidades para los católicos romanos— sólo será posible bajo el liderazgo católico. En tal eventualidad, el Partido del Trabajo estará en posición sólo de tocar el segundo violín, acompañando el son que toque el Partido de los Pueblos Católicos Romanos.[8]

LA DESINTEGRACIÓN DE LA SÍNTESIS

El motivo básico de la naturaleza y la gracia contenía las semillas de una "dialéctica religiosa". Esto es, desde el principio, el motivo cristiano de la gracia y la concepción de la "naturaleza", la cual estuvo orientada al motivo religioso básico griego, estuvieron en una irreconciliable oposición y tensión. Donde fue posible, esta tensión religiosa real impulsó a la vida y al pensamiento de un polo al otro. Por una parte, surgió el peligro de que el motivo naturaleza ganara la delantera al motivo de la gracia al citar a los misterios de la gracia ante la corte de la razón natural. Por otra parte, estaba la tentación constante del misticismo que intentaba evadirse de la "pecaminosa naturaleza" en una experiencia mística de gracia sobrenatural, y que de este modo conducía al ascetismo y al escape del mundo. Finalmente, estaba la amenaza constante de que toda conexión entre naturaleza y gracia se cortara sistemáticamente, de tal modo que se negara cualquier punto de contacto entre ambas. En este último caso, estamos confrontados con una aceptación honesta de una *partición* abierta entre la "vida natural" y la religión cristiana, cada una de las cuales es *enteramente independiente* de la otra.

Sólo la autoridad doctrinal de la Iglesia católica romana era capaz de mantener la síntesis aparente entre los motivos básico griego y cristiano. Una y otra vez, la iglesia intervino condenando oficialmente las "herejías" que surgían de las tensiones polares dentro del motivo dualista de la naturaleza y la gracia.

GUILLERMO DE OCCAM: HERALDO DE UNA NUEVA ERA

Durante la parte posterior de la Edad Media (el siglo catorce), cuando la posición dominante de la iglesia en la cultura empezó a erosionarse por todos lados, surgió un movimiento dentro de la escolástica que rompió radicalmente con la síntesis eclesiástica. Este cambio en los eventos anunció *el comienzo del "periodo moderno"*. El líder de este movimiento fue el franciscano británico Guillermo de Occam [c. 1280-1349]. Occam, un brillante monje, desnudó sin misericordia el dualismo interno del motivo básico catolicorromano, negando que existiera cualquier punto de contacto entre el ámbito de la naturaleza y el ámbito de la gracia. Fue agudamente conciente de que

---

[8] Las elecciones de 1946 le dieron al Partido de los Pueblos Católicos Romanos y al Partido del Trabajo juntos una mayoría en el parlamento. En el gabinete de coalición formado después, estos dos partidos compartieron la mayoría de las carteras bajo el primer ministro Louis Beel, un miembro del partido catolicorromano.

la visión griega de la naturaleza contradecía flagrantemente el motivo escritural de la creación. Tomás de Aquino había mantenido que las ordenanzas naturales estaban fundadas en la "razón" divina. Para él eran "formas" eternas en la mente de Dios, de acuerdo con las cuales Dios había formado la "materia". Occam, sin embargo, rechazaba esta posición enteramente. Intuitivamente sabía que el cuadro esencialmente griego de Tomás no podía ser reconciliado con la confesión de un creador *soberano*. Sin embargo, para romper con la deificación griega de la razón, terminó en otro extremo. Interpretó la voluntad del creador divino como arbitrariedad despótica o *potestas absoluta* (poder libre y absoluto).

Al estilo griego, Tomás había identificado el decálogo con una ley moral natural, enraizada inmutablemente en la naturaleza racional del hombre y en la razón divina. Por esta razón, Tomás sostuvo que el decalogo podía ser conocido aparte de la revelación mediante la luz natural de la razón. Pero, para Occam, el decálogo no tenía una base racional. Era el don de un Dios arbitrario, un Dios que no estaba atado a nada. Dios podía haber ordenado fácilmente lo opuesto. Occam creía que el cristiano debía obedecer las leyes de Dios por la simple razón de que Dios estableció *estas* leyes y no otras. El cristiano no podía "calcular" la voluntad soberana de Dios, pues la ley era meramente el resultado de la arbitrariedad ilimitada de Dios. En el ámbito de la "naturaleza" el cristiano debía obedecer ciegamente; en el ámbito de las verdades sobrenaturales de la gracia debía, sin cuestionarlo, aceptar el dogma de la iglesia.

Occam abandonó todo pensamiento de una "preparación natural" para la fe eclesiástica a través del "conocimiento natural". Del mismo modo rechazó la idea de que la iglesia es competente para dar una guianza sobrenatural en la vida natural. No reconoció, por ejemplo, que la ciencia estuviera subordinada a la creencia eclesiástica. Ni creyó que las autoridades temporales estuvieran subordinadas al papa con respecto a la explicación de una moralidad natural. En principio rechazó la visión católicorromana de una "sociedad cristiana"; al hallarse enteramente independiente de la iglesia, el gobierno secular, desde su punto de vista, era desde luego soberano.

En breve, podemos decir que Occam privó a la ley de su valor intrínseco. Fundamentada en un Dios arbitrario e incalculable, que no estaba atado a nada, la ley sólo podía valer para el pecaminoso ámbito de la naturaleza. Para Occam, el hombre nunca tiene la certeza de que la voluntad de Dios no cambiaría bajo diferentes circunstancias. Negando radicalmente que existiera cualquier punto de contacto entre la naturaleza y la gracia, rechazó la visión oficial católicorromana de la sociedad humana, junto con su subordinación de lo natural a lo sobrenatural y del Estado a la iglesia.

Los intentos del papa Juan XXII por sofocar el movimiento espiritual dirigido por Occam fueron en vano. La posición del papa era muy débil;

habiendo sido forzado a huir de Roma, dependió grandemente del rey de Francia durante su exilio en Avignon. Pero, por encima de todo, se anunció en este tiempo un nuevo periodo de la historia —un periodo que significaba el fin de la cultura eclesiástica medieval. La crítica de Occam convenció a muchos de que la síntesis católicorromana entre la visión griega de la naturaleza y la religión cristiana había sido destruida permanentemente. El futuro sólo presentaba dos opciones: uno podía o bien regresar al motivo básico escritural de la religión cristiana o bien, alineado con el nuevo motivo de la naturaleza, separado de la fe de la iglesia, establecer una visión moderna de la vida concentrada en la religión de la personalidad humana. El primer sendero conducía a la Reforma; el segundo sendero al humanismo moderno. En ambos movimientos continuaron sintiéndose por un largo tiempo las secuelas del motivo catolicorromano de la naturaleza y la gracia.

Para obtener una compenetración propia en la situación espiritual del protestantismo contemporáneo, es extremadamente importante trazar las secuelas del motivo básico catolicorromano. Al hacer esto, enfocaremos nuestra atención especialmente en las varias concepciones concernientes a la relación entre "iglesia" y "mundo" en los círculos protestantes. Estaremos especialmente interesados en el "barthianismo", tan influyente en la actualidad. Y con respecto a nuestro tema principal, debemos tomar nota de la resistencia a la "antítesis" en el ámbito natural de la ciencia, la política y la acción social. Intentaremos hacer esto en las subsecciones siguientes.

LEY Y EVANGELIO EN LUTERO

El motivo religioso básico de la naturaleza y la gracia mantuvo a la mente cristiana en una tensión polar. Cerca del fin de la Edad Media, esta tensión condujo ultimadamente a la completa separación de Occam entre la vida natural y la vida cristiana de la gracia. Hablando prácticamente, la escuela de Occam metió una cuña entre creación y redención en Jesucristo. Esto ya había sucedido anteriormente, en los primeros siglos de la iglesia cristiana, cuando los motivos básicos dualistas y cercanorientales empezaron a influenciar el motivo cristiano. Uno podía detectar esto no sólo en el gnosticismo, sino también en Marción [segundo siglo A.D.], así como en los padres griegos de la iglesia.

Aunque entendida en el sentido griego, la "vida natural" dentro del marco de la naturaleza y la gracia se refería al trabajo de creación de Dios. Las ordenanzas de la creación pertenecían así al ámbito de la naturaleza. Como vimos arriba, Occam privó a estas ordenanzas de su valor intrínseco. Para él, la ley procedía de una divina arbitrariedad que podía cambiar sus exigencias en cualquier momento.

Lutero [1483-1546], el gran reformador, había sido educado en el círculo de Occam durante su estadía en el monasterio de Erfurt. Él mismo declaró:

"soy de la escuela de Occam". Bajo la influencia de Occam, el motivo religioso básico de la naturaleza y de la gracia permeó la vida y el pensamiento de Lutero, aunque ciertamente no en el sentido catolicorromano. La Iglesia de Roma rechazaba una *división* entre naturaleza y gracia, considerando a la primera como un portal inferior a la segunda. Lutero, sin embargo, estuvo influenciado por el dualismo de Occam, el cual establecía una profunda hendidura entre la vida natural y la vida cristiana sobrenatural. En el caso de Lutero, este conflicto se expresaba como la oposición entre *ley y evangelio*.

Para entender esta polaridad en el pensamiento de Lutero, la cual hoy juega un papel central en Karl Barth y sus seguidores, debemos notar que Lutero retornó a una confesión que había sido rechazada por el catolicismo romano: la confesión de la radicalidad de la caída. Pero, dentro del motivo básico naturaleza-gracia, Lutero no pudo hacer justicia a esta enseñanza verdaderamente escritural. En el momento en el que quedó incrustado en un marco religioso internamente dividido, no pudo hacer justicia al significado de la creación. En el pensamiento de Lutero este defecto se manifestó en su visión de la ley. Despreciaba la ley como el orden para la "naturaleza pecaminosa" y es así que empezó a ver la "ley" en términos de una *antítesis* religiosa con la "gracia evangélica".

Podría parecer que este contraste es idéntico al contraste hecho por el apóstol Pablo en su enseñanza sobre la relación entre ley y gracia en Jesucristo. Pablo proclamó expresamente que el hombre es justificado por la fe solamente, no por las obras de la ley. De hecho, sin embargo, la afirmación de Pablo no armoniza en lo más mínimo con la oposición de Lutero entre ley y evangelio. Pablo siempre llama a la ley de Dios *santa* y *buena*. Pero quiere enfatizar fuertemente que el hombre caído no puede cumplir con la ley y por lo tanto sólo puede vivir por la gracia de Dios.

Bajo la influencia de Occam, Lutero despojó de su valor a la ley como ordenanza creacional. Para él la ley era severa y rígida, y como tal en contradicción interna con el mandamiento de amor del evangelio. Mantuvo que el cristiano, en su vida de amor que fluye de la gracia, no tiene nada que ver con las exigencias de la ley. El cristiano se hallaba por encima de la ley. Sin embargo, en tanto que el cristiano todavía existiera en este "valle de lágrimas", se le requería que se ajustara al rígido marco de la ley, buscando suavizarlo al permearlo tanto como fuera posible con el amor cristiano en su relación con su prójimo.

Sin embargo, el antagonismo entre ley y evangelio permanece en esta línea de pensamiento. Es verdad que Lutero habló de la ley como el "asignador de tareas"[ayo] de Cristo y que así le concedió algún valor, pero en la vida verdaderamente *cristiana* la ley permanecía como la contrafuerza al amor cristiano. Necesitaba ser rota desde dentro. Para Lutero, el cristiano era libre no sólo del *juicio* de la ley, el cual el pecado había acarreado sobre nosotros; en la vida de la gracia el cristiano era libre de la ley misma. Se halla enteramente *por encima* de la ley.

Esta visión de la ley ciertamente no era escritural. En el pensamiento de Lutero el motivo escritural de la creación retrocede ante el motivo de la caída y la redención. Esto condujo a serias consecuencias. Lutero no reconoció un solo eslabón entre la naturaleza, tomada con sus ordenanzas nómicas, y la gracia del evangelio. La naturaleza, la cual estaba "radicalmente depravada", tenía que hacer lugar a la gracia. La redención significaba la muerte de la naturaleza, más que su fundamental renacimiento. Desde la perspectiva del catolicismo romano, Lutero permitió que la gracia "se tragara" la naturaleza.

Pero, debido a su dualismo, Lutero no pudo concluir que el cristiano debía huir de este mundo. Creía que era la voluntad de Dios que los cristianos se sujetaran a las ordenanzas de la vida terrenal. Los cristianos también tenían que servir a Dios en su llamamiento y oficio mundano. Nadie se oponía a la vida monástica más vehementemente que Lutero. Aun así, por ningún lado encontramos en Lutero un punto intrínseco de contacto entre la religión cristiana y la vida terrenal. Ambas estuvieron dentro de una aguda tensión dialéctica entre el ámbito de la libertad evangélica y el ámbito de la ley. Lutero incluso contrastó la voluntad de Dios como creador, quien pone al hombre enmedio de las ordenanzas naturales, y la voluntad de Dios como redentor, quien libera al hombre de la ley. Su visión de la realidad temporal no estuvo intrínsecamente reformada por el motivo básico escritural de la religión cristiana. Cuando en nuestro día Karl Barth niega todo punto de contacto entre naturaleza y gracia, encaramos el impacto de la oposición de Lutero entre ley y evangelio.

EL NACIMIENTO DE LA ESCOLÁSTICA PROTESTANTE

La visión de la vida temporal de Lutero no estuvo informada por la dinámica espiritual del motivo básico escritural. También permaneció dentro de la tradición escolástica al considerar la razón [*Vernunft*] como única guía en el ámbito de la naturaleza. A diferencia del catolicismo romano, sin embargo, no reconoció una conexión entre razón natural y la revelación de la Palabra de Dios. "La ramera razón" [*Die Hure Vernunft*] tenía que capitular dondequiera que uno deseara entender la voz del evangelio. Con respecto a las verdades de la fe, la razón era ciega sin esperanza. Pero en asuntos del gobierno secular, la justicia y el orden social, el hombre sólo poseía la luz de la razón. Fue el riguroso dualismo de Occam lo que sostuvo la separación de Lutero entre razón natural y religión cristiana.

Claramente, en principio Lutero no se había separado del motivo básico dualista. Por ejemplo, el gran reformador no expresó más interés en la "ciencia profana" que su tutor escolástico Occam. Aunque despotricó contra

Aristóteles y la filosofía pagana en general, no señaló el camino hacia una reforma interna del pensamiento. Desde su punto de partida dualista no vió que el pensamiento humano surge de la raíz religiosa de la vida y que por lo tanto siempre está controlado por un motivo religioso básico. De modo semejante, incluso su nueva compenetración en nuestro llamamiento en el mundo estuvo infectada por el motivo básico dualista. De seguro, su idea de que toda profesión descansa en un llamamiento divino estuvo completamente en línea con el impulso bíblico de la Reforma. Y Lutero ciertamente rompió con el punto de vista catolicorromano de que la vida monástica tenía un valor más alto que la vida mundana. Sin embargo, para Lutero, la vida mundana pertenecía exclusivamente al ámbito de la "ley" y estuvo en una tensión interna con el evangelio del amor.

Pero en ningún lado se expresó más claramente este dualismo naturaleza-gracia que en la visión luterana de la iglesia. Lutero fue relativamente indiferente a la organización temporal de la iglesia, al creer que dondequiera que la Palabra y el sacramento estuvieran presentes la iglesia estaba presente. No concedió a la iglesia su propia y exclusiva esfera legal interna de competencia. Por ejemplo, no vió una conexión interna entre la cualificación típica de la iglesia institucional, como una comunidad de fe, y su orden legal inherentemente *eclesiástico*. Guiados por la "razón natural" la justicia y el orden fueron "asuntos mundanos". La justicia pertenecía a la esfera de la ley, a la "naturaleza pecaminosa". Sólo la proclamación de la Palabra y la administración de los sacramentos pertenecían al ámbito de la gracia. Por ello fue relativamente fácil para Lutero dejar la organización jurídica de la iglesia a los magistrados mundanos, incluso si esta delegación de autoridad fuera sólo "por necesidad". Desde los días de Lutero, la "iglesia estatal" ha sido una característica típica de los países luteranos.

La peculiar dialéctica del motivo básico naturaleza-gracia condujo al ilustrado amigo y colaborador de Lutero, Melanchton [1497-1560] a intentar una nueva síntesis entre la religión cristiana y el espíritu de la cultura griega. Melanchton se convirtió en el padre de la *escolástica protestante*, que incluso hoy se opone a un enfoque verdaderamente bíblico en el pensamiento científico con la resistencia inflexible de una tradición tan antigua como una era.

A diferencia de Lutero, Melanchton estuvo entrenado en el humanismo literario de su tiempo. Tuvo un gran amor por la antigüedad clásica grecorromana. Debido a sus esfuerzos por adaptar el pensamiento grecorromano a los artículos de fe luteranos, el motivo forma-materia de la filosofía griega pronto dominó la visión protestante de la naturaleza. Puesto que Lutero era básicamente indiferente a la filosofía, el motivo básico griego había perdido temporalmente su preeminencia; con Melanchton, sin embargo, recobró su exigencia sobre la visión de la vida temporal y sobre la visión de la relación entre alma y cuerpo. Es así que la dialéctica inherente al motivo básico aescritural naturaleza-gracia también infiltró la mente protestante. Sin embargo, no hubo papa que pudiera mantener la nueva síntesis mediante veredictos y decretos oficiales. Y pronto el motivo aescritural de la naturaleza fue llenado con el nuevo contenido religioso del moderno humanismo, secularizando y absorbiendo el motivo de la gracia.

TEOLOGÍA DIALÉCTICA

Es contra el trasfondo del desarrollo del motivo básico naturaleza-gracia en el mundo de pensamiento protestante que la así llamada teología dialéctica de Karl Barth [1886-1968] y sus colaboradores iniciales (Emil Brunner, Gogarten y otros) debe ser entendida. La teología dialéctica se opone agudamente a la antítesis religiosa en el área de la vida mundana, rechazando la idea de una política cristiana, de un partido político cristiano, de un sindicato cristiano y de una academia cristiana.

Este nuevo movimiento surgió en Suiza poco después de la primera guerra mundial. Sus adherentes abandonaron el humanismo moderno que había penetrado la teología alemana y suiza, al haber experimentado el impactante decaimiento interno de este humanismo entre las dos guerras. En armonía con los reformadores del siglo dieciséis, la teología dialéctica busca empujar la incomensurable exigencia de la Palabra de Dios contra la arrogancia del humanismo. Es *antihumanista* en el pleno sentido de la palabra.

No obstante, la teología dialéctica se sostiene sobre el motivo básico dialéctico aescritural de la naturaleza y la gracia. Más aun, la fuerza espiritual del motivo básico *humanista* se halla claramente operante en la visión de la naturaleza defendida por Barth y sus seguidores. Entienden la naturaleza no en el sentido escolástico aristotélico, sino en el moderno sentido humanista.

Antes de 1933, cuando el nacionalsocialismo llegó al poder en Alemania, Barth y su escuela propugnaban un dualismo radical entre la naturaleza y la gracia. Como Lutero, identificaron la naturaleza (concebida humanistamente) con el pecado. Separaron la naturaleza absolutamente de la Palabra de Dios, la cual entendieron como "lo totalmente otro" [*Ganz Andere*]. Su fundamental depreciación de la naturaleza atestigua la tendencia antihumanista de su teología. Dejando de lado el motivo escritural de la creación, ni siquiera pueden sugerir "puntos de contacto" entre la naturaleza y la gracia. Sin embargo, dejaron sin control la dialéctica interna de este motivo básico dualista, por lo que profundas divisiones pronto surgieron dentro del círculo de la teología dialéctica.

Consideremos brevemente el contexto histórico tras el desarrollo de la teología dialéctica. En los capítulos precedentes hemos discutido con alguna extensión tres de los cuatro motivos religiosos básicos que han dominado el desarrollo de la cultura occidental: el motivo griego de la forma y la materia; el motivo cristiano de la creación, la caída y la redención a través de Jesucristo; y finalmente el motivo catolicorromano de la naturaleza y la gracia. Vimos que estos motivos básicos son las fuerzas centrales escondidas que han prestado una dirección sostenida al desarrollo histórico de Occidente hasta el día de hoy. Como motivos *comunitarios* genuinamente religiosos, han controlado la vida y el pensamiento del hombre occidental en todas las áreas de la vida, incluyendo las del Estado y la sociedad.

Vimos que el motivo catolicorromano de la naturaleza y la gracia había aparentemente tendido puentes en la antítesis radical y el irreconciliable contraste entre el motivo básico pagano de la cultura griega y el motivo básico de la religión cristiana. El catolicismo romano concibió la naturaleza en el sentido griego; la naturaleza era un cosmos compuesto de materia informe y cambiante, y de una forma que determinaba la inmutable esencia de las cosas. La naturaleza humana también fue vista como una composición de forma y materia; la "materia" del hombre era el cuerpo mortal material (sujeto a la corriente del devenir y el decaer), y su "forma" era el alma racional imperecedera e inmortal, la cual estaba caracterizada por la actividad del pensamiento. Para el catolicismo romano, estaba por encima de esta esfera de la naturaleza una esfera sobrenatural de la gracia, la cual estaba centrada en la iglesia institucional. La naturaleza formaba la base independiente y el preludio para la gracia. El catolicismo "adaptó" la enseñanza de la iglesia sobre la creación a la visión griega de la naturaleza, la cual estaba a su vez conformada en términos del motivo religioso básico pagano de la forma y la materia. Cuando expusimos el verdadero significado religioso del motivo básico griego demostramos que esta "adaptación" y "reconciliación" eran sólo *aparentes*.

Empezamos por establecer que el motivo forma-materia se originó en un conflicto irresoluble dentro de la conciencia religiosa griega, entre las más antiguas religiones de la vida y la más nueva religión de la cultura del mundo olímpico. Las primeras descansaban sobre una deificación de la "corriente de la vida", la corriente que surgía de la "madre tierra". Aunque la corriente de la vida carecía de configuración o forma, todo lo que poseía forma y figura individual surgía de ella y estaba sujeto a decaimiento. La muerte era la consecuencia del destino, la ciega y cruel *Anangké* o *Moira*. La corriente misma de la vida era eterna. Incesantemente creaba nuevas formas a partir de las formas muertas que a su vez habían hecho lugar a otras.

En contraste, la religión posterior de la cultura estaba basada en una deificación de las formas culturales griegas. Los nuevos dioses olímpicos no eran informes; asumieron forma y figura personal. Dejando la madre tierra, fueron entronizados en el Monte Olimpo, el hogar de los dioses. Se encontraban muy alejados de la eternamente fluyente corriente del devenir y el decaer. Eran inmortales; su forma y configuración se hallaba por encima de esta tierra y, aunque eran invisibles para el ojo del sentido, estaban llenos de luz y gloria. Pero los dioses olímpicos sólo eran formas culturales deificadas. No tenían poder sobre la *Anangké*, el destino ciego de la muerte. La *Anangké* permanecía siendo el antagonista autodeterminante de las deidades de la cultura. La religión de la cultura, por lo tanto, era capaz de lograr un *status* oficial sólo en la ciudad-Estado; en la vida privada los griegos permanecían fieles a las antiguas religiones de la vida con su foco en los problemas de la vida y la muerte.

Abrigando el profundo conflicto entre estas dos religiones, el motivo religioso básico de la forma y la materia fue completamente dualista. Fue enteramente incompatible con el motivo creación de la Palabra de Dios, en la cual Dios se revela como el origen absoluto y creador de todas las cosas.

El intento catolicorromano por tender puentes entre los motivos básicos griego y cristiano creó un nuevo dualismo religioso. La concepción griega de la naturaleza y la enseñanza cristiana de la gracia fueron enfrentadas entre sí en una tensión dialéctica. Sólo la autoridad papal podía preservar la síntesis artificial entre estos motivos básicos inherentemente antagónicos. La Reforma limitó esta autoridad papal. Así, en la medida en que el motivo básico de la naturaleza y la gracia permeó el movimiento de la Reforma, esta dialéctica interna se podía desplegar libremente. Por ende, en los debates concernientes a la relación entre naturaleza y gracia dentro del protestantismo notamos el surgimiento de tendencias teológicas que negaban cualquier punto de contacto entre "vida natural" y la divina gracia en Jesucristo.

En años recientes esta tensión se ha hecho más extrema en la teología dialéctica de Karl Barth quien, en sus debates con su anterior aliado Emil Brunner [1889-1966], explícitamente rechazó todo punto de contacto entre la fe cristiana y la vida natural. Se dice que Barth repudió la idea de una cultura cristiana. Muchos sintieron que Barth, al haber separado absolutamente la naturaleza y la gracia, hirió mortalmente la síntesis católicorromana. En verdad, sin embargo, la teología dialéctica en su motivo religioso básico permaneció estrechamente relacionada con el catolicismo romano. Hablando históricamente, uno podría decir que la Iglesia católica romana se había vengado de la Reforma mediante el impacto continuado de su motivo básico dialéctico dentro del protestantismo. Pues este motivo tenía un efecto "unificador" sólo en tanto que fuera aceptada la idea católicorromana de iglesia, con su autoridad papal central. Con el rechazo del papado, la síntesis artificial no podía permanecer intacta debido a la tensión dentro del motivo básico. La Reforma se dividió en una diversidad desconectada de direcciones, *cada una identificable por su particular visión de la relación entre "naturaleza" y "gracia"*. No fue el motivo básico escritural de creación, caída y redención lo que condujo a esta división dentro de la Reforma, sino la continua influencia del motivo dialéctico básico del catolicismo romano.

La teología dialéctica se había por supuesto separado de la concepción griega y escolástica de la naturaleza. Habiendo padecido el humanismo, incorporó la nueva visión humanista de la naturaleza en su tensión dialéctica con la visión humanista de la libertad. Aquí también se hace aparente la diferencia. Mientras que la Iglesia catolica romana aceptaba la visión griega de la naturaleza en un sentido *positivo*, aceptando una reconciliación con el motivo cristiano de la creación, *Barth permitió que el motivo creación se perdiera de vista*, sacrificándolo a los motivos de la caída y redención en Jesucristo. El gran maestro de la teología dialéctica no tenía ninguna utilidad reservada en lo absoluto a *ordenanzas de la creación* que pudieran servir como lineamientos en nuestra "vida natural". De acuerdo con Barth, la caída corrompió la "naturaleza" tan completamente que el conocimiento de las ordenanzas de la creación se perdió completamente.

Brunner era de diferente opinión sobre este punto. Él creía que las ordenanzas de la creación eran válidas como expresión de la "gracia común". Al mismo tiempo, sin embargo, deprecó estas ordenanzas al ponerlas en una polaridad dialéctica con el divino mandamiento de amor que él entendía como la "exigencia de la hora" [*Gebot der Stunde*]. Debido a su carácter *general*, las ordenanzas de la creación eran frías y carentes de amor. Forman el ámbito de la *ley* que se encuentra en oposición dialéctica con la libertad del *evangelio* en Jesucristo, quien estaba libre de la ley. En Brunner también uno ve claramente la continuación del contraste luterano entre ley y evangelio. Este contraste es meramente una expresión de la oposición dialéctica entre ley y evangelio. El contraste es meramente una expresión diferente de la oposición dialéctica entre naturaleza y gracia que en esta forma —evangelio *vs.* ley— había hecho su primera aparición ya en la escolástica medieval tardía.

Para Brunner la ley, el frío y rígido marco en el que Dios confina la "naturaleza" pecaminosa, realmente debe romperse mediante el mandamiento evangélico del amor. Este mandamiento no conoce regla general y sólo es válido en y para el momento. Por ejemplo, el matrimonio —una ordenanza de la creación— no puede ser disuelto; pero el mandamiento del amor puede romper esta estructura rígida general como "exigencia de la hora" [*Gebot der Stunde*]. Brunner sostuvo que Dios es desde luego el autor del orden de la creación, pero como "ley" el orden de la creación no es la voluntad auténtica de Dios, la cual sólo se manifiesta en el mandamiento evangélico del amor.

Es así que es todavía el mismo motivo básico de la naturaleza y la gracia el que trajo división incluso dentro del campo de la teología dialéctica. En el barthianismo condujo a un dualismo tan riguroso que el motivo básico escritural, el poder dinámico de la vida cristiana en este mundo, fue cortado de raíz. La academia cristiana, la vida política cristiana, el arte cristiano, la acción social cristiana —Barth y en menor medida Brunner los consideraban imposibles. A sus ojos, tales esfuerzos comprometían el mismo nombre de

Cristo y expresaban el esquema sintético de Roma, el cual procede desde una continuidad jerárquica entre naturaleza y gracia.

En su raíz religiosa la teología dialéctica demuestra persistentemente la dialéctica interna del motivo básico catolicorromano de un modo moderno. El motivo naturaleza de la teología dialéctica abarca la visión humanista de la realidad que inmediatamente entra en "crisis" porque expresa la "naturaleza pecaminosa" del hombre. La "Palabra de Dios", de modo completamente unilateral, cae en esta "naturaleza autodeterminante" como un rayo luminoso llevando toda la vida, incluso la así llamada "cultura cristiana", a una crisis bajo el juicio divino. Barth no reconoció absolutamente ninguna conexión entre la vida natural *como el hombre la conoce* y la creación. Para él, la vida natural debe ser vista exclusivamente en términos de la caída. Aunque Brunner admitió que existía una conexión entre éstas, él también despreció la creación. Sin duda, una tendencia inconfundiblemente gnóstica se afirmó en la teología dialéctica. La teología dialéctica metió una cuña en el motivo básico de la escritura, dividiendo creación y redención y separando la voluntad de Dios como creador de la voluntad de Dios como redentor.

Puesto que la teología dialéctica incorporó tanto el motivo básico católicorromano como el humanista moderno (el segundo dentro del marco del primero), es necesario que exploremos en detalle el motivo básico humanista de la *naturaleza y la libertad*. Trazaremos el desarrollo dialéctico del moderno motivo básico desde su gestación hasta el día presente. De esta manera esperamos proveer un cuadro completo del gran movimiento espiritual del humanismo.

VI

EL HUMANISMO CLÁSICO

El cuarto motivo básico que se apoderó de la cultura occidental fue el de la naturaleza y la libertad. Introducido en el desarrollo histórico de Occidente por el gran movimiento humanista del periodo moderno, este motivo gradualmente adquirió un liderazgo indisputado que duró hasta el fin del siglo XIX. Por ese tiempo, el humanismo mismo empezó a experimentar una crisis espiritual fundamental mientras que los poderes de la Reforma y del catolicismo romano se liberaron de los sustratos de la cultura y renovaron su participación en la gran lucha espiritual por el futuro de la civilización occidental. Hoy las fuerzas antihumanistas y anticristianas se han sumado al conflicto, cuyo resultado todavía no podemos predecir.

Es el humanismo el que exige primero nuestra atención. Particularmente desde la ocupación alemana de Holanda, la relación entre el humanismo y el cristianismo ha sido una cuestión crucial. ¿Cómo debemos entender el motivo religioso básico del humanismo de la naturaleza y la libertad. ¿Contra qué trasfondo surge el humanismo y cómo se desarrolló? ¿Qué fue lo que condujo a su crisis actual? Estas son las preguntas fundamentales que trataremos de responder.

EL MOTIVO BÁSICO DE LA NATURALEZA Y LA LIBERTAD

Vimos anteriormente que el catolicismo romano sufrió una severa crisis hacia el cierre de la Edad Media. La posición de poder de la iglesia, la cual abarcaba la totalidad de la sociedad medieval, empezó a desbaratarse. Una esfera de la vida tras otra se liberó del poder de la iglesia. Enraizada en el motivo básico de la naturaleza y la gracia, la cultura eclesiásticamente unificada se empezó a desintegrar. En breve, numerosas indicaciones apuntaron claramente hacia el amanecer de una nueva era.

En este periodo surgió un movimiento dentro de la escolástica medieval tardía que fracturó la síntesis artificial de la iglesia entre la visión griega de la naturaleza y la religión cristiana. Esto mostró ser de decisiva importancia para el periodo moderno. Negando cualquier punto de contacto entre naturaleza y gracia, este movimiento expuso la profunda grieta que había entre la religión cristiana y la visión griega de la naturaleza. A la cultura occidental se le presentaban dos opciones: podía o bien perseguir la dirección "natural", que últimamente conduciría a una completa emancipación del hombre respecto de la fe de la iglesia, o bien retornar al motivo básico puro de la Escritura, a saber, creación, caída y redención a través de Jesucristo. El movimiento renacentista, el precursor tempranero del humanismo, siguió el primer camino; la Reforma siguió el segundo.

El Renacimiento estuvo básicamente preocupado con un "nuevo nacimiento" del hombre en un sentido exclusivamente *natural*. La "nueva era" que amanecía requería un "nuevo hombre" que tomara su destino en sus propias manos y que ya no estuviera fielmente dedicado a las autoridades. Este es el ideal del *risorgimento*, el ideal del nuevo nacimiento en el sentido del Renacimiento. El nuevo nacimiento había de ocurrir a través de una participación revitalizada en la cultura grecorromana, libre del daño que había sufrido al ser acomodada al cristianismo. Pero el Renacimiento no retornó al motivo religioso básico griego original. La más profunda raíz religiosa del movimiento del Renacimiento fue la religión humanista de la personalidad humana en su *libertad* (de toda fe que demande lealtad) y en su *autonomía* (esto es, la pretensión de que la personalidad humana es ley para sí misma).

Desde el principio, el Renacimiento reveló los conflictos inevitables entre la religión cristiana y la religión natural de la personalidad humana. Por ejemplo, el italiano Nicolás Maquiavelo [1469-1527] fue un feroz adversario del cristianismo. El mensaje cristiano de que uno debía amar al propio enemigo contradecía la *virtu* humana, la iniciativa humana y el heroismo. La *virtu* expresaba el ideal del heróico hombre del Renacimiento que podía hacer que la *Fortuna*, la ciega fortuna, sirviera a sus propios fines.

Sin embargo, el humanismo no se reveló en sus primeros representantes en términos de estas tendencias anticristianas. Hombres como Erasmo [1466-1536], Rodolfo Agrícola [1443 o 1444-1485] y Hugo Grocio [1583-1645] representaban un "humanismo bíblico"; junto con su admiración por los clásicos griegos y romanos, también abogaron por un estudio y exégesis libre de la Escritura. Ciertamente no atacaron las doctrinas extantes de la fe cristiana. Todas las aparencias indican que su aguda crítica de la escolástica medieval tenía como intención un retorno a las enseñanzas simples del evangelio, y tenían gran admiración por los padres de la iglesia, muchos de los cuales, después de todo, también se habían empapado en la cultura clásica.

Pero un examen más cuidadoso revela que la verdadera fuerza espiritual tras el "humanismo bíblico" no era el motivo básico de la religión cristiana. Los humanistas bíblicos vieron la religión cristiana más como un código moral que como el camino revelado de la salvación para la raza humana perdida en el pecado y la muerte espiritual. Ya entre ellos la dignidad de la personalidad humana estuvo en el centro de la atención religiosa. Cuando Erasmo, quien permaneció siendo un católico romano, defendió la libertad moral de la voluntad humana contra Lutero, su civilizado y desapasionado argumento debe haberse comparado favorablemente con la apasionada prosa que expresaba las convicciones básicas de la fe del segundo. Pero Erasmo carecía de la profunda seriedad cristiana que movía al reformador alemán. El humanismo empezó a revelar sus verdaderas intenciones incluso antes de que su emancipación de la autoridad de la Escritura fuera completa.

El nuevo motivo de la libertad estuvo inseparablemente ligado a una nueva visión de la naturaleza. Como vimos anteriormente, en la visión griega de la naturaleza humana el misterioso motivo materia con su énfasis en el destino inexorable, había sido la contrafuerza continua y trágica al optimista motivo forma que enfatizaba lo bueno y lo bello en el cosmos. Del mismo modo, la visión escritural de la realidad, la cual contenía la enseñanza de una caída radical, cortaba de raíz cualquier optimismo superficial acerca de la naturaleza. Pero el humanismo se aproximaba a la naturaleza a partir de un marco mental completamente diferente. Ya el Renacimiento temprano separaba su concepción de la naturaleza tanto de la idea griega del destino como de la doctrina cristiana de la depravación radical. Orgullosamente conciente de su autonomía y libertad, el hombre moderno vio la "naturaleza" como una arena expansiva para las exploraciones de su personalidad libre, como un campo de infinitas posibilidades en el que se debe revelar la soberanía de la personalidad humana mediante un *dominio* completo de los fenómenos de la naturaleza.

El descubrimiento que hizo Copérnico del movimiento dual de la tierra —alrededor de su propio eje y alrededor del sol— revolucionó la imagen tradicional aristotélica y tolemaica del mundo, la cual veía la tierra como el centro fijo del universo. Injustificablemente, la iglesia continuó defendiendo la antigua concepción por muchos años, considerando la centralidad del mundo en la historia de la salvación como indispensable para la fe. En vista de esto, el humanismo proclamó la cosmovisión copernicana como un nuevo tipo de evangelio, volviéndose contra la autoridad de la iglesia y la escolástica con pasión revolucionaria. Cuando Galileo y Newton posteriormente pusieron los fundamentos de la física matemática, demostrando con ello que uno podía desde luego controlar la naturaleza descubriendo las leyes fijas a las que las cosas móviles están sujetas, el humanismo, impulsado por su religioso ideal de la personalidad, abrazó el nuevo método científico y lo elevó a un *ideal de ciencia* que debía ser aceptado como directiva en *toda* área de la ciencia y que pretendía develar la verdadera coherencia de toda la realidad.

El motivo religioso de la absoluta libertad y autonomía de la personalidad humana no permitía al pensamiento científico proceder a partir de *un orden de la creación dado.* El motivo creación de la religión cristiana cedió el paso a la fe en el poder creativo del pensamiento científico que busca su fundamento de certeza sólo dentro de sí mismo. *Con este cambio, la idea de la autonomía de la ciencia recibió un significado completamente diferente del que tenía en la escolástica tomista.* Aunque Tomás de Aquino también había enseñado que la razón natural es autónoma con respecto a la fe cristiana y la revelación divina, su posición estuvo completamente incrustada en el motivo básico catolicorromano de la naturaleza y la gracia. La naturaleza era meramente un preámbulo para la gracia, y la razón natural misma era conducida a un estado de perfección más alto por el don sobrenatural de la gracia. En tanto que la razón opere de una manera puramente científica, nunca puede conducir a conclusiones en el área del conocimiento natural que entren en conflicto con los medios sobrenaturales de la revelación. Si surgen conflictos aparentes, son atribuidos a errores lógicos del pensamiento, los cuales Tomás prontamente señala. Dondequiera que Tomás siguió la visión de la naturaleza de Aristóteles, su idea de la autonomía de la razón natural lo condujo continuamente a *adaptar* la teoría aristotélica a la doctrina catolicorromana.

Pero la aproximación humanista fue muy diferente. El humanismo no estuvo controlado por el motivo básico catolicorromano de la naturaleza y la gracia, sino por el moderno motivo de la naturaleza y la libertad. La fe en la absoluta autonomía de la personalidad libre no podía tolerar una distinción entre verdades naturales y sobrenaturales. No podía suscribir la adaptación católicorromana de verdades naturales autónomamente descubiertas a la enseñanzas autoritativamente obligatorias de la iglesia.

Por lo mismo, el humanismo también rompió con la visión griega de que el orden de la realidad está anclado en un invisible mundo de formas. El ideal humanista de la ciencia no podía suscribirse a las "formas" griegas que para Aristóteles constituían la esencia de las cosas perecederas. El motivo griego forma-materia no comunicaba nada al hombre moderno. Para él, la reflexión contemplativa de un "hermoso mundo de formas" que trae medida y armonía a la caótica "materia" no era más que una ociosa especulación. Después de todo, la fuerza motriz de la investigación científica del hombre moderno era el ideal del *completo dominio* de la naturaleza, mediante el cual se podía revelar la libertad autónoma de la personalidad humana —esto es, su independencia respecto de las potencias sobrenaturales.

Pronto se haría claro, sin embargo, que el nuevo motivo naturaleza estaba en conflicto religioso con el motivo libertad humanista, un conflicto similar a la tensión dentro del motivo griego de la forma y la materia, y el motivo catolicorromano de la naturaleza y la gracia.

TENSIONES DIALÉCTICAS

El motivo religioso básico del humanismo está tan dividido internamente como lo estuvieron los motivos básicos griego y catolicorromano. Comporta también un carácter así llamado *dialéctico*; esto es, consiste de dos motivos religiosos que se hallan en un conflicto interno entre sí y que alternativamente impulsan la posición y cosmovisión del humanismo de un polo al otro.

En esencia, el motivo naturaleza del humanismo moderno es un motivo de *control*. El motivo del control está intensa y religiosamente ligado al nuevo motivo libertad que se originó en la religión humanista de la personalidad, el culto del hombre autónomo que desea hacerse absolutamente independiente de toda autoridad y todo "poder sobrenatural" para tomar su destino en sus propias manos. Como Copérnico, quien provocó una revolución en la imagen tradicional del universo con la tierra en su centro, así el humanismo produjo una revolución en la valoración religiosa de la personalidad humana. En la concepción humanista, esta personalidad es la medida de todas las cosas, incluyendo la religión. Como declarara el gran filósofo Emanuel Kant cerca del fin del siglo dieciocho:

> Nuestra era es, en un grado especial, la era de la crítica, y a la crítica se debe someter todo. La religión a través de su santidad, y la legislación a través de su majestad, pueden buscar eximirse de la misma. Pero entonces despiertan la justa sospecha, y no pueden reclamar el respeto sincero que la razón concede sólo a aquello que ha sido capaz de pasar la prueba del examen libre y abierto.[1]

Cuando el motivo del control surgió de la nueva religión de la personalidad (con su motivo de la libertad), el conflicto entre la "naturaleza" y la "libertad" pronto empezó a manifestarse. Pues el motivo control del hombre autónomo busca sujetar la "naturaleza" y todas sus posibilidades ilimitadas al hombre, mediante el nuevo método de la ciencia matemática. Por ninguna parte en la realidad tolera la validez de *límites* a la operación del método científico natural. El motivo del control se expresó así en el nuevo *ideal de la ciencia* que buscaba capturar toda la realidad en una cadena cerrada de causa y efecto, una cadena determinada por las leyes universales del movimiento mecánico. No aceptará la *validez* de nada como "verdaderamente real" si no encaja en esta cadena de causa y efecto mecánicos. El suelo firme de la investigación empírica no se halla ni en un orden divino de la creación ni en un ámbito de formas eternas del ser, como pensaron los filósofos griegos. El motivo humanista de la libertad no aprobaba otra base para el pensamiento

---

[1] Emanuel Kant, *Critique of Pure Reason* [*Crítica de la razón pura*], trad. de Norman Kemp Smith (Nueva York: St Martin's Press, 1965), p. 9. Hay traducción castellana, por Manuel García Morente (México: Porrúa, varias ediciones).

teórico que el pensamiento matemático científico natural. Había una profunda convicción de que la certeza de las matemáticas yacía dentro de las mismas matemáticas, con sus métodos exactos de demostración. El hombre autónomo confía en y depende de la certeza de su pensamiento.

Pero fue precisamente cuando los hombres concibieron seriamente por primera vez el nuevo ideal de la ciencia que surgieron grandes dificultades. Cuando se hizo aparente que la ciencia *determinaba* toda la realidad como una cadena de causa y efecto sin resquebraduras, se hizo claro que nada en la realidad ofrecía un lugar a la *libertad* humana. El querer, el pensar y el actuar humanos requerían la misma explicación mecánica que los movimientos de una máquina. Pues si el hombre mismo pertenece a la *naturaleza*, entonces no puede ser *libre* y *autónomo*. La naturaleza y la libertad, el ideal de la ciencia y el ideal de la personalidad —se hicieron enemigos. Una reconciliación interna genuina entre estos motivos antagónicos era imposible, puesto que ambos eran religiosos y por ende absolutos. Aunque el motivo libertad había evocado el nuevo motivo de la naturaleza, cada motivo excluía al otro. El humanismo no tenía más elección que asignar prioridad o primacía religiosa a uno o al otro.

El punto de partida autoconsciente del humanismo durante el primer periodo de su desarrollo (fechado desde los siglos dieciséis al diecisiete y gran parte del dieciocho) fue la primacía del nuevo ideal de la ciencia. El humanismo creía que la *ciencia* haría al hombre moderno verdaderamente *libre* y que lo elevaría por encima de los prejuicios dogmáticos de la doctrina de la iglesia. La ciencia traería la verdadera ilustración que podría expulsar la barbarie pagana y el oscuro ámbito de la superstición medieval. La verdadera *libertad* se buscó donde el fundamento de la *ciencia* moderna había sido encontrado —en el pensamiento autónomo, lúcido y analítico.

Pero, nuevamente, fue aquí donde surgieron los obstáculos. ¿Acaso no requiere el nuevo ideal de la ciencia que el pensamiento mismo sea explicado en términos del mecanismo de los movimientos del alma? Desde luego —al menos si este ideal de ciencia con su nuevo motivo naturaleza ha de ser *consistentemente* aplicado. Pero ya aquí algunos pensadores humanistas plantearon objeciones. El motivo de la libertad requería que al menos el pensamiento matemático, el núcleo y centro de la personalidad libre, estuviera exento de explicación científica natural.

DESCARTES Y HOBBES

Sobre estos lineamientos el fundador de la filosofía humanista, el famoso francés Renato Descartes [1596-1650], dibujó una firme línea entre el mundo corpóreo o material y el alma humana. Descartes limitó la "naturaleza" al mundo material. En este mundo, el nuevo ideal de la ciencia reinaba supremo. Aquí podía explicar mecánicamente todos los fenómenos. Pero el "alma humana" era considerada independiente del "cuerpo natural" como una sustancia o como una entidad autosuficiente que no dependía de nada fuera de sí misma para su existencia.

En la estimación de Descartes, era necesario que el pensamiento matemático fuera enteramente libre y autónomo. Encontrando su fundamento y validez en sí misma solamente, la matemática era independiente de las impresiones sensoriales recibidas del "mundo corpóreo externo". De acuerdo con Descartes y sus seguidores, los conceptos matemáticos no surgen de las percepciones sensoriales de las cosas materiales; más bien, encuentran su garantía en sí mismos.

Así, en conformidad con el motivo dualista de la naturaleza y la libertad, Descartes partió la existencia humana en dos partes rigurosamente distinguidas: el cuerpo material y el alma pensante. El fundamento último de la certeza científica y de la libertad moral yacía en la conciencia, en el "yo pienso".

Pero la división cartesiana entre realidad material y el alma pensante no podía ser mantenida consistentemente. Bajo el liderazgo del inglés Tomás Hobbes [1588-1679], otra corriente de pensamiento humanista se dirigió contra la visión dualista de la realidad de Descartes, la cual limitaba el motivo naturaleza en favor del motivo libertad. Hobbes, quien fue testigo tanto de la revolución de Inglaterra bajo Cromwell como de la restauración de la casa real británica, concurría enteramente con Descartes en el motivo básico humanista que gobernaba su pensamiento. Declarando con seguridad la guerra entre la ciencia moderna y el "reino de las tinieblas", Hobbes fue un apóstol temprano de la Ilustración.

Pero, en contraste con Descartes, Hobbes no llamó a detener la aplicación del nuevo ideal de ciencia a lo que se creía era el asiento de la libertad humana, a saber, el pensamiento autónomo y el libre albedrío. Bien versado en el nuevo método científico natural del gran científico italiano Galileo, con quien había hecho contacto personal durante sus viajes, Hobbes ambicionaba aplicar el método de Galileo consistentemente, utilizándolo en las áreas de la moralidad, el Derecho, la vida política e incluso los movimientos del alma humana.

Como Descartes, Hobbes empezó su principal obra filosófica mediante una duda universal acerca de la realidad que se presenta en la experiencia cotidiana. Sugirió el siguiente experimento a sus lectores. Uno debiera empezar por *romper* mentalmente el todo de la realidad en la medida en que su verdad no esté garantizada por la investigación científica. Entonces —con una alusión conciente a la historia de la creación— argumentó que el pensamiento científico debe arrojar luz sobre el caos y debe reconstruir sistemáticamente el mundo nuevamente mediante el método científico exacto. Para Hobbes,

tal reconstrucción requería las herramientas más simples posibles: conceptos matemáticos estrictamente definidos. La nueva ciencia de la naturaleza,
la cual inicialmente se aproxima a la realidad exclusivamente en términos
de su aspecto de *movimiento mecánico*, debe reducir *todos* los fenómenos
naturales dentro de su campo especial de investigación a fenómenos de
movimiento. De este modo Hobbes analizó los fenómenos sensorialmente
percibidos en sus componentes más simples; contados, medidos, pesados y
descritos en fórmulas matemáticas, estos componentes fueron las piedras
de paso hacia la explicación de fenómenos más complejos.

En la opinión de Hobbes, este método exacto proporcionaba la clave para
explicar toda la realidad. Por esta razón, no pudo reconocer un límite entre
"cuerpo" y "alma". Redujo todo —incluso el pensamiento matemático— a los
movimientos de los cuerpos. El hecho de que esta reducción eliminara la
base de la libertad humana de la voluntad no le preocupó. La integridad
científica exigía que los conceptos matemáticos mismos fueran entendidos
como producto de los movimientos mecánicos del alma, movimientos causa-
dos por las impresiones de los cuerpos en la vida síquica de uno. Claramente,
el motivo naturaleza era dominante en Hobbes. Y no obstante su visión de
que la nueva ciencia marcaba el camino hacia la libertad humana daba testimonio de su solidaridad con Descartes.

El sistema de Descartes es comúnmente llamado "materialismo". El suyo,
sin embargo, era un materialismo moderno y humanista, uno impulsado
por la fuerza religiosa de un motivo humanista de la libertad que se había
disuelto en el motivo naturaleza. Su materialismo y el antiguo materialismo
de los filósofos griegos de la naturaleza sólo tenían en común su nombre.
En la filosofía griega de la naturaleza "materia" significaba la corriente de la
vida eternamente fluyente e informe. Dando nacimiento a todo lo que poseía
figura y forma individual, esta corriente de la vida fue entendida como el
divino origen de las cosas. El moderno concepto de una ley mecánica de
la naturaleza era enteramente desconocido para los griegos. Mientras que
el moderno concepto de ley natural se originó en el motivo humanista de
la naturaleza y la libertad, el concepto griego fue gobernado enteramente
por el motivo forma de la religión cultural. Antes de que pudiera surgir el
concepto humanista de leyes naturales, era necesario que fuera descubierta
la moderna visión de la naturaleza; la "naturaleza" necesitaba ser liberada
tanto de la idea griega del destino como de la idea cristiana de la caída en el
pecado. La "naturaleza" debe ser privada de su "alma" antes de que pueda
ser sujeta al *control* humano.

Vemos, entonces, que el humanismo se enredó en la dialéctica de su propio motivo básico ya en su primera tormentosa aparición. La naturaleza y
la libertad pronto empezaron a revelar su conflicto inherente como motivos
religiosos. El primer conflicto filosófico entre Descartes y Hobbes indicó el

ulterior desarrollo de esta dialéctica. En esta etapa, sin embargo, el humanismo todavía tenía la vitalidad de su juventud. Era conciente de que el futuro del Occidente se hallaba en sus manos. Gradualmente, tanto el catolicismo romano como la Reforma fueron puestos a la defensiva, rindiendo cada vez más de la cultura occidental al humanismo. El sol del humanismo se estaba levantando y una fe optimista en el poder creativo del hombre inspiraba a sus figuras líderes.

El humanismo había *human-izado* el motivo cristiano básico de la creación, la caída y la redención dentro de su propio motivo básico. Por ende, el humanismo no es un paganismo; *pasó a través* del cristianismo, el cual convirtió en una religión de la personalidad humana. En un corto tiempo también asimiló los motivos básicos de la cultura griega y el catolicismo romano.

TEORÍAS POLÍTICAS DE LA ERA MODERNA

El nuevo motivo básico humanista pronto hizo que se sintiera su impacto en el proceso de diferenciación en la sociedad que había empezado con el Renacimiento. Después de la ruptura de la cultura eclesiástica medieval, la idea de Estado empezó a irrumpir en varios países, en la forma de monarquías absolutas. Gradualmente, los monarcas absolutos reconquistaron para la corona muchas de las prerrogativas que habían caído en manos de los señores privados bajo el sistema feudal. El nuevo ideal humanista de la ciencia sugería un método exacto mediante el cual esto se pudiera hacer de la mejor manera.

EL ABSOLUTISMO DE ESTADO

El humanismo no reconoció que la autoridad gubernamental está limitada intrínsecamente por las esferas sociales fundadas en el orden de la creación. Tal reconocimiento contradecía la autonomía y libertad de la personalidad humana, la cual el humanismo interpretaba de acuerdo con su propio motivo religioso básico. En tanto que el hombre moderno esperase libertad e independencia del avance de las nuevas ciencias exactas, el motivo de la naturaleza o el control también gobernaría su visión de la sociedad. La "era moderna" exigía una "nueva construcción". El pensamiento humanista se dirigía particularmente hacia la construcción del Estado. El nuevo Estado, el cual era desconocido en la sociedad medieval, estaba diseñado como un instrumento de control que podía juntar todo el poder para sí mismo. El humanismo supuso que la ciencia era tan competente para construir este Estado como lo era para manufacturar las herramientas mecánicas que controlaban las fuerzas de la naturaleza. Todo el conocimiento actual de la sociedad, el cual era todavia relativamente incompleto, fue concientemente adaptado a este ideal construccionista de la ciencia.

En la Francia del siglo dieciséis, Jean Bodin [1530-1596] puso los fundamentos para una teoría política humanista con su concepto absolutista de
soberanía. Este concepto constituía el punto de partida metodológico y piedra angular de su teoría política entera. Para Bodin, el carácter esencial de
la soberanía se hallaba en su absoluta competencia o poder no limitado por
límites jurídicos positivos. Aunque en conciencia el gobierno podría desde
luego estar limitado por la ley divina y la natural, no obstante se halla por
encima de todas las reglas positivas de la ley, las que derivan su validez sólo
de la voluntad del gobierno mismo. Ningún legislador [*rechtsvormer*] en las
esferas no estatales de la vida podía apelar a un fundamento de autoridad
que se hallara fuera del poder del soberano legislador del Estado. En el
todo de la sociedad, la formación de la ley debía depender solamente de
la voluntad del legislador del Estado, el único soberano. Incluso la ley de
la costumbre o ley común, la cual en la Edad Media era más significativa
que la ley estatutaria, estaba sujeta a la aprobación implícita o explícita del
soberano. La necesidad de este requerimiento era comprensible, puesto que
la ley de la costumbre llevaba claramente la estampa de un sistema feudal
indiferenciado, el enemigo mortal del Estado moderno.

El concepto humanista de soberanía no declaró meramente la guerra a las
relaciones sociales indiferenciadas de las "Edades Oscuras". Inspirado en el
moderno ideal de ciencia, también ambicionaba guiar el incipiente proceso
de diferenciación para garantizar la soberanía absoluta del Estado sobre
todas la restantes esferas de la vida. Entre los nexos sociales diferenciados, la
iglesia había sido el rival más poderoso del Estado. Pero ahora había llegado
el tiempo de traer a la iglesia bajo la soberanía del Estado. La Reforma y
los subsecuentes conflictos dentro del protestantismo habían excitado las
pasiones denominacionales, y la inquietud de la iglesias se derramó a la
política, amenazando la paz y la unidad del Estado. El humanismo político
sólo tenía un remedio para esto, a saber, intervención por el Estado en los
asuntos internos de la iglesia, para obligar a la iglesia a asumir una actitud
de "tolerancia" que trajera paz y unidad nuevamente al cuerpo político.

Esta fue también la solución ofrecida por Hugo Grocio, un adherente al
concepto de soberanía de Bodin. Grocio no fue solamente un representante
del "humanismo bíblico", sino también el fundador de la teoría humanista
de la ley natural. Esta nueva doctrina de la ley natural fue también uno
de los heraldos de la era moderna. Se convirtió en la campeona para la
reconstrucción del sistema legal necesitado por el éxito de la idea moderna
de Estado. Buscó un punto de contacto con el Derecho romano clásico,
con su nítida distinción entre ley pública y ley civil privada y, al igual que los
juristas romanos, basó la segunda en una ley de la naturaleza cuyos principios
básicos fueron la libertad e igualdad inherentes de todos los hombres. Esta
doctrina humanista de la ley natural estuvo en clara oposición con la ley

indígena indiferenciada de las naciones germánicas, la cual fue vista como en conflicto con la "razón natural". En contra de esto, Grocio y sus seguidores inmediatos intentaron derivar un sistema comprehensivo de reglas legales a partir de la "naturaleza racional, social" del hombre. Independientemente de la institucionalización humana, estas reglas iban a valer para todos los tiempos y todas las naciones. Para este fin, emplearon el nuevo método matemático y científico, el fundamento y la certeza del hombre moderno. En realidad, sin embargo, fue en buena medida la ley romana clásica la que proveyó las "reglas de la ley natural".

Grocio buscó una base autónoma para su doctrina de la ley natural, independiente de la autoridad eclesiástica. Como el mismo lo declarara, este fundamento valdría incluso si Dios no existiera. Como "humanista bíblico" que era, se apresuró a agregar que negar la existencia de Dios es reprensible; pero su admonición no alteró el hecho de que para él una apelación a la "naturaleza natural, social" del hombre era suficiente para la validez de la ley natural.

La posición de Grocio fue completamente diferente de la posición de Tomás de Aquino, la cual estaba basada en el motivo básico catolicorromano de la naturaleza y la gracia. Tomás desde luego enseñó que el hombre puede conocer ciertos principios de la ley natural y de la moralidad natural mediante la luz natural de la razón, independientemente de la revelación divina. Pero en el final análisis Tomás siempre retrotrajo estos principios a la sabiduría "racional" de Dios el creador. Tomás y los otros escolásticos nunca pensaron en buscar un fundamento autónomo válido de la ley natural en la "razón humana natural", un fundamento independiente incluso de la existencia de Dios. Sólo en las direcciones heréticas de la escolástica tardía, que separaban completamente la naturaleza de la gracia, aparecieron estas tendencias. La concepción de Grocio de la base de la ley natural, como independiente de la existencia de Dios, fue un precursor del proceso de emancipación y secularización que llegó a su fruición durante la Ilustración. El nuevo motivo humanista de la libertad fue el punto de partida del proceso.

Característico de la nueva doctrina de la ley natural fue su construcción individualista de las esferas sociales, particularmente la esfera del Estado. En tanto que el motivo de la naturaleza y el control fue dominante en la doctrina humanista de la ley natural, los teóricos defendieron unánimemente el concepto absolutista de soberanía de Bodin. Debido a que su aplicación consistente no dejó espacio a la personalidad libre, el concepto de soberanía se hizo aceptable a través de la construcción de un "contrato social". Se argumentó que mediante un contrato social los individuos originalmente libres e iguales habían rendido su libertad natural voluntariamente, para atarse como un cuerpo político. Esto fue seguido generalmente por un contrato de autoridad y sujeción, en el cual la gente confería autoridad a un soberano y prometía obediencia. De esta manera, el individuo libre y autónomo consintió la absoluta soberanía del gobernante. Nunca podía, por lo tanto, quejarse de injusticia.

UN PUNTO DE INFLEXIÓN CRÍTICO

Cuando el humanismo acentuó el motivo científico natural del control, más que el motivo de la libertad, buscó el último fundamento de la certeza en el pensamiento matemático y científico natural. Los humanistas estaban convencidos de que sólo el método de pensamiento desarrollado por las matemáticas modernas y la ciencia natural enseña a los hombres a conocer la realidad como es "en sí misma", despojada de todas las adiciones subjetivas y errores de la conciencia humana de las que somos víctimas en la experiencia ingenua de la vida cotidiana. ¡El nuevo ideal de la ciencia llegó con grandes pretensiones! Sólo él podía develar el verdadero orden y coherencia de la realidad.

Sin embargo, precisamente en este punto surgieron las primeras dudas acerca del valor de las ciencias exactas. La ubicación del fundamento de la certeza se hallaba en los conceptos exactos de la conciencia subjetiva. Pero, entre más exploraban los hombres esta conciencia subjetiva misma, más insistente se volvía la pregunta por el *origen* real de los conceptos matemáticos y científico naturales. ¿De dónde derivaron estos conceptos su contenido? Uno no podía negar que los niños y los pueblos primitivos no los poseían. Debían por lo tanto haberse originado en el transcurso del tiempo. Pero, ¿a partir de qué los formamos? Aquí el problema del conocimiento teórico fue inmediatamente vertido en términos *sicológicos*. Se supuso que la conciencia humana interna sólo tenía una ventana hacia el "mundo externo". Esta ventana era la percepción sensorial tal y como funcionaba en el aspecto del sentimiento. Si se le da un seguimiento consistente, esta suposición implica que el origen de los conceptos matemáticos y científicos naturales sólo puede encontrarse en las impresiones sensoriales del mundo externo. Pero a partir de estas impresiones uno no podía derivar ni relaciones matemáticas exactas ni las leyes mecánicas de la causa y el efecto que constituían el fundamento de la mecánica clásica.

La percepción meramente enseñó que hay una secuencia temporal de impresiones sensoriales desde el hecho *A* hasta el hecho *B*. Nunca demostró que *B* siempre y necesariamente sigue a *A*, y no obstante esta demostración era lo que requerían las leyes de la ciencia física.

Encarados con este predicamento, se alcanzó la conclusión de que no podemos *saber* en qué medida las ciencias naturales nos asisten en el entendimiento de la *realidad*. ¿Por qué, entonces, podemos preguntar, todavía aceptamos las leyes de la causalidad? En este punto el humanismo mostró que no quería abandonar su nuevo ideal de la ciencia. Su solución fue como sigue: Si la ley de la causa y el efecto no nos hace entender la coherencia de la realidad como es en sí misma, entonces esta ley debe al menos referirse a una conexión mecánica entre nuestras impresiones sensoriales.

La bien conocida teoría de la asociación de impresiones y representaciones de David Hume fue el modelo para esta visión. El pensador escocés Hume [1711-1776] explicó la secuencia de causa y efecto enteramente en términos de asociación física, argumentando que si repetidamente observamos que el hecho *B* sigue al hecho *A*, entonces en nuestra siguiente percepción de *A* necesariamente conectamos *A* con la representación de *B*.

La crítica del pensamiento científico empezada por John Locke y continuada por David Hume infligió un serio golpe a las pretensiones "metafísicas" del ideal determinista de la ciencia, el que sostenía que la ciencia podía proporcionar conocimiento de la realidad tal y como es "en sí misma", esto es, independientemente de la conciencia humana. Parecía que el motivo de la libertad, el cual había sufrido bajo la sobrextensión del motivo naturaleza, podría librarse del ideal determinista de la ciencia. Si las leyes científicas naturales no corresponden a la realidad objetiva, entonces la ciencia no puede reclamar el derecho a negar la libertad del pensamiento y la voluntad del hombre. Pero, ¿estaba preparado el hombre moderno a pagar este precio para reinstaurar su conciencia de la libertad y la autonomía? ¿Sacrificaría los fundamentos de su ideal de ciencia a este fin?

El ataque epistemológico sobre el ideal de la ciencia sólo fue un preludio a un revertimiento muy amplio y crítico dentro de la actitud humanista hacia la vida. Después de su intoxicación inicial con la ciencia, el hombre moderno empezó a reflexionar sobre la más profunda raíz religiosa y el motivo de su vida. Esta raíz más profunda no era la ciencia natural moderna, sino la religión humanista de la personalidad con su motivo de la libertad. Si el ideal determinista de la ciencia era incapaz de dar a la libertad autónoma del hombre lo que le correspondía en justicia, entonces no debía ocupar el lugar dominante en la cosmovisión humanista. Si esto es el caso, entonces es erróneo buscar la esencia del hombre en el pensamiento científico; entonces es imperativo que el motivo del control, la dinámica tras el ideal de ciencia, sea privado de su prioridad religiosa. En vez de ello, la primacía pertenece al motivo libertad.

Fue Juan Jacobo Rousseau [1712-1778] quien llamó al humanismo a su autoexamen crítico. En 1750 se hizo famoso de la noche a la mañana al someter un artículo en respuesta a una competencia organizada por la universidad de Dijon. El tópico era un tema favorito de la Ilustración: ¿en qué han contribuido la ciencia moderna y la cultura a la libertad y felicidad de la humanidad? La respuesta de Rousseau fue un ataque apasionado tanto sobre la supremacía de la ciencia en la vida como sobre toda la cultura moderna racionalista. Rousseau argumentó que la ciencia había intercambiado la libertad y la igualdad por la esclavitud. También en sus escritos posteriores Rousseau permaneció como vocero del motivo libertad humanista. Para él, la raíz de la personalidad humana no se encontraba en el pensamiento científico exacto, sino en el sentimiento de la libertad.

La religión humanista de Rousseau no fue una de la razón, sino del sentimiento. Cuando sostuvo que la religión reside en el corazón más que en la mente, no consideró al corazón como la raíz religiosa de la vida, como las escrituras enseñan, sino como el asiento del sentimiento. El estado original del hombre era una condición de inocencia y felicidad; los individuos viven en libertad e igualdad. Pero la cultura racionalista llevó al hombre a la esclavitud y la miseria. Creó desigualdad y sujetó las naciones al gobierno de los reyes. Como resultado, no quedó ni traza de la personalidad humana libre y autónoma.

Sin embargo, Rousseau no creía que era posible un regreso al feliz estado de naturaleza. No deseaba abandonar la moderna idea del Estado. Más bien, buscaba concebir un cuerpo político que se conformara plenamente al motivo libertad del hombre moderno. Visualizaba un Estado en el que el individuo, después de rendir su libertad e igualdad naturales, pudiera reconquistarlos en una forma más alta.

Ciertamente, en la primera fase del humanismo, Grocio, Hobbes y otros proponentes de la ley natural intentaron justificar la absoluta soberanía del gobernante ante el foro del motivo humanista de la libertad. Su punto de partida fue también un "estado de naturaleza" caracterizado por la libertad y la igualdad. La noción de contrato social era requerida para justificar la autoridad gubernamental. Bajo tal contrato los individuos rinden voluntariamente su libertad y su igualdad naturales. En completa autonomía, se ubican bajo un gobierno. De este modo, los individuos pueden transferir su autoridad natural al gobierno, no reteniendo nada para sí mismos. *Volenti non fit injuria:* ninguna injusticia se hace al que la quiere. Uno no puede quejarse de injusticia si uno estuvo de acuerdo en la institución del gobierno absoluto.

John Locke [1632-1704] estuvo entre los primeros pensadores modernos insatisfechos con esta construcción iusnaturalista de un Estado absoluto. Sus puntos de partida fueron los derechos inalienables de la vida, la propiedad y la libertad, los cuales no podían ser rendidos ni siquiera en un contrato. Desde el principio, por lo tanto, Locke limitó el contenido del contrato social al fin del disfrute pacífico de los derechos humanos naturales en un Estado civil. Los individuos rendían al gobierno sólo su competencia natural para defender sus derechos en su beneficio contra la intrusión de otros. De este modo, Locke puso la base para la visión liberal clásica del Estado. De acuerdo con este enfoque liberal, el Estado es una compañía de responsabilidad limitada organizada para proteger los derechos civiles de la vida, la libertad y la propiedad.

Es así que ya en la idea clásica liberal del Estado de Locke descubrimos una reacción del motivo libertad contra el motivo naturaleza que había gobernado las concepciones anteriores de la ley natural. Rousseau, sin embargo, no estaba satisfecho con esta reacción. Como Locke, procedió a partir de los libres e inalienables *derechos del hombre*. Pero Rousseau fue más allá de los derechos humanos esencialmente *privados legales*, que constituyen el fundamento de la ley civil privada, a la garantía *pública legal* de la libertad y la autonomía de la personalidad humana en los inalienables *derechos del ciudadano*. De este modo, Rousseau es el fundador de la clásica idea humanista de *democracia*, la cual pronto chocó con la concepción liberal clásica del Estado.

EL LIBERALISMO CLÁSICO

"¡Libertad e igualdad!" Este fue el eslogan indivisible de la Revolución francesa, la garantía de muerte para los remanentes del antiguo régimen [*ancien régime*]. Estuvo inscrito con sangre. Tanto durante como después del periodo de la restauración, muchos hablaron del tono hueco e irrealista de estos conceptos revolucionarios. Tales críticas, sin embargo, eran erróneas, y como resultado muchas flechas erraron el blanco en los intentos que se hicieron para refutar los principios de la Revolución francesa.

Indudablemente, los principios de la Revolución francesa estuvieron gobernados por el motivo básico humanista. Locke y Rousseau fueron sus apóstoles. Sin embargo, las teorías de la "ley natural" de estos pensadores perseguían dos metas concretas: a) el éxito de la *idea de Estado* en términos del derrumbe final de las estructuras feudales indiferenciadas; y b) el éxito de la fundamental idea de ley civil, *i.e.* la *idea de los derechos humanos*. Estas metas podían ser realizadas debido a que se encontraban enteramente en línea con el proceso de diferenciación que había empezado después de la Edad Media en la sociedad occidental y que estaba fundado en el orden divino para la historia humana. Ambas metas presuponían la realización de la libertad y la igualdad en un sentido específicamente *jurídico* y no, por ejemplo, en un sentido social o económico. Más aun, ambas iban juntas; un orden cívico legal no puede existir sin el orden del Estado.

Un Estado auténtico no está realmente presente en tanto que la autoridad para gobernar pertenezca en efecto, *como derecho feudal*, a las prerrogativas privadas de un gobernante que a su vez puede transferirla, venderla o prestarla a oficiales de su ámbito o incluso a personas privadas. De acuerdo con su naturaleza y estructura interna, el Estado es una *res publica*, una "entidad pública". Es una institución cualificada por la ley pública, una comunidad de gobierno y súbditos típicamente fundada en el monopolio del poder de la espada dentro de un territorio dado. Como Groen van Prinsterer declarara en su segundo periodo, todo Estado verdadero tiene un carácter *republicano*.

Es así que la división de las formas del Estado en monarquías y repúblicas, hecha comúnmente desde Maquiavelo, es básicamente incorrecta. La palabra *república* no indica nada acerca de la forma de gobierno. Meramente significa que el Estado es una institución pública más que privada. Pero la palabra *monarquía* pertenece a una forma de gobierno; el gobierno aquí es monárquico, esto es, una sola persona es la cabeza del gobierno. Conversamente, la palabra *monarquía* no se relaciona con la cuestión de si una monarquía posee el carácter del Estado como república. En el transcurso de la historia muchas monarquías han carecido del carácter de un Estado, puesto que la autoridad gubernamental funcionaba no como una oficina al servicio de la *res publica*, sino como la propiedad particular de un gobernante particular. La jurisdicción gubernamental era una prerrogativa feudal indiferenciada. En tales casos uno debía hablar no de un Estado, sino de un reino (*regnum*) que era la propiedad de un rey. No todo reino es un Estado.

No obstante, la forma monárquica de gobierno no es incompatible con el carácter de una república. La autoridad real puede funcionar como la oficina más alta dentro de la *res publica*. La oposición entre "monarquía" y "república" sólo surgió debido a que la visión indiferenciada de la autoridad real, como prerrogativa privada del gobernante, fue mantenida por un tiempo tan largo precisamente en el entorno monárquico. Esta es también la razón por la que muchos teóricos de la ley natural en la tradición humanista ligaron la idea del Estado con la de *soberanía popular*. Parecía que sólo la soberanía del pueblo cumplía con la visión de que el Estado es una *res publica*. Más aun, a la luz del motivo religioso básico del humanismo, la soberanía popular parecía el único modo de justificar la autoridad gubernamental ante el foro de la personalidad libre y autónoma.

Tomás Hobbes, con su agudo intelecto, rápidamente detectó la debilidad en la concepción de la soberanía popular en la que el pueblo y el Estado eran identificados. Después de todo, en esta construcción, el "pueblo" no era sino un agregado de *individuos* que hacían contrato entre sí para rendir su libertad e igualdad y así entrar en una relación estatal. Pero Hobbes vio claramente que sin un *gobierno* este "pueblo" no puede formar una unidad política, un *Estado*. Sólo en la persona del gobierno se convierte el pueblo en un órgano corporativo capaz de actuar por sí mismo. El gobierno representa la unidad del pueblo. Por esta razón Hobbes rechazó la noción de que pueblo y gobierno pueden ser vistos como partes iguales que entran en contrato para dirimir el contenido de la autoridad gubernamental. En vista de esto, Hobbes no tenía ninguna utilidad para la noción de una soberanía popular que supuestamente existía antes y aparte del cuerpo político. Solamente el *gobierno*, como representante de la unidad del pueblo, es el verdadero *soberano*. El pueblo no podía nunca protestar contra la injusticia del soberano, puesto que sus acciones abarcaban las acciones del pueblo.

Aunque Hobbes intentó justificar primeramente la monarquía absoluta de los Estuardo, tuvo pocas dificultades para aislar su posición de la forma monárquica de gobierno cuando la Revolución puritana temporalmente desbancó a los Estuardo, estableciendo la autoridad del parlamento británico. La soberanía también podía ser investida en un cuerpo como el parlamento.

La teoría liberal clásica de John Locke estaba dirigida contra el concepto absolutista de soberanía de Hobbes, la cual dejaba al pueblo desprotegido ante su gobernante. Locke reinstauró la soberanía popular como la base del carácter republicano del Estado. Sin embargo, no cometió el error de ligar la soberanía popular con una forma específica de gobierno, argumentando solamente que la forma democrática de gobierno en el sentido de un gobierno representativo garantiza mejor la libertad del pueblo. Para Locke, la corona representaba meramente al pueblo soberano incluso en una forma monárquica autocrática de gobierno. Si estaba claro que el rey ya no promovía la causa del pueblo y del bien común, y si el pueblo carecía de instituciones democráticas y parlamentarias, entonces el pueblo podía acudir a la revolución. En tal caso, el pueblo sólo ejercitaba su derecho original de soberanía, pues un monarca despótico que meramente persigue sus intereses privados no es la cabeza del Estado, sino tan solo una persona privada.

Es así que en Locke la idea de la representación del pueblo adquirió un sentido *republicano* que estaba genuinamente relacionado con la idea de *Estado*. Este rasgo republicano distinguía la idea moderna de representación de las prácticas feudales de la Edad Media, cuando los estamentos (nobleza, clerecía y villanos) actuaban como representantes de sus respectivos "súbditos" ante sus señores.

La teoría política de Locke es un ejemplo principal de liberalismo clásico porque ve el Estado como una asociación entre individuos a la que se ingresa con el propósito de establecer una protección organizada de los naturales e inalienables derechos humanos; *i.e.* la libertad en el sentido de autonomía privada, propiedad y vida. Estos derechos humanos constituyen la base de la *esfera de la ley civil privada*, donde todos los hombres sin discriminación pueden disfrutar libertad e igualdad legales. Estos derechos no fueron transferidos al Estado en el contrato social. El compacto social sólo transfiere al Estado la libertad natural de uno *de defender* el derecho propio a la vida, la libertad y la propiedad. En la sociedad civil toda persona es libre, mediante el trabajo, de adquirir propiedad privada y de disponer de ella autónomamente. Esta libertad está garantizada por el poder del Estado y sujeta a limitaciones requeridas por el bien común de acuerdo con la ley.

El contrato social es así la avenida mediante la cual los individuos decide entrar en el cuerpo político para un propósito limitado y específico. Pero el contrato social también abarca un contrato de autoridad por el cual estos individuos se sujetan de una vez por todas a la voluntad de la mayoría en el ejercicio del más prominente derecho de la soberanía, a saber, la institución del poder legislativo. El pueblo soberano posee, así, lo que los teóricos franceses describen como el *pouvoir constituant*, el poder original legal para instituir un cuerpo legislativo. El pueblo ejerce este poder legislativo sólo mediante la *representación*, no *directamente* como argumentó Rousseau en su concepción democrática radical.

La concepción liberal del Estado de Locke no implicó un derecho universal de voto por parte de todo ciudadano. Estuvo perfectamente satisfecho con una limitación de la franquicia a una clase socialmente privilegiada, como fue el caso en la monarquía constitucional inglesa de su día. La libertad y la igualdad en la "sociedad civil", en el orden legal privado, no implicó en lo absoluto igualdad en los derechos políticos de los ciudadanos, y ciertamente no una así llamada "democracia económica". El ideal democrático de Locke no se extendió más allá de las exigencias de que el rey ejerciera su poder legislativo sólo a través del parlamento, el representante constitucional del pueblo, y de que el rey se sujetara a todas las leyes del parlamento. Su ideal democrático se dirigió sólo contra la prerrogativa privada y el derecho divino [*droit divin*] del monarca, puesto que ambos contradijeron la idea humanista de libertad y autonomía de la personalidad humana. Orientado hacia lo que los ingleses llaman "el imperio de la ley", el ideal de Locke debe ser entendido contra el trasfondo de la monarquía constitucional de Guillermo de Orange. Posteriormente, este ideal mismo entró en conflicto con la noción de democracia radical, el evangelio político predicado por Rousseau en la víspera de la Revolución francesa.

Para el liberalismo clásico la democracia no era un fin en sí mismo. Más bien, era un *medio* para proteger los derechos civiles privados. Cuando la democracia fue posteriormente elevada al rango de fin en sí mismo [*Selbstzweck*] sobre la base del motivo humanista de la libertad, la democracia se desarrolló de una manera antiliberal. Esta línea de desarrollo fue la de Rousseau.

Después de Locke, la idea clásica liberal de la democracia fue conectada con la idea de separación y balance de los poderes legislativo, ejecutivo y judicial del Estado. El pensador francés Montesquieu [1689-1755] fue un abogado principal de esta doctrina. Tomados juntamente, entonces, la siguiente configuración de ideas abarca la idea clásica liberal del Estado de Derecho [*Rechtsstaat*[2]]: el Estado es una democracia representativa fundada en la soberanía popular, sujeta a la supremacía constitucional de la legislatura, aunque con la separación y balance más grande posible de los tres poderes del Estado, y organizada para proteger los derechos civiles del individuo. Uno puede encontrar un penetrante análisis de esta posición en la excelente

---

[2] El término *Rechtsstaat* será traducido, por regla, como Estado de Derecho.

disertación de J. P. A. Mekkes, intitulada *El desarrollo de las teorías humanistas del Estado constitucional.*[3]

El motivo humanista de la libertad inspiró distintivamente la idea liberal de democracia. Pero en el contexto del liberalismo clásico este motivo estuvo expresado sólo en la doctrina de los *derechos humanos inalienables*, en los principios de libertad legal civil e igualdad. Como notamos arriba, la igualdad política de los ciudadanos no fue, definitivamente, una parte del liberalismo. La doctrina de los *derechos inalienables de los ciudadanos*, en el sentido de la teoría democrática radical de Rousseau, no es de origen liberal.

Pero, ¿acaso esta concepción liberal del Estado de Derecho incorpora el principio de la pura democracia, tal y como se ve de acuerdo con el motivo humanista de la libertad? ¡No, en lo absoluto! El principio entero de la representación, especialmente cuando es separado de la noción de franquicia universal, se halla inherentemente opuesto al principio de la pura democracia. Incuestionablemente, la idea liberal presuponía un fundamento aristocrático y de élite. La legislatura *representaba* meramente al pueblo dentro de la república. Con o sin la cooperación de un monarca, ejercía autoridad legislativa *independientemente* de sus constituyentes. La legislatura era la élite de un pueblo escogida de acuerdo con los estándares liberales de habilidad intelectual y riqueza. Los votantes mismos pertenecían a una élite. De acuerdo con los criterios liberales, sólo ellos eran capaces de cumplir con esta función política especial. En vista de su posición radicalmente democrática, el juicio de Rousseu sobre este altamente estimado liberalismo inglés fue sorprendentemente suave cuando escribió: "los ingleses creen que son libres. Pero se equivocan. Sólo son libres mientras escogen a los miembros del parlamento".

En realidad, el impacto del liberalismo clásico sobre el desarrollo del moderno Estado de Derecho es un resultado directo de la ausencia de una aplicación consistente del principio democrático. Esto no significa que el liberalismo —con su base y aplicación individualista y humanista— sea aceptable para nosotros. Pero apreciamos su mezcla de elementos monárquicos, aristocráticos y democráticos que ya Calvino recomendaba como una base para la forma del Estado relativamente mejor. Más aun, el principio de la independencia del parlamento frente al electorado se halla en completa armonía con el Estado como *res publica*. Más aun, el principio de una élite —cuando se le divorcia de sus indefendibles nexos con la propiedad de la tierra, el capital, o el intelecto— es un elemento aristocrático que la moderna literatura sobre la democracia crecientemente reconoce como contrafuerza necesaria a la influencia anarquista de las "masas" en la política gubernamental. Finalmente, la famosa enseñanza de Montesquieu sobre la separación y

---

[3] J.P.A. Mekkes, *Proeve eener critische beschouwing van de ontwikkeling der humanistische rechtsstaatstheorieën* (Utrecht/Rotterdam: Libertas, 1940).

el equilibrio de poderes dentro del Estado contiene un importante núcleo de sabiduría política que es fácilmente pasado por alto por aquellos críticos que sólo ven la insostenibilidad de su teoría.

Ciertamente, se necesitó poco esfuerzo para demostrar la imposibilidad de una separación absoluta de la legislatura, el ejecutivo, y los poderes judiciales en las personas que ocupaban estas oficinas. Los oponentes rápidamente señalaron que la separación de poderes no se encontraba en la constitución inglesa, como Montesquieu había aseverado. En nuestro día algunos han intentado salvar la teoría de Montesquieu sobre la separación de poderes interpretándola como una mera separación de funciones constitucionales que podían combinarse en el mismo oficial. Pero esta "corrección" le saca el corazón a la teoría de Montesquieu, interpretándola en un sentido puramente *legal*, mientras que pretendía ser una guía *política*. El pensador francés buscaba un equilibrio de poderes *políticos* dentro de la estructura del Estado. Buscaba lograr este equilibrio ubicando el poder "aristo-democrático" del pueblo en la legislatura y el poder aristo-crático o monárquico en la administración efectiva de los asuntos del país. Fue claro que en su concepción el poder jurídico como tal no podía tener significado *político*. Por esta razón se refirió a este poder como un tipo de "nulidad" [*en quelque façon nulle*] y como la mera "boca de la ley" [*la bouche de la loi*]. Desde un punto de vista constitucional esto desde luego no puede mantenerse. El poder de lo judicial, él mismo privado de importancia política, no debía sin embargo estar sujeto a la influencia política de la legislatura o el ejecutivo. Tenía que funcionar en el "equilibrio" de poderes para la protección de los derechos de los individuos.

Visto bajo esta luz, vemos que Montesquieu meramente elaboró el principio de la "moderación" [*modération*] en la democracia mediante una mezcla balanceada de formas políticas monárquicas y aristocráticas. Esto estuvo enteramente en consonancia con el marco liberal de la democracia representativa de Locke. Locke también consideró esencial un equilibrio de poderes políticos, lo cual estuvo muy en armonía con la supremacía *jurídica* del legislador. Intentó lograr este balance limitando la frecuencia y duración de las sesiones legislativas, de modo que la rama ejecutiva, al efectuar su tarea, no estuviera indebidamente influenciada por la presión política del parlamento. Aunque no incluyó lo judicial en su tríada de poderes, Locke mantuvo explícitamente que la independencia e imparcialidad de la cortes son condiciones necesarias para garantizar las libertades y derechos del individuo.

Lo que también merece nuestra atención es que el parlamentarismo que se desarrolló en Inglaterra bajo la casa extranjera de Hanover no estuvo de acuerdo con la idea liberal clásica de la democracia. La hegemonía política dada al parlamento y, tras él, al partido político electoralmente victorioso bajo su "líder", estuvo claramente en conflicto con la idea liberal de equilibrar los poderes políticos. El parlamentarismo en Inglaterra fue moderado por la autodisciplina de la nación, la adherencia a la tradición, el espíritu deportivo del "juego limpio", el respeto a los derechos individuales, y la aceptación del principio del elitismo. Pero en un país como Francia el parlamentarismo fue fácilmente transformado en una democracia radical plena. El ejecutivo fue reducido a una herramienta política de la asamblea, y a su vez la asamblea se convirtió en una herramienta política de las masas.

LA DEMOCRACIA RADICAL

Los comentadores modernos de la democracia son dados a contrastar el liberalismo con la democracia. El liberalismo, argumentan, está basado en el principio de la libertad; la democracia, en contraste, está basada en el principio de la igualdad. Cuando combatieron a su adversario común —a saber, los remanentes del feudalismo— el contraste entre estos dos principios básicos todavía no estaba claro. Como resultado, la Revolución francesa fue peleada bajo el eslogan de la libertad, la igualdad y la fraternidad.

Pero esta aproximación ciertamente está basada en un malentendido. Es un error causado por una falta de compenetración en el significado humanista clásico de los conceptos de libertad e igualdad. De seguro, existe un contraste fundamental entre liberalismo y democracia radical. El liberalismo aboga por una democracia moderada temperada por instituciones representativas, un equilibrio entre el poder monárquico del gobernante y el poder legislativo de la asamblea o parlamento, y la independencia de lo judicial para garantizar los derechos privados de libertad del ciudadano individual.

La democracia radical no podía aceptar ni el sistema representativo ni la idea liberal de separar y equilibrar los poderes políticos. No obstante, en tanto que la democracia radical descansara sobre su base humanista clásica, también estaba impulsada, de una manera incluso más fundamental, por el motivo humanista de la libertad. Rousseau, el apóstol de la democracia radical, fue también el vocero del ideal humanista de la libertad. Fue el primer pensador en atribuir primacía religiosa al motivo humanista de la libertad, por encima del motivo humanista de la naturaleza. Para él la autonomía, la autodeterminación de la personalidad humana, fue el más alto bien religioso que sobrepasaba con mucho el ideal clásico de la ciencia de controlar los fenómenos naturales a través de los métodos de investigación científicos naturales de la mente. En la idea radicalmente democrática del Estado de Rousseau, la igualdad de los ciudadanos constituía una aplicación radical del principio humanista de la libertad en la estructuración del Estado.

Para Locke, el padre del liberalismo clásico, la democracia no era un fin en sí mismo. Era meramente un medio para proteger la autonomía privada del individuo en la libre disposición de sus derechos de propiedad. La igualdad, desde su punto de vista, pertenecía a la esfera privada legal de la ley civil —la esfera de la *sociedad civil*. La concepción de la ley natural durante su día estuvo preocupada primariamente con mantener tanta libertad *natural* como fuera posible, la libertad de que el hombre disfrutaba antes de que el Estado fuera instituido. Locke no hizo ningún intento radical por aplicar el motivo libertad humanista al ejercicio de los derechos *políticos*. Nunca se refirió a derechos *constitucionales* inalienables de los ciudadanos o a una igualdad *constitucional* de los ciudadanos. Para él era autoevidente que los educados y los ricos, componentes de una élite, debían ser los participantes activos en la legislación. Incluso la elección de legisladores estuvo limitada a una élite. Se esperaba que una gran mayoría de ciudadanos se contentara con un papel pasivo en la política.

Pero para Rousseau el asunto crucial era la *libertad* política. Se ocupó de los derechos inalienables del ciudadano [*droits du citoyen*], en los cuales los derechos del hombre [*droits de l'homme*] habían de recibir expresión *pública legal*. Rousseau estaba por así decirlo religiosamente obsesionado con garantizar la libertad autónoma de la personalidad humana dentro de las restricciones del Estado. Ningún elemento de autodeterminación libre pudo perderse cuando el hombre hizo la transición del estado de naturaleza al estado de ciudadanía. Si el hombre rendía aunque fuera una parte de su libertad natural en el contrato social sin recibirla nuevamente en la forma más alta de derechos inalienables de ciudadanía activa, entonces la autodeterminación era inasequible. Para Rousseau, un sistema representativo como el de Inglaterra asaltaba la libre autodeterminación del hombre. El pueblo soberano no puede ser "representado", pues la representación fuerza al pueblo a rendir sus derechos de libre autodeterminación a una élite que entonces puede imponer su propia voluntad sobre el pueblo nuevamente y así esclavizarlo.

La idea liberal de separar los poderes políticos fue enteramente inaceptable a Rousseau por la misma razón. La soberanía del pueblo es indivisible, puesto que el derecho inalienable del pueblo a la autodeterminación libre y soberana es él mismo indivisible. ¿Qué beneficio da al hombre —en el marco de referencia humanista de Rousseau— retener parte de su libertad natural, *privada*, frente al Estado, si entonces se sujeta a leyes que no son de su propia hechura libre en su posición *pública* como ciudadano? Un Estado de este tipo es claramente ilegítimo ante los reclamos inalienables de la personalidad humana. Permanece como una institución de esclavitud. Sólo en un Estado basado en la falta de libertad y la dominación —un Estado que por lo tanto es *ilegal* ante el tribunal del ideal humanista de la personalidad— surge la necesidad de proteger los derechos privados del hombre, la necesidad de mantener intacto el remanente de libertades *naturales* frente al tirano.

Pero un Estado que es una auténtica expresión de la idea humanista de la libertad no puede reconocer la libertad *privada* del individuo *frente a sí mismo*. Tal Estado debe absorber completamente la libertad natural del hombre en la forma más alta de libertad política, de derechos ciudadanos activos que pertenecen inherentemente a todos los ciudadanos por igual y no meramente a una élite entre ellos. En un Estado verdaderamente libre el individuo no puede poseer derechos y libertades frente a la *res publica*, porque en tal Estado debe llegar a expresarse la libertad total del individuo.

En la concepción iusnaturalista de democracia radical de Rousseau, los individuos rendían toda su libertad natural al cuerpo político para recibir de regreso esta libertad, en un sentido político más alto, como miembros del Estado. En un Estado libre, todo ciudadano sin distinción se hace parte del pueblo soberano, un cuerpo que se da su propia ley. El derecho de legislación no puede ser transferido; es el derecho primario del pueblo soberano mismo. La ley debe ser la expresión de la voluntad comunal verdaderamente autónoma, la *volonté général*, que nunca está orientada a un interés privado, sino que siempre sirve al interés público [*salut public*]. Una verdadera ley no puede conceder privilegios a personas o grupos particulares, como en el sistema feudal. Si la ley impone cargas públicas, éstas deben afectar a todos los ciudadanos *por igual*. Aquí también la voluntad del cuerpo político requiere que todos los ciudadanos sean iguales ante la ley. El gobierno de la tierra no puede poseer ni poder político ni autoridad legal propia. Como magistrados, los gobernantes son meramente siervos del pueblo soberano, los cuales son removidos por su voluntad.

Como el Leviatán de Hobbes, la democracia radical de Rousseau es totalitaria en todo respecto. Expresa el motivo humanista de la libertad de un modo radicalmente político, en absoluta antítesis con el motivo bíblico de la creación subyacente al principio de la soberanía de las esferas. La noción de democracia radical contiene la paradójica conclusión de que la más alta libertad del hombre yace en el cabal absolutismo del Estado. Como declarara Rousseau: "el hombre debe ser forzado a ser libre" [*On les forcera d'etre libre*].

Pero esta crítica no puede cegarnos ante los importantes elementos de verdad en la concepción humanista clásica de la democracia de Rousseau. Distinguiéndose de las nociones feudales indiferenciadas de autoridad gubernamental, la idea del Estado de Rousseau trajo agudamente la concepción de *res publica* a primer plano. Todavía vio la igualdad, el fundamento de la democracia, en un sentido político estricto, como una excrecencia de la libertad del ciudadano dentro del Estado. Rousseau no fue una víctima de la decadencia interna de la idea democrática que vemos a nuestro alrededor hoy, cuando los hombres despojan al principio de igualdad su significado típicamente político al aplicarlo indiscriminadamente a todas las relaciones de la vida. Seguramente, algunas de estas tendencias niveladoras era observables entre ciertos grupos revolucionarios durante la Revolución francesa. El comunismo ya había empezado a anunciar su presencia. Pero estas tendencias no podían perseverar en tanto que la idea clásica del Estado, aunque era ella misma una absolutización humanista, retuviera su difícilmente ganado control sobre las mentes de los hombres. La batalla entre "libertad" e "igualdad" sólo podía empezar cuando la idea misma del Estado fuera arrastrada a los más recientes procesos de decadencia del humanismo.

SEPARACIÓN ENTRE CIENCIA Y FE

Hemos bosquejado el desarrollo de la cosmovisión del humanismo desde sus comienzos hasta su primera crisis interna. Hemos visto que el humanismo estuvo enraizado en el motivo religioso básico de la naturaleza y la libertad, un motivo que contiene un dualismo irresoluble.

Incuestionablemente, el motivo libertad fue la fuerza motriz más profunda del humanismo. Este motivo cobró cuerpo en el moderno ideal de la personalidad, el culto de la persona humana entendida como un fin en sí mismo. Liberado de toda fe en la autoridad dada, la personalidad humana intentó establecer la ley para sí mismo en completa autonomía y de acuerdo con sus propios estándares racionales.

La nueva visión de la naturaleza estaba enraizada en el motivo libertad. No estuvo inspirada en el motivo griego de la forma y la materia. También se sustrajo tanto del motivo básico de la revelación divina como del motivo básico catolicorromano de la naturaleza y la gracia. El hombre moderno vio la "naturaleza" como algo desconectado de poderes "sobrenaturales" y no influido por ellos; la "naturaleza" fue concebida como una realidad dentro del espacio y el tiempo a ser completamente controlada por la ciencia natural y la tecnología. El hombre creía que su libertad podría lograr su más alta expresión en su dominio sobre la naturaleza. Fue esta creencia la que llamó al ideal humanista clásico de la ciencia, el cual declaró que el método científico natural podía analizar y reconstruir la realidad como una cadena de causa y efecto completamente determinada y cerrada. Esta suposición fue la base del motivo humanista clásico de la naturaleza.

Pero también vimos que la aplicación consistente del motivo naturaleza no dejó lugar en la realidad para la libertad y la autonomía humanas. Desde el comienzo, la "naturaleza" y la "libertad" se hallaron en un conflicto irreconciliable. Fue la creciente conciencia de este conflicto lo que causó la primera crisis del humanismo. Al resolver las tensiones entre "naturaleza" y "libertad", algunos intentaron moderar las pretensiones del antiguo ideal de la ciencia limitando la validez de las leyes de la "naturaleza" a fenómenos sensoriales perceptibles. Por encima de este ámbito sensorial de la "naturaleza" existía un ámbito "suprasensorial" de libertad moral que no estaba gobernado por las leyes mecánicas de la naturaleza, sino por normas o reglas de conducta que presuponen la autonomía de la personalidad humana.

Esta fue la solución a la cuestión religiosa básica del humanismo preparada por el gran pensador alemán Emanuel Kant [1724-1804] cerca del fin del siglo diecinueve, la "Era de la Ilustración". Como Rousseau, Kant dio prioridad religiosa al motivo libertad del moderno ideal de la personalidad. La libertad, de acuerdo con Kant, no puede ser demostrada científicamente. Para él, la ciencia siempre está ligada a la experiencia sensorial, a la "realidad natural" tal y como se entendía en el limitado contexto de las propias concepciones de Kant. La libertad y la autonomía de la personalidad no se hallan en la naturaleza sensorial. Son *ideas prácticas* de la "razón" del hombre; su realidad suprasensorial permanece como un asunto de *fe*. Tal creencia no es la antigua fe enraizada en la autoridad eclesiástica o en la revelación divina; pues la fe sujeta a la autoridad no concuerda con el motivo de la libertad en el humanismo moderno. Más bien, como lo formulara Kant, ésta es una "fe razonable". Enraizada en la razón autónoma misma, se halla enteramente en concordancia con la autonomía de la personalidad humana.

En el pensamiento de Kant, el hiato que divide a la ciencia de la fe corre paralelo al hiato que separa la naturaleza de la libertad. Esto merece especial atención porque demuestra claramente que la división moderna entre fe y ciencia, que en línea con Kant muchos aceptan como una especie de evangelio, es enteramente religiosa. Esto debe ser claramente entendido porque esta división entre fe y ciencia es utilizada para descalificar cualquier intento bíblicamente motivado por reformar internamente el pensamiento científico como un "ataque a la ciencia misma". Pero la separación misma es religiosa. Inspirada por la *fe* humanista, esta pretendida división choca con el estado de cosas verdadero. Luchando por encontrar su anclaje religioso, y por localizar el firme fundamento de su vida, el hombre moderno encontró el significado último en su autonomía y libertad como un ser racional y moral. Pero este fundamento religioso amenazaba con hundirse bajo sus pies, pues el ideal clásico de la ciencia no le dejó ningún lugar. El primer intento por escapar de esta crisis religiosa consistió por lo tanto en *la separación entre fe y ciencia*.

La pasión religiosa que caracteriza la defensa actual de la "neutralidad de la ciencia" revela el verdadero origen de esta moderna actitud hacia la ciencia. La segunda está enraizada en el motivo humanista de la libertad y construyó un "ámbito de la naturaleza" acorde con la visión de la realidad prescrita por el ideal clásico de la ciencia.

El ideal de la ciencia —incluso en el sentido limitado de Kant— simplemente había tomado el lugar del orden divino de la creación en la conciencia moderna. Procedió de una concepción que negaba la naturaleza dada de muchos aspectos de la realidad, su carácter peculiar y las diferentes leyes que gobiernan estos aspectos respectivos. Este ideal de la ciencia dio lugar a la construcción de una "cosmovisión mecanicista" que, aunque en años recientes ha sido desacreditada por los hechos mismos, todavía da forma a la perspectiva de muchos. La posición mecanicista descansa sobre una sobrestimación y una absolutización de los fenómenos mecánicos que se presentan sólo en el aspecto del movimiento, y eso sólo en los así llamados procesos macro, los procesos de gran escala que en un sentido objetivo son accesibles sólo a la percepción sensorial. Pero cuando uno concibe los otros aspectos distintos de la realidad —tales como el orgánico, el lógico, el histórico, etcétera— en términos de movimiento mecánico, entonces resulta la imagen irrealista del ideal clásico de la ciencia. Uno está entonces predispuesto a pensar que todas las otras ciencias deben operar de acuerdo con los métodos de la física mecánica, creyendo que los procesos orgánicos, el sentimiento emocional, el desarrollo histórico de la cultura, los procesos lógicos, los procesos económicos, y así consecutivamente, deben ser enfocados científicamente y explicados como procesos de movimiento mecánico que están eternamente determinados dentro de la cadena de causa y efecto. Bajo estas suposiciones, el motivo humanista *naturaleza* tiene desde luego manos libres en el desarrollo de la ciencia y no dejará espacio para el motivo humanista de la libertad. El ideal clásico de la ciencia no toma en cuenta el *orden de la realidad* puesto por Dios el creador. En este orden detectamos la gran diversidad de aspectos, cada uno con su propia naturaleza y ley irreducibles, que proclama la sorprendente riqueza y armonía de la sabiduría creativa de Dios. El ideal clásico de la ciencia rechaza esta gran diversidad en el orden de la realidad.

Cuando Kant llamó a detener la ulterior expansión del ideal de la ciencia manteniéndolo fuera del "ámbito suprasensorial de la libertad" —el refugio del ideal humanista de la personalidad— no estaba motivado por un respeto hacia el orden de la creación de Dios, sino por el motivo humanista de la libertad. Este motivo de la libertad no podía tolerar más límites de los que podía el ideal clásico de la ciencia.

La imagen ideal de la realidad diseñada de acuerdo con la ciencia mecánica era descolorido y monótono. Era como quien dice un moderno moloch que devoraba todo lo que cayera víctima de su poder sugestivo. Ni siquiera la enrarecida atmósfera del mundo de las ideas de Kant en el ámbito suprasensorial de la libertad podía soportar la influencia de esta visión de la realidad. Bajo una guisa diferente, el ideal de la ciencia recobró su supremacía original en el siglo diecinueve.

También hemos visto cómo este ideal de la ciencia influenció la teoría política para crear una sociedad a imagen de la ciencia. Hemos visto que el Estado fue disuelto en un agregado de individuos bajo la influencia del modo de pensar científico natural. Atándose juntos contractualmente, los individuos se sujetaban a una autoridad absolutamente soberana. El moderno

Estado fue construido de acuerdo con el modelo mecanicista de máquina —un instrumento de control, como en la teoría iusnaturalista de Tomás Hobbes, el coetáneo humanista de Cromwell.

También notamos que el motivo libertad en la doctrina humanista de la ley natural raccionó contra esta imagen mecanicista y absolutista del Estado. El liberalismo clásico, defendido también por Kant, buscó poner al Estado al servicio de la libertad individual. Pero incluso el "individuo libre" permaneció como un "elemento" de la sociedad. Desplegó las señales inconfundibles del pensamiento científico natural del día. Debido a su sobrestimación de lo individual, el liberalismo se volvió irrealista, descolorido y ajeno a la realidad social.

No obstante, la enseñanza humanista de la ley natural tuvo una gran importancia para la evolución tanto de la idea moderna de Estado como de la idea de ley civil privada con sus principios básicos de derechos humanos, libertad, e igualdad ante la ley. Lo mismo debe decirse de las variadas concepciones de democracia desarrolladas sobre una base humanista: democracia representativa y democracia radical o directa.

Es necesario que mantengamos el panorama completo de la primera fase de desarrollo del humanismo claramente a la vista para entender la enorme reacción del motivo libertad contra el modo clásico de pensar en el periodo subsecuente del humanismo.

VII

REDIRECCIÓN ROMÁNTICA

La Revolución francesa finalmente tradujo en realidad política las nociones individualistas en la teoría humanista de la ley natural. Sin embargo, la Revolución pronto fue seguida por la gran reacción del periodo de la Restauración. El periodo de la Restauración inició un nuevo trastorno espiritual dentro de la cosmovisión humanista. Era un tiempo de fermento y confusión espiritual en el que muchos nuevamente soñaron con una síntesis entre cristianismo y humanismo, como en nuestro periodo de la posguerra. Pero en la realidad el humanismo mantenía el liderazgo espiritual absoluto en la cultura occidental.

EL NUEVO IDEAL DE LA PERSONALIDAD

El viraje religioso dentro de la cosmovisión humanista ocurrió a partir de su dinámica más profunda; a saber, el motivo libertad del ideal de la personalidad. Durante el periodo de la restauración el ideal de la personalidad empezó a emanciparse de las influencias del motivo clásico de la naturaleza y su imagen mecanicista del mundo. El ideal de la personalidad adquirió una nueva e irracional forma que asimiló y reinterpretó muchos motivos cristianos en un estilo humanista. Incluso los cristianos y estadistas prominentes, tanto catolicorromanos como protestantes, fueron engañados por esto y vieron erróneamente el nuevo movimiento espiritual como un aliado confiable en su batalla fundamental contra los principios revolucionarios. Intentaremos bosquejar este nuevo movimiento espiritual dentro del humanismo en términos de la dialéctica interna del propio motivo básico del humanismo.

Como vimos antes, Kant había confinado el ideal clásico de la ciencia y su visión mecanicista de la naturaleza al área de los fenómenos sensorialmente perceptibles. Pero dentro de este limitado ámbito de la "naturaleza" había aceptado completamente el ideal de la ciencia. En su concepción, "naturaleza" y "libertad" estaban separados entre sí por un abismo infranqueable, aunque concedió prioridad religiosa al motivo libertad. Sin embargo, incluso en la visión de Kant de la libertad y autonomía de la personalidad humana uno puede detectar claramente la influencia de la actitud científico natural de la Ilustración. Después de todo, retuvo la orientación *individualista* y *racionalista* de la Ilustración en su propia visión de la naturaleza humana.

En la cosmovisión racionalista del ideal clásico de la ciencia no había lugar para un reconocimiento propio de la *verdadera individualidad de las cosas*. Después de todo, la irreducible individualidad no encajó en una visión de la naturaleza en que todos los fenómenos complejos eran disueltos en sus "elementos" más simples y descoloridos, y completamente determinados por las leyes universales de la naturaleza. En esta visión, un fenómeno particular puede ser reducido a un caso específico que ejemplifica la validez de una ley o regla universal.

En la concepción de la personalidad humana de Kant uno puede detectar este tipo de racionalismo. En su caracterización de la autonomía de la personalidad humana, el verdadero *autos* humano (la ipseidad o el ego) sólo es conocido mediante la forma universal de la ley moral (el *nomos*). La rigurosa ética de la ley de Kant no dejaba lugar para reconocer el valor de la disposición *individual*. Con respecto a la ley moral universal, todos los hombres eran meramente "individuos" indistintos que carecían de real individualidad.

Conversamente, la visión racionalmente individualista de la personalidad de Kant no concedió a la verdadera idea de *comunidad* su justo lugar. Kant compartió con la entera Ilustración la visión individualista de la sociedad producida por una sobrextensión del modo de pensar científico natural. Para él, el Estado es un agregado de individuos unidos bajo reglas legales generales de conducta mediante un contrato social. Para él, incluso el matrimonio no es una verdadera comunidad. Lo vio meramente como un contrato entre dos individuos de diferente sexo para la posesión mutua y duradera de sus respectivos cuerpos.

El Romanticismo y el movimiento de la "Tormenta y la Tensión" [*Sturm und Drang*] se opuso agriamente a esta visión racionalista e individualista del ideal de la personalidad. Para el Romanticismo, el motivo de la libertad exigía un entendimiento diferente de la personalidad. La "moralidad burguesa" de Kant fue ridiculizada ya en los años tempranos de la era Romántica. Los románticos no deseaban interpretar la autonomía de la persona de tal manera que el *autos* humano, el verdadero yo, se perdiera en el *nomos*, la ley moral universal. Por el contrario, para ellos el *nomos*, la regla para la conducta humana, debía encontrar su origen en la plena individualidad del *autos*, en la disposición individual del hombre. ¡La personalidad humana debe ser, desde luego, ley para sí misma! Pero, si esto se toma seriamente, entonces la ley debe ser completamente *individual*, en armonía con la disposición y especial llamamiento de cada persona.

El Romanticismo temprano puso esta "ética del genio" en contra de la "ética burguesa". La tesis de que las leyes generales están completamente opuestas a la verdadera moralidad tipificaba el cambio de una concepción racionalista a una irracionalista de la personalidad humana. El viraje del humanismo hacia el otro extremo, un viraje que descartó completamente la validez de leyes universales obligatorias, condujo a peligrosas consecuencias anarquistas, particularmente en el área de las relaciones sexuales.

El Romanticismo temprano desarrolló la "moralidad del genio" especialmente en la dirección estética. Para Kant, la individualidad era tan válida en el ámbito del arte como en el ámbito de la vida orgánica. Pero Kant no entendió esta validez de un modo científico, el cual está dirigido a determinar los estados de cosas *objetivos* en la realidad. Más bien, las demandas del individuo con respecto al arte se hicieron sobre la base del poder *subjetivo* de juicio del hombre, el cual no puede pretender captar la realidad objetivamente, sino que hace juicios sólo sobre la base de las impresiones subjetivas de un arreglo con propósito que la naturaleza hace en la facultad de juicio de uno. Sólo en relación con esta restricción trató Kant el genio del artista y habló de la impresión de la "armoniosa relación entre naturaleza y libertad" que la obra de arte opera en la facultad estética de juicio de uno.

El Romanticismo hizo hizo de esta concepción de la obra de arte su punto de partida y lo transfirió a la "ética del genio". Por ejemplo, la rendición sexual de una mujer a un hombre por amor espontáneo —muy aparte de los nexos burgueses del matrimonio— fue glorificada como armonía estética entre la "naturaleza sensorial" y la "libertad espiritual". El romance *Lucinde* de Friedrich Schlegel glorificó este tipo de "amor libre", el cual sólo esta guiado por la armonía de las inclinaciones espirituales y sensuales del hombre y la mujer individuales.[1] Johann Fichte [1762-1814] también defendió este "amor libre" en un periodo de su pensamiento.

La glorificación romántica del amor sexual fue característica de un nuevo tipo de individualismo que surgió como resultado de un viraje del racionalismo al irracionalismo. El Romanticismo llamó a sus adherentes a expresar esta inclinación subjetiva e individual en una armonía estética entre la sensual *naturaleza* y la espiritual *libertad* sin tomar en cuenta en lo absoluto la reglas generales de la ética establecidas para guiar a las "masas" sin espíritu.

Para escapar de las implicaciones anarquistas de su nuevo ideal de la personalidad, el Romanticismo irracionalista necesitaba descubrir *límites* para la libertad individual de la personalidad autónoma. Pero tales límites desde luego no podían ser buscados en una ley moral universalmente válida. Sólo podían ser encontrados viendo la persona individual como miembro de una *comunidad* omniabarcante que poseía de modo único disposición y personalidad individual. La concepción racionalista de la persona como un individuo no descrito —una concepción en la que sólo la *idea general* de libertad y

---

[1] *Friedrich von Schlegel's Lucinde and the Fragments*, traducido con una introducción por Peter Firchow (Minneapolis: University of Minnesota Press, 1971). *Lucinde* fue publicado por primera vez en 1799.

autonomía exigía realización práctica— tenía que ceder ante una concepción irracionalista de la personalidad libre como un miembro completamente individual de la *comunidad espiritual de la humanidad*, la cual se diferencia en una variedad de comunidades individuales *parciales* tales como los pueblos y naciones del mundo.

Parecía que con este cambio el Romanticismo había dotado a la antigua idea abstracta y racionalista de ciudadanía mundial con un contenido mucho más rico, lleno de individualidad. La personalidad autónoma y libre podía ahora expresar plenamente su inclinación individual. Pero la individualidad de la persona única está codeterminada por la individualidad de su familia, su pueblo, y la comunidad nacional de la que es miembro. El Romanticismo ya no reconoció la existencia de un "hombre universal" como un individuo no descrito con derechos individuales; vio la personalidad individual sólo como un miembro de este todo individual nacional.

El ideal humanista de la personalidad fue profundizado y ampliado como un *ideal comunitario*. En su viraje irracionalista adquirió simultáneamente un carácter universal. La libertad y la autonomía fueron concebidas como la libertad y la autonomía de la comunidad individual de personas. Este universalismo es la ideología de la comunidad.*

LA IDEOLOGÍA DE LA COMUNIDAD

Nos hemos familiarizado ya con la concepción universalista del ideal huma-nista de la personalidad. Hemos visto cómo el Romanticismo, el cual adquirió su influencia espiritual después de la Revolución francesa, resistió el entendimiento individualista del motivo libertad del humanismo. Influen-ciado por el ideal clásico de la ciencia, el cual explica todos los fenómenos complejos en términos de sus elementos más simples, de acuerdo con el método científico natural, la antigua concepción de la sociedad explicaba el orden social en términos de sus componentes elementales. El individuo libre y autónomo fue visto como este componente elemental que así constituía el punto de partida para la moderna concepción de la ley de la naturaleza y la teoría iusnaturalista de la sociedad humana. Como vimos anteriormente, esta teoría individualista era *racionalista*; esto es, la teoría intentaba disol-ver lo que era irracional —a saber, la incomprensible individualidad de la vida humana subjetiva— en casos racionalmente inteligibles y transparentes de leyes universales. El modelo y guía para este intento era el pensamiento científico natural del día. El ideal clásico de la ciencia buscaba controlar racionalmente la "naturaleza" descubriendo las leyes generales que gobier-nan los fenómenos. Para este fin era esencial que los "componentes", en

---

* Aquí se encuentra el origen de la ahora en boga doctrina "comunitarista", la cual se presenta como la alternativa al racionalismo abstracto del liberalismo. Como se puede ver, no se trata de nada nuevo. [N. del T.]

términos de los cuales los fenómenos habían de ser entendidos, fueran despojados de cualesquiera características irracionales, de modo que pudieran ser captados en conceptos claros y transparentes.

Es así que el "individuo autónomo", en términos del cual los fenómenos sociales complejos eran construidos, fue el componente *racional* de todas las relaciones sociales, despojado de toda auténtica individualidad y dotado sólo con las facultades *universales* de la razón y la voluntad, las que fueron vistas como autónomas y libres en concordancia con el motivo humanista de la libertad. Este fue el trasfondo de la proclama de la Revolución francesa: libertad e igualdad para todo ser humano individual.

En contra de esta visión individualista y racionalista del ideal humanista de la personalidad, el Romanticismo postuló su concepción universalista e irracionalista. Para el Romanticismo, la libertad autónoma de la personalidad humana no yace en un "individuo" universal e intercambiable, sino en la disposición y el genio cabalmente individual de cada persona. De acuerdo con el motivo básico humanista, la disposición individual y racional del hombre es ley para sí mismo. (Esta concepción debe ser descrita como *irracional* porque la disposición de la persona individual no puede ser captada en términos de un concepto universalmente válido.) Un genio como Napoleón, por ejemplo, no puede ser juzgado en términos de estándares universales. La libertad autónoma del hombre requiere que el genio sea entendido en un sentido estrictamente individual.

Para evitar las implicaciones anarquistas de esta ruptura con las leyes y normas universales para el juicio, el individualismo necesitaba restringir la personalidad individual de alguna manera. Los límites a la expresión de la personalidad se encontraron no en una ley general que juzgara a todos los hombres, sino sólo en la membresía individual en una comunidad humana más alta que fuera ella misma individual de modo único. El Romanticismo entronizó la comunidad nacional y su espíritu nacional, cabalmente individual [*volksgeest*]. Esta comunidad reemplazó al indistinto individuo de la ley natural humanista y de la Revolución francesa. Los individuos abstractos, casos del concepto general "hombre", no existen. Lo que existe es individuos alemanes, franceses, ingleses, holandeses; y su individualidad está determinada por el carácter individual de su pueblo [*volk*]. Comparten ese carácter porque han salido orgánicamente [*naturwüchsig*] de un pueblo específico. El carácter completamente individual o espíritu de un pueblo es también la fuente autónoma y libre de su cultura, Estado, sistema legal, arte, costumbres sociales y estándares morales. En otras palabras, las reglas morales y las leyes positivas válidas para las relaciones sociales son los productos autónomos del espíritu de un pueblo individual y por lo tanto no pueden servir como los estándares normativos para otros pueblos que poseen un diferente carácter o disposición individual. Este es, pues, el cambio irracionalista y universalista en el motivo libertad humanista.

Una nueva *ideología de la comunidad* fue el resultado inmediato de este cambio. El Romanticismo opuso el evangelio de la *comunidad* autónoma e individual al evangelio del *individuo* autónomo sin descripción. Tanto el Romanticismo como todo el postkantiano "idealismo de la libertad" se aferró a la idea de una "comunidad de la humanidad" de la cual todas las otras comunidades eran partes individuales. Esta idea constituyó la "idea de la humanidad" del Romanticismo o, en las palabras de Goethe, el respeto a todo lo que "comporta el rostro humano" [*was Menschenantlitz trägt*]. Pero la comunidad de la humanidad permaneció como un ideal eterno y supra-temporal que se manifiesta en la sociedad temporal sólo en comunidades nacionales individuales.

Confío en que a estas alturas sea evidente el origen intrínsecamente huma-nista de esta nueva ideología comunitaria. Esto es un asunto crucial, puesto que esta ideología nuevamente plantea una amenaza peligrosa en nuestro propio día, en tanto que está irreconciliablemente involucrada en una bata-lla contra el motivo básico escritural de la creación, la caída y la redención en Jesucristo.

La ideología comunitaria claramente entra en conflicto con el motivo escritural de la creación. Quienquiera que tome en serio el motivo bíblico de la creación nunca será guiado por la idea de un espíritu nacional autónomo que en su absoluta individualidad es su propia ley y estándar. Nunca verá una comunidad *temporal* como la totalidad de las relaciones humanas, de las cuales las otras esferas sociales serían meramente partes dependientes. Por el contrario, aceptará la soberanía de estas esferas, todas las cuales tienen un carácter distinto propio debido a su naturaleza interna creada. Nunca inten-tará reducir las interconexiones sociales horizontales [*maatschapsbetrekkin-gen*], entre distintas comunidades o entre personas individuales en sus rela-ciones coordinadas, a nexos comunales. En otras palabras estará en guardia contra cualquier sobrextensión o absolutización de una comunidad tempo-ral a expensas de relaciones sociales que, debido a su naturaleza inherente, son no comunales por naturaleza. En breve, quienquiera que se tome en serio el motivo bíblico de la creación nunca será capaz de aceptar el dilema entre individualismo y universalismo, la exaltación ya sea del "individuo autárquico" o de la "comunidad autónoma".

Para algunos es difícil entender que el universalismo, con su ideología comunitaria, es esencialmente aescritural. ¿Por qué es que muchos cristia-nos condenan el individualismo pero creen que el universalismo, el cual ve la sociedad temporal como una comunidad total de partes orgánicas, es básicamente una noción cristiana? La solución a este enigma no es difícil. Apelan a enunciados bíblicos que enseñan que Dios hizo a toda la humani-dad "de una sangre" [Cf. Hechos 17:26]. La escritura misma proclama que la humanidad es una gran comunidad, originada en Adán y Eva. ¿No esta precisamente la aseveración de la teoría universalista de la sociedad? ¡Ciertamente no! El origen *genético* o el modo en que la raza humana se originó con respecto a su existencia corpórea no arroja ninguna luz sobre el carácter interno y estructura de las temporalmente distintas esferas de la vida en que Dios nos ha ubicado.

Si llevamos la aceptación cristiana del universalismo a su conclusión lógica, el argumento procede como sigue. La sociedad temporal de la humanidad es una gran comunidad *familiar* fundada sobre los nexos de la sangre. Esta comunidad familiar es una totalidad temporal de la cual todas las esferas de la vida son meramente partes orgánicas. Es así que los lazos de parentesco, las familias individuales, los Estados, las comunidades eclesiásticas, las estructuras económicas, el comercio y la industria son todas igualmente partes de la comunidad familiar del hombre. Puesto que las partes deben obedecer la ley del todo, el principio de la familia es la verdadera ley para toda esfera específica de la vida.

Pero, debemos preguntar, ¿se halla de veras en armonía con la escritura el sujetar la vida del Estado a la ley que gobierna la familia? Y es posible operar una moderna empresa industrial de acuerdo con el ejemplo de la familia? Claramente, quienquiera que piense en términos de este tipo de universalismo debe empezar por eliminar las naturalezas internas de las variadas esferas de la vida que existen independientemente de la manera en que la raza humana assume una forma corporal en el curso del tiempo.

Pero incluso un pensador como Abraham Kuyper, el gran campeón del principio de la soberanía de las esferas, ocasionalmente se extravió en esta trampa universalista al apelar al génesis de la humanidad a partir de "una sangre". Dondequiera que siguió esta dirección fue susceptible a la teoría universalista de la "comunidad nacional" entendida como un todo individual que abarca todas las esferas sociales humanas. Entonces la doctrina de Kuyper de la soberanía de las esferas recibió un viraje en el que los claros contornos escriturales de su famoso discurso *Soberanía de las esferas*[2] difícilmente podían ser reconocidos. Entonces Kuyper designaría a la "nación" y el "gobierno" como dos esferas soberanas de la vida: la nación [*volk*] como la comunidad total e individual que abarcaba toda relación social natural, "orgánicamente cultivada"; y el gobierno como un artificio mecánico "quirúrgico" que no podía entremeterse en los derechos de un "pueblo soberano". Entonces el Estado es nuevamente malentendido con respecto a su propia naturaleza, con el resultado de que las esferas no políticas de la sociedad son interpretadas como partes del Estado, puesto que son elementos dependientes de la vida nacional del pueblo [*volk*]. Entonces notamos la aparición de la peligrosa noción de "franquicia orgánica" y la defensa de un sistema en que

---

[2] Abraham Kuyper, *Souvereiniteit in eigen kring* (Amsterdam: J. H. Kruyt, 1880). Esta conferencia fue dictada en la apertura de la Universidad Libre de Amsterdam.

se representan los intereses "corporativos" así como los "políticos". Entonces la "soberanía de las esferas" es reducida a la garantía constitucional de oposición parlamentaria contra las usurpaciones del poder por parte del gobierno.

En contraste, la Palabra de Dios nos enseña a ver todas las esferas temporales de la sociedad en términos de la comunidad radical creada [*wortelgemeenschap*] de la humanidad que se apartó de Dios en Adán pero fue restaurada a la comunión con Dios en Jesucristo. Pero esta comunidad radical de la humanidad, que nos ha sido revelada en la Palabra de Dios, no es de naturaleza *temporal*. Exhibe un carácter *espiritual, religioso central*. Toca la relación del hombre con Dios.

Si tomamos nuestro punto de partida en la revelación de la comunidad radical espiritual de la humanidad, entonces estamos en una implacable antítesis con toda ideología comunitaria universalista que considere a una comunidad temporal como la totalidad de las relaciones sociales. Sólo la comunidad espiritual radical en Jesucristo porta un carácter genuinamente *totalitario*. Toda otra ideología comunitaria se origina en el espíritu de las tinieblas.

EL NUEVO IDEAL DE LA CIENCIA

Hemos ahora trazado en algún detalle la redirección en la concepción del motivo humanista de la libertad. El enfoque universalista empujó a la visión individualista hacia el trasfondo. El racionalismo, que intentaba interpretar la sociedad a partir de sus elementos más simples —los individuos— y que trataba de reducir toda individualidad a una regla de regularidad universal, conceptualmente definible, cedió el paso a un irracionalismo que hizo lo opuesto: elevó la disposición individual o el espíritu de un pueblo al *status* de una regla especial que no puede ser aplicada otros pueblos y naciones.

Por supuesto que esta nueva concepción del motivo libertad tendría también repercusiones definidas en el ámbito de la ciencia. La posición científica natural del ideal clásico de la ciencia había perdido su atractivo; el nuevo enfoque universalista rechazó el método científico que dividía un fenómeno complejo en sus "elementos" más simples. En vez de ello, tomando su punto de partida en el todo individual, el nuevo universalismo procedió a entender el peculiar lugar y función de las partes en términos del todo. Su foco estuvo constantemente en la individualidad de los fenómenos.

La ciencia de la historia se prestó particularmente a la aplicación de este nuevo método, puesto que el historiador buscaba una compenetración en lo que era individual y único [*einmalig*]. Cuando intentaba describir los fenómenos históricos, la preocupación del historiador era captar los fenómenos en el contexto histórico de un periodo dado. Cuando analizaba el

Renacimiento Alto, por ejemplo, trataba con un *todo* histórico de un carácter completamente individual que inmediatamente se diferenciaba de acuerdo con las peculiariedades nacionales de los diferentes pueblos. En este tipo de estudio, el historiador no se ocupaba en encontrar leyes universales que determinaran el curso de los eventos individuales, que era el procedimiento mediante el cual la ciencia natural clásica buscaba determinar los fenómenos naturales.

Parecía, entonces, que el nuevo modo histórico de pensar se oponía al método científico natural en todo respecto. Por ejemplo, el enfoque histórico implicaba que uno debía ver el presente como dependiente del pasado. El desarrollo cultural ocurre sólo en conformidad con la línea de continuidad histórica. La tradición histórica es el eslabón que amarra el presente con el pasado. La tradición se encarna en los tesoros culturales que no son adquiridos por "individuos" aislados, sino en el transcurso de las generaciones. Esta tradición histórica, nuevamente, no es idéntica para cada nación, sino que presenta variantes individuales de acuerdo con el carácter individual o espíritu de un pueblo [*Volksgeist*].

Desde la perspectiva del motivo básico humanista, parecía que el desarrollo histórico constituía un nexo "dialéctico" entre "naturaleza" y "libertad". (*Dialéctica* se refiere entonces al proceso de ruptura a través de contrastes.) A primera vista, la "cultura" parece ser un producto libre y autónomo de un "espíritu individual nacional". Pero ulterior reflexión deja en claro que esta "libertad creativa" individual tiene su reverso en una escondida "necesidad natural". A diferencia de los pensadores de la Revolución francesa, los nuevos pensadores históricos no podían ver la "libertad" de una manera racionalmente individualista. Los líderes de la Revolución creyeron que estaban libres del pasado y que podían así buscar realizar sus ideas revolucionarias para todos los tiempos y pueblos. Pensaron que podían empezar con un "borrón y cuenta nueva" e introdujeron el calendario revolucionario con el año uno. Pero el modo histórico de pensar trajo a primer plano la dependencia de todo espíritu nacional respecto de su propio pasado individual y respecto de su propia tradición. Una "ley escondida" operaba en esta dependencia. Los románticos fueron dados a llamar a esta ley "divina providencia". Pero de manera igualmente frecuente la llamaron —sin referencia a la familiar terminología cristiana— el *destino* [*Schicksal*] de un pueblo.

Este nuevo modo histórico de pensar fue elevado al *status* de un *nuevo ideal de la ciencia* que demandaba reconocimiento no sólo en la ciencia de la historia, sino en toda área de la investigación científica. El *historicismo*, la nueva visión humanista de la realidad, se originó de este modo. Así como el ideal clásico de la ciencia del humanismo vio toda la realidad desde la perspectiva de la ciencia natural, el historicismo vio toda la realidad desde la perspectiva del desarrollo histórico. Así como el ideal clásico de la ciencia absolutizó el aspecto del movimiento mecánico, así el ideal de la ciencia histórica absolutizó el aspecto de la historia.

En la estimación del historicismo, el anterior modo científico natural de pensar no era válido ni siquiera en el área de los fenómenos naturales. La naturaleza, al igual que la cultura, requería de análisis histórico; pues, como la cultura humana, la tierra, los cielos, las plantas, y los animales, eran producto del desarrollo. La "historia natural" era el prefacio de la "historia cultural", la historia de la humanidad. La naturaleza misma contenía las trazas escondidas de la "libertad creativa". Los físicos habían descubierto recientemente fenómenos eléctricos que no podían ser fácilmente explicados en términos del modelo de movimiento mecánico. Para los románticos, esta inadecuación del marco mecanicista demostraba que incluso en la "naturaleza" el concepto de "causación mecánica" no podía ser mantenido consistentemente, puesto que la "libertad individual" operaba incluso en los fenómenos de la física.

Los románticos vieron un incremento gradual en la "libertad creativa" dentro de la "naturaleza", especialmente con referencia al mundo de los "organismos vivos", que eran preeminentemente adecuados al modo universalista de pensar. El organismo fue investigado no como un agregado mecánico de átomos, sino como un todo compuesto de partes orgánicas cuya función específica sólo podía ser entendida con referencia al todo individual. Así, la "naturaleza" misma revelaba un juego dialéctico entre "libertad" y "necesidad" que parecía ser coherente con el carácter histórico de toda la realidad. De este modo, el nexo entre universalismo e historicismo fue establecido sobre el espectro entero.

Al igual que el ideal clásico de la ciencia, el nuevo ideal de la ciencia histórica surgió del motivo libertad del humanismo. El enfoque histórico meramente le dio al motivo libertad una nueva dirección universalista e irracional. Pero el nuevo ideal de la ciencia no superó el conflicto interno dentro del motivo religioso básico del humanismo. A su debido tiempo, también entraría en conflicto con el motivo libertad. De hecho, el modo historicista de pensar causaría eventualmente una crisis interna dentro de la cosmovisión humanista. En nuestro día, esta crisis se muestra en el *desarraigo espiritual* del hombre moderno que busca vivir del motivo básico humanista.

Sin embargo, antes de que volvamos al más reciente curso de desarrollo dentro del humanismo, debemos prestar atención a dos asuntos importantes. En primer lugar, debemos notar la deplorable influencia del historicismo sobre aquellos pensadores y estadistas cristianos que habían asumido una posición contraria a los principios de la Revolución francesa. En segundo lugar, debemos tratar la alianza entre historicismo y sociología moderna (la ciencia de la sociedad humana) y apuntar los peligros que empezaron a amenazar el pensamiento cristiano desde este ángulo.

CONTRARREVOLUCIÓN Y CRISTIANISMO

Claramente, el viraje del humanismo hacia el modo histórico de pensar y la sobrestimación universalista de la comunidad fue un fenómeno reaccionario en la historia de Occidente. El verdadero significado del así llamado periodo de la Restauración, el cual siguió a la caída de Napoleón, estuvo profundamente permeado por estos nuevos motivos humanistas. La Restauración claramente desplegó la polaridad naturaleza-libertad del motivo religioso básico humanista. A la sobrestimación de la comunidad autónoma siguió la absolutización del individuo libre y autónomo en el periodo previo del humanismo. El irracionalismo contravino el exagerado énfasis sobre la ley y la regla universal al sobrenfatizar la individualidad y lo cabalmente único. Una sobrextensión del pensamiento historicista sustituyó la sobrextensión del pensamiento científico natural.

La nueva corriente dentro del humanismo fue *conservadora* en todo respecto. Defendió la tradición contra la irreprimible necesidad de renovación sentida por aquellos más progresivamente inclinados, aquellos que representaban los espíritus de la Ilustración y la Revolución francesa. El carácter conservador de esta dirección dentro del humanismo debe ser visto con claridad. La Ilustración del siglo dieciocho y la Revolución francesa fueron desde luego fuerzas renovadoras y progresistas en el desarrollo histórico. Aunque estaban enraizadas en el motivo básico humanista, cumplieron una tarea propia con respecto a la apertura de la cultura occidental. La idea de los derechos humanos y la idea de que el Estado es una institución republicana al servicio del bien común fueron los eslogans inspiradores en la batalla contra las condiciones indiferenciadas de la sociedad feudal.

En un contexto anterior, expliqué que las primeras indicaciones inequívocas de *progreso* genuinamente histórico han de encontrarse en la ruptura de las esferas indiferenciadas de la vida, las que abarcan a las personas en todas sus relaciones y que siempre tienen el carácter de comunidades totalitarias. Tan pronto como comienza el proceso de diferenciación, las comunidades indiferenciadas están destinadas a desaparecer. Entonces se rompen en esferas indiferenciadas, cada una de las cuales tiene su destino propio, pero ninguna de las cuales —en términos de su naturaleza interna— puede pretender ser la comunidad totalitaria que abarque al hombre en toda área de su vida. Sólo con este proceso de diferenciación se crea espacio para el reconocimiento de los *derechos del hombre como tal*, independientemente de la membresía de una persona en comunidades particulares como lazos de parentesco, nación, familia o iglesia. La ley civil privada [*burgerlijk privaatrecht*] es un producto de este proceso de desarrollo. En términos de su naturaleza interna, la ley civil privada está basada en los derechos del hombre y no puede tolerar dependencia de raza o nacionalidad. La libertad y la igualdad, en un sentido civil legal, fueron así no meramente eslogans huecos de la Revolución francesa.

Tales derechos humanos no existieron ni en la primitiva ley germánica ni en la sociedad feudal. Bajo el nazismo hemos experimentado lo que significa que la libertad civil legal y la igualdad sean abolidas, y que el *status* legal de un hombre dependa de la comunidad de "la sangre y el suelo".

Un sistema de ley privada civil sólo puede ser realizado cuando el Estado ha sido establecido como *res publica*, como una institución pública, para terminar el gobierno de señores feudales privados y para hacer de todos sus miembros sujetos por igual de la autoridad pública gubernamental en la libertad pública legal y en la igualdad.

Ambas instituciones —el sistema del Estado y el sistema de la ley civil privada— fueron introducidos plenamente por primera vez por la Revolución francesa.

Sin embargo, debido a los principios revolucionarios subyacentes a la Revolución, estos frutos no fueron producidos sin mancha. El individualismo humanista llevó a sobrextender la idea civil legal y la pública legal de libertad e igualdad. Por ende, no reconoció los derechos de las *comunidades* privadas, no estatales, en la sociedad. Sólo respetaba al *individuo* libre y autónomo y su contraparte, el *Estado*, el cual estaba fundado sobre los fundamentos traicioneros, individualistas, de la soberanía popular y el contrato social. Este individualismo revolucionario, el cual rechazaba no sólo la soberanía de Dios, sino también la soberanía de las esferas basada sobre ésta, no tenía un sentido de la continuidad histórica en la cultura y no podía proveer un fundamento estable para la autoridad gubernamental. La idea del Estado, difícilmente comprendida, se convirtió en la víctima de las consecuencias revolucionarias del principio de la soberanía popular. Francia presentó a Europa el espectáculo de una revolución permanente que sólo podía ser sofocada temporalmente por el puño de hierro de un dictador.

El periodo de la Restauración apeló a la nueva tendencia histórica y universalista dentro del humanismo para lograr apoyo en contra de este individualismo revolucionario y racionalista, ubicándose en el lado de la tradición histórica y presentándose como la fuerza de preservación y conservación. Difícilmente exhibió tendencias progresivas y renovadoras. Su importancia primaria se encuentra en su nueva compenetración en el desarrollo histórico, su énfasis en la individualidad nacional de los pueblos, y su énfasis en la comunidad contra el individualismo racionalista de la Revolución francesa, el cual ignoraba la importancia de las relaciones genuinamente comunitarias.

Pero la reacción de la Restauración contra los rasgos ahistóricos, racionalistas e individualistas de la Ilustración contenía grandes peligros. El nuevo historicismo alentaba una visión de la sociedad que excluía la aceptación de normas firmes y límites claros entre las estructuras sociales. La Restauración impedía una compenetración correcta en el significado de la Revolución francesa para la cultura occidental, al relativizar las diferencias básicas entre la estructura diferenciada y la indiferenciada de la sociedad. Su patrón de pensamiento universalista condujo a una peligrosa ideología comunitarista que ya no reconocía la esencial importancia de los derechos humanos ni la naturaleza interna de la ley privada civil. La Escuela histórica propugnó la falsa noción de que la ley civil es realmente ley popular [*volksrecht*] y pavimentó así el camino para el nacionalsocialismo con su ideología *volk*.

Lamentablemente, pensadores y estadistas cristianos líderes del periodo de la Restauración no percibieron el motivo básico humanista del nuevo movimiento espiritual. Tanto los pensadores catolicorromanos como los protestantes buscaron apoyo en el nuevo universalismo e historicismo en su batalla contra los principios de la Revolución francesa. Pensadores catolicorromanos como Louis de Bonald [1754-1840], Joseph de Maistre [1753-1821], y Pierre Ballanche [1776-1847], encontraron inspiración en el nuevo movimiento humanista para glorificar la belleza mística de la sociedad medieval y denunciar el frío racionalismo e individualismo de la Revolución francesa. Aseveraron que la sociedad medieval había logrado realizar el verdadero ideal de la comunidad. La vida "natural", formada orgánicamente en gremios y pueblos, estuvo cubierta por la comunidad "sobrenatural" de la iglesia, encabezada por el vicario de Cristo. Con estos pensadores, el modo histórico de pensar exhibió tendencias definidamente reaccionarias.

Aunque los protestantes rechazaban las características típicamente catolicorromanas de esta idea social reaccionaria, ellos también apelaron a las relaciones indiferenciadas de la sociedad feudal. Se hicieron aparentes aquí las tendencias contrarrevolucionarias que rechazaban la libertad civil legal y la igualdad, y la idea republicana del Estado, como frutos del espíritu revolucionario.

El bien conocido libro por el noble suizo Ludwig von Haller, *Restauration der Staatswissenschaften*,[3] incluso indujo a Groen van Prinsterer a este error durante la primera fase de su desarrollo. El peligroso *origen* del historicismo no fue sondeado. Los mismo fundadores de la Escuela histórica en Alemania eran devotos luteranos. Y la manera en que los románticos, particularmente el filósofo Friedrich Schelling [1775-1854], fueron capaces de eslabonar el historicismo con la doctrina familiar de la divina providencia, cegó a muchos creyentes. Los románticos ya no ridiculizaban la fe cristiana. Cerca del fin de su vida Schelling escribió *Philosophie der Offenbarung*, el cual parecía restaurar la dogmática cristiana ortodoxa a su lugar de honor al rechazar la estrecha

---

[3] Ludwig von Haller, *Restauration der Staatswissenschaften* [*Restauración de las ciencias del Estado*], 2 vols, (segunda edición, 1820-1825).

crítica racionalista de la escritura desarrollada durante la Ilustración. Schelling culpó a la teología cristiana por su vergonzosa retirada de la vana y presuntuosa crítica del racionalismo.

¿Quiénes en ese tiempo reconocieron que el punto de partida de Schelling no era la religión cristiana sino la *Vernunft*, la nueva dirección historicista y universalista del ideal de la personalidad? Schelling advirtió a sus lectores por adelantado que su *Philosophie der Offenbarung* debía ser entendida racionalmente; no debía ser vista como una especie de "filosofía cristiana", por la cual no tenía ningún respeto. Esta nueva así llamada "filosofía positiva" sólo intentaba mostrar que también podía comprender las verdades cristianas de una manera racional.

No obstante, este nexo no natural entre la fe cristiana y el historicismo universalista logró prender. Persiste incluso hoy, estorbando seriamente el impacto propio del motivo escritural de la creación, la caída y la redención.

VIII

EL SURGIMIENTO DEL PENSAMIENTO SOCIAL

Cuando en la primera mitad del siglo diecinueve el cristianismo y la nueva dirección universalista dentro del humanismo formaron una peligrosa alianza contra los principios de la revolución francesa, un tercer partido entró en la escena. Fue saludado con sospecha por los otros, pues no se adecuaba a la orientación conservadora del periodo de la Restauración. El Romanticismo y el idealismo de la libertad se habían vestido con atuendos cristianos, pero el nuevo aliado claramente no era ni cristiano ni idealista. De seguro, reaccionó con una crítica cínica a la "ideología" de la Revolución francesa, y se adaptó al pensamiento historicista y universalista de la Restauración. Pero el nuevo aliado creía que el cristianismo tradicional era un fenómeno histórico que estaba viviendo más de la cuenta. Del mismo modo, se opuso al humanismo idealista con el programa de una así llamada "filosofía positiva", cuya tarea era descubrir las leyes generales que gobernaban el desarrollo histórico de la sociedad. Este programa llamaba a una investigación exacta de los hechos sociales brutos, libres de prejuicio idealista. Este amenazador partido e híbrido era la *sociología moderna*. Originada en Francia, aseveró que era la nueva ciencia de la sociedad —una aserción que era desde luego justificada.

NACIMIENTO DE LA MODERNA SOCIOLOGÍA

Es verdad que el fenómeno de la sociedad humana había llamado la atención de los pensadores desde la antigüedad griega y romana. Pero hasta el siglo diecinueve estos fenómenos siempre habían sido tratados dentro del marco de la teoría política porque el Estado era considerado como la "sociedad perfecta" que abarcaba todas las otras comunidades que estaban enraizadas en la naturaleza racional, *social* del hombre. La posterior teoría humanista del Estado, que databa del siglo XVI, no se apartó de este enfoque tradicional de la relaciones sociales. La teoría política humanista exhibía dos tendencias. En primer lugar notamos una tendencia más *empírica*, la cual estuvo orientada a una investigación de los fenómenos factuales sociales. Y en segundo lugar detectamos una tendencia más *apriorística*, especialmente en la tradición de la ley natural, la cual intentaba construir y justificar todos los nexos sociales en términos de un contrato social entre individuos.

Similarmente, la Escuela histórica no creía que la investigación de la sociedad humana debiera ser la preocupación de la "sociología", entendida como una ciencia independiente. La Escuela histórica meramente introdujo una nueva "actitud sociológica" que mantenía que los variados aspectos de la sociedad (tales como el jurídico, el económico, el lingual, el estético y el moral) debían ser entendidos en términos de una coherencia *histórica* mutua, como expresiones del mismo carácter histórico nacional o espíritu de un pueblo.

El fundador de la Escuela histórica de jurisprudencia, el famoso jurista alemán Federico Carlos von Savigny [1779-1861], enfatizó que la moral, el lenguaje, el Derecho, el arte, y así consecutivamente, son meramente aspectos dependientes de la "cultura", la cual emerge como una configuración estrictamente individual de un espíritu nacional. Para él, estos aspectos surgen de un espíritu nacional; desarrollándose originalmente de modo inconciente, maduran y finalmente perecen cuando la fuente del particular espíritu nacional se ha "marchitado". De este modo, Savigny se opuso a la visión ahistórica y apriorística del Derecho defendida por los teóricos de la ley natural.

La Escuela histórica buscaba aplicar el nuevo modo de pensamiento "historicosociológico" a todas las ciencias especiales preocupadas con las relaciones sociales, usando el nuevo enfoque no sólo en el Derecho sino también en la lingüística, la economía, la estética, y la ética. Mucho del éxito del historicismo se hallaba en este nuevo modo de pensar sociológico. Enseñando que el lenguaje, el Derecho, la moral, el arte, y así consecutivamente, son aspectos culturales dependientes de una *comunidad nacional individual*, la Escuela histórica dejó la impresión de que el historicismo mismo estaba fundado en la realidad concreta. Si la Escuela histórica había afirmado que el Derecho, el lenguaje, la moral, y así consecutivamente, eran solamente aspectos de la "evolución de la historia", su absolutización del aspecto histórico de la realidad habría sido clara. Pero la trampa del historicismo se hallaba en el hecho de que su punto de partida se encontraba en una comunidad nacional concreta concebida como una entidad social comprensible.

En el periodo de la Restauración muchos estuvieron dispuestos a admitir que el lenguaje, el Derecho, la moral, la economía, y así consecutivamente, eran sólo aspectos dependientes de la cultura de una comunidad nacional que exhibe una "naturaleza" o un "espíritu" propio. Sobre la autoridad del nuevo enfoque histórico, muchos aceptaron sin dilación la tesis de que la comunidad nacional misma es también un fenómeno de desarrollo puramente histórico. No vieron que el punto de vista histórico se enfoca en sólo un aspecto de la comunidad nacional, y que es permisible reducir los otros aspectos al histórico. La comunidad nacional, argumentaron, es una *realidad social*, no un *aspecto* abstracto de la sociedad.

No obstante, como notamos, la Escuela histórica no dio nacimiento a una ciencia especial de la sociedad humana. En vez de ello, procuró permear las disciplinas científicas existentes con su nuevo modo de pensar sociológico y universalista. Para la Escuela histórica, los enfoques sociológico e histórico eran idénticos.

Pero las intenciones de la moderna sociología eran enteramente diferentes del historicismo. La sociología moderna estuvo basada en una notable e inherentemente contradictoria conexión entre el pensamiento universalista de la Restauración y el más antiguo pensamiento científico natural de la Ilustración. Como vimos anteriormente, el ideal humanista de la ciencia clásico buscaba dominar la naturaleza descubriendo leyes generales que explicaran los fenómenos en su coherencia causal. Con esta finalidad, el método científico natural fue elevado como modelo de toda investigación científica, aunque el método no fue aplicado a los fenómenos de la sociedad humana en ninguna medida significativa. Precisamente esta aplicación era la meta de la sociología moderna. Sus proponentes tempranos reprocharon a los líderes de la Revolución francesa el que hubieran experimentado con la sociedad a la luz de sus "ideologías iusnaturalistas" de libertad e igualdad, sin tener la más ligera noción de las *leyes* reales que gobiernan la vida social. "Continuemos la sólida tradición de Galileo y Newton". Estas fueron las palabras de Augusto Comte [1798-1857], el fundador de la nueva sociología. Esto significó que los experimentos revolucionarios deberían ceder el paso a políticas sanas basadas en el *conocimiento de los hechos sociales*, en vez de en la vacua especulación metafísica. La sociología es la ciencia de estos hechos. De ahí que Comte creyera que se convertiría en la ciencia más importante en la jerarquía de las ciencias positivas. Trazaría el curso para la felicidad de una nueva humanidad que superaría la sangre y las lágrimas causadas por la ignorancia de los primeros líderes. Este entero motivo de la sociología moderna no era, así, sino el motivo naturaleza no adulterado del clásico ideal de la ciencia humanista. La sociología exhibió el mismo racionalismo optimista.

Pero los fundadores de la nueva ciencia también echaron mano del enfoque históricosocial del periodo de la Restauración. Intentaron eslabonar el método científico natural con la concepción universalista de la sociedad humana, concurriendo con la Escuela histórica en que la sociedad es un todo orgánico en el que las variadas relaciones sólo funcionan como partes. Prontamente concedieron que no existen estructuras constantes en la sociedad y que las relaciones sociales son puramente históricas en carácter. En particular, estuvieron convencidos de que el lenguaje, el Derecho, la economía, el arte, la moralidad y la religión no pueden ser estudiados en abstracto, puesto que éstos sólo pueden ser comprendidos como facetas no autosuficientes del "todo social", que se relacionan entre sí en interacción indisoluble. A diferencia de la Escuela histórica, sin embargo, buscaron este todo social no en una comunidad nacional, sino en lo que llamaron "la sociedad" [*la société*].

La sociología moderna rechazó enfáticamente los rasgos irracionalistas del historicismo, puesto que éstos no encajaban con su propio enfoque racionalista. Debido a esto, la nueva sociología señalaba los supuestos defectos dentro del enfoque histórico. La Escuela histórica había argumentado que la búsqueda de leyes generales en el desarrollo histórico se halla en conflicto con la naturaleza de la investigación histórica misma. De acuerdo con la Escuela histórica, el historiador enfoca su investigación en el fenómeno único y absolutamente individual que nunca se repite del mismo modo y que sólo puede ser entendido en coherencias similarmente individuales. Si el historiador puede detectar una dirección definida en el curso de la historia, debe adscribirla a una "ley escondida" de un "espíritu individual de un pueblo", la cual debemos retrotraer a la divina providencia como el destino [*Schicksal*] de un pueblo.

La sociología moderna rechazó este viraje irracionalista dentro del motivo humanista de la ciencia y la libertad. En esta coyuntura intentaba continuar la tradición racionalista del ideal clásico de la ciencia. Creyendo que la ciencia genuina buscaba una formulación clara de leyes universales que explicaran fenómenos particulares, la nueva sociología aseveraba que empezaría por primera vez una auténtica *ciencia* de la historia. Es así que al historicismo se le dio una redirección racionalista en la moderna sociología, que en la segunda mitad del siglo XIX superaría completamente al irracionalismo más temprano.

DISTINCIÓN ENTRE ESTADO Y SOCIEDAD

La sociología moderna se dio a la tarea de explicar las relaciones sociales en términos de sus causas. Al hacer esto, continuó la tradición Ilustrada del método científico natural que había sido elevado al ideal humanista de la ciencia clásico. Así, en el motivo religioso básico del humanismo, el motivo naturaleza, el cual estuvo dirigido al dominio de la naturaleza, una vez más recuperó su ascendiente. Al mismo tiempo, sin embargo, la sociología moderna intentó conectar el método científico natural de investigación con la visión universalista de la sociedad humana defendida por el Romanticismo y por la Escuela histórica. Esto significa que "la sociedad" fue interpretada como un "todo orgánico" cuyas partes están inextricablemente entretejidas y así son comprendidas, en su función e importancia típicas, sólo en términos de ese todo orgánico.

Esta síntesis entre el método científico natural de la Ilustración y el enfoque universalista del periodo de la Restauración fue internamente contradictorio. Como hemos visto, la posición universalista fue el resultado de un viraje irracionalista del motivo libertad. El punto de partida para el universalismo no fue el "individuo" abstracto racional, sino la comunidad individual. El modo universalista de pensar, el cual siempre vio la sociedad temporal como un *todo* individual, surgió como un rival para la visión científica natural de la realidad. Su fuente no fue el motivo naturaleza, sino el motivo libertad del humanismo.

La ciencia natural analizó los fenómenos complejos en sus elementos más simples, explicando estos elementos mediante leyes generales. Cuando este procedimiento se aplicó a las relaciones sociales, entidades colectivas tales como el Estado, la iglesia y la familia fueron reducidas a meras interacciones entre "individuos", los elementos más simples de la sociedad. Consecuentemente, el "individuo" estuvo divorciado de todas sus características irreducibles, genuinamente individuales, como un ejemplo neutral del género "hombre libre racional".

El universalismo y el historicismo objetaron este arrasamiento abstracto y atomístico, al dar cuenta de la individualidad total del hombre y su inclinación completamente única, tal y como estaba determinada por el carácter individual de la comunidad nacional de la que es miembro. Este enfoque universalista no reconoció leyes *generales* que gobernaran la sociedad. El todo *individual* —esto es, la comunidad nacional— recibió la primacía. Esta comunidad no podía ser *explicada* de una manera científica natural como una constelación de elementos; más bien, sólo podía ser *aceptada* como un todo irreducible individual. Este todo determinaba la naturaleza de sus miembros de un modo absolutamente individual.

Consecuentemente, cuando la sociología moderna buscó reconciliar los enfoques opuestos de la Ilustración y la Restauración, se enredó en una contradicción. El dualismo irresoluble dentro del motivo básico humanista se expresó otra vez en un conflicto interno dentro del pensamiento científico.

Pues, ¿cómo entendió la sociología moderna el *todo*? Concibió el todo no como una comunidad individual nacional, como lo habían hecho el Romanticismo y la Escuela histórica, sino como "sociedad". Para captar el significado de "sociedad" correctamente, debemos considerar la distinción entre "Estado" y "sociedad" que surgió por vez primera en el siglo dieciocho, incluso antes de la Revolución francesa.

Ya hemos señalado que antes del siglo diecinueve los problemas de la sociedad humana fueron tratados dentro del marco de la teoría política. La distinción entre Estado y sociedad era desconocida en la antigüedad y en la Edad Media. Entre los griegos y los romanos, la carencia de tal distinción se debió a una concepción totalitaria del Estado, el que fue considerado simultáneamente como una comunidad religiosa. Es por ello que la religión cristiana, la cual sólo aceptaba el reinado de Cristo en la iglesia, fue vista como una enemiga del Estado. La literatura escolástica de la Edad Media preservó la idea totalitaria del Estado, aunque desde luego no aceptó al Estado como una comunidad religiosa. En conformidad con el motivo básico catolicorromano de la naturaleza y la gracia, los escolásticos vieron el Estado como la comunidad total sólo en el ámbito de la *naturaleza*. Por encima estuvo la iglesia, la institución sobrenatural de *gracia* y la comunidad total que abarcaba toda la vida cristiana.

Tanto el modo de pensar grecorromano, como el escolástico, fueron esencialente universalistas. El motivo catolicorromano de la naturaleza buscó sintetizar el motivo básico cristiano de la creación, la caída y la redención, con el motivo básico griego de la forma y la materia. Junto con el motivo básico griego, el catolicismo romano adoptó la visión griega de la sociedad, pero lo acomodó a su visión de la iglesia. La idea del Estado no se había vuelto una realidad durante la Edad Media porque la "subestructura natural" de la sociedad estuvo indiferenciada en buena medida. No obstante, grandes escolásticos como Tomás de Aquino continuaron teorizando en términos de la concepción griega y romana del Estado.

Durante los siglos dieciseis y diecisiete, cuando el Estado empezó a desarrollarse en la forma de una monarquía absoluta, la teoría política humanista también se eslabonó con la idea grecorromana del Estado totalitario. Pero en esta etapa la nueva teoría política vino a estar bajo la influencia del motivo básico humanista de la naturaleza y la libertad. En los primeros siglos del periodo moderno se hicieron intentos por justificar un Estado absoluto que absorbiera todas las otras esferas de la vida. El ideal humanista clásico de la ciencia proporcionó el marco teórico para el Estado absoluto de acuerdo con el modelo del método científico natural. Construyó el Estado a partir de sus "elementos", de tal modo que todas las esferas de la vida vinieron a estar bajo la soberanía y el control absoluto del Estado. De este modo, se hicieron intentos por desmantelar la estructura feudal de la sociedad medieval, en la cual la autoridad gubernamental se hallaba en las manos de los señores privados. En el periodo moderno, el motivo humanista del control inspiró la idea de que el Estado es un instrumento de dominación. El motivo del dominio fue el motivo de la naturaleza en su sentido clásico humanista.

En su primer periodo, la teoría humanista de la ley natural también se acomodó al motivo del control. Hugo Grocio, Tomás Hobbes, y el jurista alemán Samuel Pufendorff [1632-1694], aceptaron el concepto absolutista de soberanía de Bodin. Mientras este concepto dominó la teoría política humanista, el Estado fue visto a la manera grecorromana, como la estructura de totalidad que abarcaba el todo de la sociedad humana. Como resultado, no podía emerger una distinción fundamental entre Estado y sociedad.

Esto empezó a cambiar cuando en Inglaterra el motivo humanista de la libertad asumió predominancia sobre el motivo naturaleza en la teoría política. En un contexto anterior, notamos cómo la idea clásica liberal del Estado de Derecho se esparció desde Inglaterra. John Locke provocó un cambio fundamental en la construcción iusnaturalista del Estado en la transición del siglo diecisiete al dieciocho. Hugo Grocio y sus seguidores interpretaron el contrato social, en el cual "individuos libres e iguales" abandonaron el estado de naturaleza para ingresar al cuerpo político, como la transferencia por estos individuos de *todas* sus "libertades naturales" al soberano político. Desde el principio, Locke otorgó al contrato social un alcance mucho más limitado. Desde su punto de vista, los individuos no rendían con él sus derechos humanos innatos y absolutos al Estado. Por el contrario, se asociaron en un cuerpo político con el único propósito de proteger sus derechos naturales de libertad, vida y propiedad. Estos derechos naturales humanos —el fundamento de la ley civil privada— definían la esfera inalienable de la libertad del individuo. El contrato social no transfería, así, estos derechos naturales al Estado. El único derecho que era transferido consistía en el poder legal para mantener y garantizar estos derechos y libertades civiles legales, mediante la armas del Estado. Para este propósito, los individuos tenían que ceder su derecho natural a protegerse a sí mismos y su propiedad *con su propia mano*. Este fue el alcance limitado en la concepción del contrato social de Locke. Esta concepción, la que hemos venido a describir como la idea clásica liberal del Estado, abrió por primera vez la posibilidad para la distinción por principios entre la *sociedad civil* y el *Estado*. La sociedad civil abarcaría entonces la esfera de la libertad civil del individuo, una esfera libre de la intervención del Estado.

Esta concepción de la sociedad se volvió más claramente definida con el ascenso de la *ciencia de la economía* al final del siglo dieciocho. Tanto los fisiócratas como la Escuela clásica dentro de la surgiente ciencia apelaron a la doctrina de la ley natural de Locke y a su idea liberal del Estado. Ambas escuelas de pensamiento enseñaron que la vida económica es mejor servida cuando los individuos persiguen sus propios intereses económicos dentro del marco legal de sus inalienables derechos a la vida, la libertad y la propiedad. Mantuvieron que la vida económica está gobernada por leyes naturales inmutables y eternas que armonizan hermosamente con los "derechos naturales" del individuo. Todo individuo conoce su interés económico propio mejor que nadie. Si el Estado no interfiriera con el libre juego de las fuerzas económicas y sociales, entonces reinaría una "armonía natural" entre los intereses individuales, resultando en el más alto nivel de bien social. La "sociedad civil" fue por lo tanto vista como el libre juego de intereses socioeconómicos dentro del marco legal de los inalienables derechos civiles privados de los individuos.

En la sección siguiente veremos cómo la sociología moderna se apegó a esta concepción de la sociedad civil.

SOCIEDAD CIVIL Y CONFLICTO DE CLASE

La teoría política liberal clásica, en estrecha cooperación con la nueva ciencia de la economía, fue la primera en hacer una distinción básica entre Estado y sociedad civil. Las nuevas teorías, dominadas por el motivo básico humanista de la naturaleza y la libertad, disfrutaron de un éxito excepcional. Esto ocurrió primero en Inglaterra, donde las así llamadas políticas mercantilistas, que habían conducido a un completo control gubernamental del comercio y la industria, fueron abolidas; enseguida en Francia, donde la Revolución francesa había eliminado los últimos remanentes del feudalismo. Como resultado, la estructura del Estado empezó a distinguirse de las esferas privadas de la vida. De acuerdo con el programa revolucionario, el cual no toleraba ningún intermediario entre el Estado y el individuo, se prohibieron no sólo los antiguos gremios, sino también nuevas organizaciones sociales, incluso cuando nuevas estructuras eran una respuesta propia a la diferenciación de la sociedad. Consecuentemente, la "sociedad civil" adquiría un carácter enteramente individualista que satisfacía los requerimientos de las ideas económicas liberales de los fisiócratas y la Escuela clásica. En poco tiempo apareció un nuevo tipo de persona en la escena: el libre empresario que ya no estaba impedido en ninguna de sus empresas. La vida económica entró en un periodo de inmensa expansión. Pero al mismo tiempo le esperaba un sufrimiento indecible a la clase trabajadora.

La posición del trabajador fue drásticamente alterada esta vez por los cambios estructurales introducidos en el proceso de producción. El desarrollo de empresas manufactureras a gran escala trajo consigo una intensa división del trabajo entre un masivo contingente de trabajadores laborando dentro de una misma fábrica. Posteriormente, cuando se introdujo maquinaria en la fábrica, empezaron a aparecer industrias gigantes. En el primer volumen de su famoso *Das Kapital*, Carlos Marx presentó un análisis sociológico de las influencias de estos cambios estructurales en la vida contemporánea como un todo. Su análisis es todavía extremadamente importante.

Estos cambios estructurales no hubieron podido ocurrir en los sistemas de producción anteriores. El viejo sistema gremial de producción había efectivamente evitado la transformación de un maestro gremial individual en un empresario capitalista a gran escala, al limitar rigurosamente el número de jornaleros que le era permitido emplear. Más aun, se le permitía contratar jornaleros sólo en el oficio en el que era maestro. Habían también otros impedimentos. Los gremios comerciales evitaron sistemáticamente la intervención del capital mercantil —la única forma libre de capital disponible desde fuera— en sus propios asuntos. A los comerciantes se les permitía comprar cualquier mercancía –excepto el trabajo como "mercancía". Sólo eran tolerados en el asunto de la venta al menudeo de productos terminados. Si circunstancias externas hacían necesaria una ulterior división del trabajo, entonces los gremios existentes se dividían o formaban nuevos gremios. Pero ninguno de estos cambios condujo a una concentración de diferentes oficios dentro de una fábrica. Como Marx observara correctamente, el sistema de gremios excluía cualquier división del trabajo que separara al trabajador de sus medios de producción y que hiciera de estos medios la propiedad monopólica del inversionista de capital.

Este marco económico cambió radicalmente, primero en el periodo de la manufactura a gran escala, e incluso más drásticamente en el periodo subsecuente de industrialización mecanizada. Estos cambios estructurales en el proceso de producción contribuyeron enormemente al desarrollo de nuevas tensiones de clase. Aparecieron en una "sociedad civil" que había sido abandonada a sus propios recursos y estructurada de una manera individualista. Los conflictos de clase tuvieron lugar entre el proletariado urbano laboral, que era víctima de una explotación ilimitada, y el empresario, quien era el dueño del capital. La estructura individualista de la sociedad civil había desde luego rebajado el trabajo al rango de "mercancía". Y las nuevas formas de producción tuvieron enormes repercusiones dentro del sistema liberal de competencia desinhibida, contra la cual la buena voluntad de un hombre de negocios solitario era enteramente impotente.

Parecía como si una necesidad de hierro controlara estas repercusiones. David Ricardo [1772-1823], el gran sistematizador en la Escuela clásica de economía de Adam Smith, concluyó en los *Principios de economía política y taxación* que la maquinaria y el trabajo se mueven en una relación de rivalidad continua.[1] Si el trabajo se convierte en una mercancía libre, se volverá invendible y por ello carente de valor tan pronto como la introducción de nueva maquinaria lo haga superfluo. Ese segmento de la clase trabajadora, que en este sentido se ha vuelto una parte "superflua" de la población, encara dos posibilidades. Puede o bien ser destruida en la desigual batalla entre las formas obsoletas de producción y las nuevas formas mecanizadas de la industrialización, o puede derramarse hacia ramas más fácilmente accesibles de la industria. en cualquier caso, el precio del trabajo se verá deprimido. Pues el proceso de mecanización también requiere de una fuerza laboral cada vez más barata y de una extensión de las horas de trabajo. Los trabajadores adultos son por lo tanto gradualmente reemplazados por mujeres y niños que deben ser explotados tanto como sea posible. La vida familiar es despedazada y se establece una "pauperización" [*Verelendung*] general del

---

[1] David Ricardo, *The Principles of Political Economy and Taxation*, con una introducción de William Fellner (Homewood, Ill.: R.D. Irwin Inc., 1963). La referencia es a la tercera edición de 1821, p. 479.

proletariado. Marx fue nuevamente el primero en afirmar claramente que la "sociedad civil" —el foco de la moderna sociología— fue una verdadera imagen del cuadro que Tomás Hobbes había dibujado del "estado de naturaleza" del hombre —*bellum omnium contra omnes*, ¡una guerra de todos contra todos! La sociedad civil exhibía una estructura económicamente cualificada, y el orden civil legal con sus principios básicos de libertad e igualdad no parecía ser sino una cubierta legal para la mortal lucha de clases que se libraba en la "sociedad".

Por lo tanto, no debe sorprender que la moderna sociología, establecida sobre un fundamento positivista e interesada en descubrir —de acuerdo con el modelo de las ciencias naturales— las leyes determinantes del desarrollo histórico de la sociedad, creyera que había encontrado en la "sociedad civil", con su atemorizador proceso de disolución, aquellas fuerzas escondidas que eran de *decisiva importancia causal* para la forma histórica de la sociedad como un todo. El Estado mismo, tal y como lo definieran el liberalismo y la Revolución francesa, no parecía ser más que un instrumento de la clase gobernante para la supresión de la clase trabajadora. Por lo tanto, el Estado no debe ser entendido como una institución independiente de la sociedad civil ni, como habían enseñado las teorías políticas anteriores, como la comunidad total abarcadora de toda la sociedad. Por el contrario, "la sociedad" misma debe ser vista como el todo que da nacimiento al Estado como un instrumento político de dominación.

Esto significaba una ruptura fundamental tanto con la distinción iusnaturalista clásica liberal entre Estado y sociedad como con la anterior identificación de los dos. La nueva ciencia de la sociología había desde luego hecho un descubrimiento revolucionario que socavó fundamentalmente tanto la idea de Estado como *res publica* —la institución que encarna el interés público— como la idea de ley civil con sus principios de libertad e igualdad. Ambas ideas habían alcanzado su expresión en la sociedad del siglo dieciocho. Pero el foco de la nueva sociología no estaba en estas ideas. Más bien, estaba en los contrastes de clase como fuerzas motrices en el proceso histórico de la sociedad —éstos parecían ser los *hechos sociales* positivos. La idea clásica del Estado y la idea de ley civil privada no parecían ser sino "ideologías" de una era ya ida, caracterizada por la especulación metafísica. Estas ideologías sólo servían para ocultar las leyes verdaderamente válidas que gobernaban la sociedad. Muy comprensiblemente, por lo tanto, el movimiento conservador de la Restauración vio al nuevo aliado en su batalla contra las ideas de la Revolución francesa con sospecha.

No obstante, los fundadores franceses de la moderna sociología no comprendieron plenamente la espantosa velocidad con que estaba creciendo el contraste de clase entre el trabajo y el capital. En este respecto todavía vivían en el pasado; usando el ejemplo de la joven América [los Estados Unidos], creyeron que era posible que un joven trabajador inteligente se elevara al *status* de empresario. En sus mentes, el conflicto de clase en la sociedad moderna sólo existía entre aquellos que extraían un "ingreso sin trabajar" y la clase trabajadora efectiva, en cuyas manos se hallaba el futuro de la sociedad. Aquellos con "ingreso sin trabajar" eran los especuladores que durante la Revolución francesa compraban las propiedades de la nobleza y la clerecía por virtualmente nada; aquellos en la clase trabajadora eran los gerentes y los industriales que fueron mantenidos al margen de los puestos gubernamentales por la élite de la corte de los Borbones. Por ende, la sociología marxista desdeñosamente condenaba a estos optimistas franceses.

No obstante, el concepto de clase —destinado a jugar un papel fundamental en la ciencia de la sociedad— no fue descubierto por Marx, sino por Henri de Saint-Simon [1760-1825] y Augusto Comte. Una vez que hallamos explicado su nuevo uso en las páginas siguientes, tendremos que determinar de un modo fundamental cuál es nuestro punto de vista con respecto al concepto de clase social.

EL CONCEPTO DE CLASE

Como subrayara Saint-Simon, Francia bosquejó no menos de diez diferentes constituciones en el corto lapso de 1789 a 1815. La sociedad, sin embargo, permaneció igual, pues los seres humanos no cambian tan rápidamente. Esta discrepancia hizo que Saint-Simon, uno de los fundadores de la sociología moderna, observara que los marcos constitucionales no pudieran formar el corazón de la vida social. Escribió:

> Atribuimos demasiado peso a las formas de gobierno. La ley que determina tanto la autoridad gubernamental como la forma de gobierno no es tan importante y tiene menos influencia en la felicidad de las naciones que la ley que determina los derechos de propiedad y el ejercicio de estos derechos. La forma de gobierno parlamentario es meramente una forma; la propiedad es el corazón. Es por lo tanto la regulación de la propiedad lo que en verdad se halla en los fundamentos de la sociedad.

La riqueza es el fundamento verdadero y único de toda influencia política. Por esta razón la política debe estar basada en la ciencia positiva del proceso de producción, el cual a su vez está basado en la ciencia económica. Saint-Simon aparentemente procedió a partir de la suposición de que la producción económica y la regulación de la propiedad son mutuamente interdependientes. Los cambios tanto en la forma de producción como en la regulación de la propiedad dan lugar a la formación de *clases sociales*. Esta formación de clases gobierna el entero desarrollo de la sociedad humana.

Con referencia especialmente a la historia de Francia, pero en parte también a la historia de Inglaterra, Saint-Simon intentó explicar la importancia de la formación de las clases como la real fuerza causal en el entero desarrollo de las instituciones sociales. Con respecto a Francia, argumentó que después de la invasión de los francos a Galia emergieron dos clases: los francos como *señores* y los galos nativos como *esclavos*. Los esclavos cultivaron la tierra para sus dueños y laboraban en toda rama del trabajo. Como los antiguos esclavos romanos, de acuerdo con Saint-Simon, recibieron una pequeña cantidad de dinero (*peculium*), el cual cuidadosamente escondieron. Las cruzadas y la opulencia resultante crearon una gran necesidad de dinero de parte de los amos francos, quienes fueron así forzados a vender "libertades" (*franquicias*) [*franchises*] a sus esclavos. Pero el mismo lujo ensalzó la importancia social de los artesanos, comerciantes, y mercaderes, quienes tenían que satisfacer nuevas necesidades. Luis XI, quien prefería el título de "Rey de los galos" al de "Cabeza de los francos", formó una alianza con las *comunas*, los galos trabajadores en las ciudades y el campo, para sujetar a los príncipes francos a su autoridad. Puesto que la monarquía despojó a los príncipes, la gobernante clase noble, de su poder político, y puesto que como resultado los príncipes fueron inducidos a asentarse en las ciudades, perdieron toda importancia política. Bajo Luis XIV se convirtieron en siervos del rey. Y, durante el reinado del "Rey Sol", el creciente intercambio de productos condujo al surgimiento de una nueva clase, la de los banqueros.

La Revolución francesa, mantuvo Saint-Simon, fue lanzada por la burguesía, el estrato medio de la población que se había elevado desde las *communes* al rango de los "privilegiados", pero que todavía se había sentido discriminada en comparación con la vieja nobleza. La burguesía consistía de los juristas no aristocráticos, el personal militar de trasfondo clasemediero, y dueños de propiedades que no eran ni gerentes ni trabajadores en el proceso de producción (*i.e.* que no eran *industriels*). Para Saint-Simon, el verdadero propósito de la revolución de 1789 fue el establecimiento de un "sistema industrial". Creyó que la fase final de la revolución todavía no llegaba; la revolución estaría completa cuando los *industriels*, los miembros verdaderamente productivos de la población, incluyendo a los empresarios que dotaban de liderazgo al proceso de producción, obtuvieran el liderazgo político. En la estimación de Saint-Simon, el primer paso hacia esta meta fue el bien conocido préstamo hecho al gobierno de Francia en 1817. El préstamo fue negociado a la manera bárbara del siglo dieciocho pero fue acordado después de pláticas pacíficas entre dos socios iguales, el gobierno y la importante clase de los banqueros.

De este modo, Saint-Simon intentaba dar una explicación causal del entero desarrollo de la sociedad en términos de la formación de clases y el conflicto de clases. Su intento daba testimonio del enfoque científico natural en su sociología, el cual estaba directamente inspirado en el ideal humanista clásico de la ciencia: el control de la realidad mediante un descubrimiento de las leyes que explican su coherencia causal.

Contra esta tendencia en el pensamiento de Saint-Simon, detectamos una contradictoria. También explicó el desarrollo social en términos de la historia de las ideas y las cosmovisiones. Aquí encontramos el impacto del motivo libertad humanista sobre la interpretación de Saint-Simon del proceso social. En un contexto anterior notamos un impacto similar sobre el pensamiento social de los románticos, la Escuela histórica de jurisprudencia y el idealismo alemán. Y, muy en armonía con esta segunda tendencia en su pensamiento, argumentó que el surgimiento del sistema político del futuro —el sistema "industrial"— sería enteramente dependiente de un previo éxito de la sociología positiva y sus ideas proclamadas. Finalmente, esta tendencia de pensamiento también ayuda a explicar la concepción *universalista* de la sociedad de Saint-Simon, como un todo orgánico cuyas partes están íntimamente unidas y son mantenidas juntas sólo mediante ideas comunes.

El concepto de clase social de Saint-Simon, por otra parte, es de naturaleza *individualista*, y así contradice la noción de comunidad inherente a la visión universalista de la sociedad. Saint-Simon interpretó las "clases" como "componentes" de la sociedad que la dividen en direcciones divergentes. El concepto de clase es un concepto de conflicto. Dondequiera que las clases existen, dominan contradicciones sociales irreconciliadas que conducen a una lucha por el poder.

¿Cómo debemos responder al énfasis de Saint-Simon en la importancia de las clases en el desarrollo de la sociedad? Las clases sólo se pueden formar en lo que describimos como los *intereslabonamientos sociales* [*maatschapsverhoudingen*], los que deben ser distinguidos de las *relaciones comunales* [*gemeenschapsverhoudingen*]. En las últimas, los seres humanos son juntados en una unidad solidaria dentro de la cual las personas funcionan como miembros. En los intereslabonamientos sociales, sin embargo, los seres humanos funcionan uno al lado del otro de una manera coordinada, ya sea en una relación de neutralidad, en cooperación mutua, o en una situación de conflicto.[2]

---

[2] Estas distinciones son fundamentales para la sociología de Dooyeweerd. Define *comunidad* como "cualquier relación social más o menos durable que tiene el carácter de un todo que junta sus miembros en una unidad social, independientemente del grado de intensidad del nexo comunal". Ver H. Dooyeweerd, *A New Critique of Theoretical Thought*, vol. 3 (Amsterdam: H.J. Paris; Filadelfia: Presbyterian and Reformed, 1957), p. 177. Para Dooyeweerd, las comunidades abarcan las estructuras indiferenciadas, como los tribus, los clanes o los gremios, y las estructuras indiferenciadas del matrimonio, la familia, el Estado, la iglesia, y las asociaciones voluntarias (las empresas de negocios, los partidos políticos, los clubes recreativos, etcétera).

Dooyeweerd define *intereslabonamientos sociales* (o las "relaciones interindividuales e intercomunales", que es su traducción de *maatschapsverhoudingen*) como aquellas relaciones "en que las personas individuales o las comunidades funcionan en coordinación sin estar unidas en un todo solidario. Tales relaciones pueden mostrar el carácter de neutralidad mutua, de aproximación, cooperación libre o antagonismo, competencia o contienda". (*Ibid.*) Como ejemplos de intereslabonamientos menciona: "las relaciones de libre mercado, la publicidad, las modas diferenciadas (en el vestido, la recreación, la conversación, etcétera), los deportes y las competencias, la prensa, los varios tipos de tránsito, ejecuciones musicales y teatrales públicas, la

Más aun, las clases pertenecen a las relaciones de conflicto *económicamente* cualificadas o caracterizadas de modo intrínseco. Son una excrecencia en los tejidos de la sociedad y deben así ser nítidamente distinguidas de los diferentes *estamentos* o "estaciones" [*standen*; en alemán: *Stände*] en la sociedad, los cuales están cualificados o caracterizados por el aspecto de la interacción social y representan una diferenciación normal en la vida social.

La cuestión que ahora encaramos es esta: ¿es posible explicar la estructuración de la sociedad en términos de divisiones de clase? ¿Son desde luego éstas, por ejemplo, las fuerzas causales del desarrollo de la vida interna del Estado? En esta conexión, tiene poca relevancia que el bosquejo que hizo Saint-Simon de la historia de las tensiones de clase en Francia, y del desarrollo político determinado por estas tensiones, simplemente no satisfaga los criterios de una investigación científica rigurosa. Pues en un tiempo posterior los académicos intentaron demostrar la exactitud del análisis de clase con herramientas científicas mucho más confiables y con ello presentaron un delineamiento mucho más preciso del concepto de clase. Aquí estamos exclusivamente preocupados con el *problema sociológico* planteado por Saint-Simon de una manera fundamental: la importancia del conflicto de clase para la vida del Estado y la sociedad entera. Este problema es todavía intensamente relevante y exige un *análisis fundamental*. No podemos deshacernos de este asunto mediante generalizaciones apresuradas. Demanda una seria consideración adicional de nuestra parte.

ESTAMENTOS Y CLASES

En nuestras últimas secciones nos enfocamos en el surgimiento de la sociología moderna como un componente en la redirección humanista general del pensamiento humanista desde el comienzo del siglo pasado. Intenté explicar de qué modo Saint-Simon, quien con Augusto Comte es considerado el fundador de la sociología como una ciencia independiente, vio el desarrollo entero de la sociedad occidental como una historia de lucha de clases. La lucha de clases era vista como el motor real del proceso completo de desarrollo social, desde luego como la causa del surgimiento del Estado y de todas las revoluciones políticas. El Estado, de hecho, fue considerado como nada más que el instrumento blandido por la clase gobernante para mantener a la clase dominada en un estado de sujeción. Cuando la lucha de clases finalmente llegara a su fin en la "nueva era industrial", como resultado del papel guía de la nueva sociología, entonces también el Estado se desvanecería. El "gobierno de las personas" cedería entonces gradualmente el paso

---

filantropía privada, la diplomacia, las relaciones políticas internacionales, la propaganda electoral de los partidos políticos, la actividad misionera, etcétera". (*Ibid.*, pp 588ss.)

a la "administración de las cosas". Esta doctrina fue formulada por Saint-Simon, bien antes de Carlos Marx y el famoso *Manifiesto comunista* de 1848, en el que la doctrina marxista de la lucha de clases encontrara su expresión clásica, si bien popularizada.

Mientras que la doctrina de la lucha de clases como la "causa" real del desarrollo social pudo haber sido un "descubrimiento" de Saint-Simon, éste derivó el *concepto* de clase de la recientemente desarrollada ciencia de la economía. En discusiones anteriores vimos en detalle cómo la entera discusión entre el Estado y la "sociedad civil" se retrotrae a la influencia combinada ejercida por la doctrina liberal humanista de Locke de la ley natural, y la así llamada Escuela fisiócrata en la teoría económica. La Revolución francesa y la temprana industrialización de la vida económica dio por vez primera expresión concreta a estas ideas humanistas.

El médico francés François Quesnay [1694-1774], fundador de la Escuela fisiócrata, había dividido en su teoría la población en diferentes clases. Junto a la clase desposeída de los asalariados, puso una clase de empresarios independientes que, a su vez, estaba subdividida en tres clases; a saber, la clase productiva de los granjeros, la clase no productiva de los mercaderes y los industriales y, finalmente, la clase de los terratenientes. En otras palabras, el concepto de clase tuvo su origen en la teoría económica. A su vez, bajo la influencia de esta teoría, la nueva ciencia de la vida social, en desarrollo, empezó a considerar la sociedad civil como una constelación que, en esencia, estaba controlada por fuerzas económicas. Aquí no fueron adoptadas las teóricas divisiones de clase de Quesnay; sin embargo, eso no tuvo importancia para la nueva concepción de la sociedad civil misma.

La nueva ciencia de la economía, con su orientación distintivamente liberal, fue ulteriormente desarrollada en la así llamada Escuela clásica de Adam Smith, Ricardo, J.B. Say y otros, y tuvo una amplia influencia sobre la concepción sociológica de la "sociedad civil" [*bürgerliche Gesellschaft*]. Su influencia puede ser detectada incluso en Hegel, el más grande representante del ideal humanista de la libertad después de Kant. Hegel mismo no consideró a la sociología como una ciencia separada de las relaciones sociales humanas. Y, muy independientemente de los sociólogos franceses, presentó un penetrante análisis de la moderna "sociedad civil", en la cual claramente sacó a la luz el papel de la máquina como una mecanización del trabajo. Al igual que la Escuela clásica, él también consideró al interés propio económico como el impulso primario en este proceso; pero, al mismo tiempo, postuló la creciente interdependencia entre los individuos, resultante de la continuamente creciente división del trabajo, como un factor restrictivo. Es la astucia de la Razón que fuerza al individuo, en una aparentemente ilimitada y arbitraria búsqueda de la satisfacción de sus propias necesidades, a acomodarse a los intereses de los otros. En su idealista marco de pensamiento, Hegel continuó adhiriéndose al concepto de un Estado que no es el servil instrumento de dominación de una clase económica, sino que es la verdadera incorporación de la idea ética en el nuevo viraje universalista que el humanismo había dado a su ideal de la personalidad.

La sociedad civil, en la cual el individuo con sus derechos privados civiles todavía considera a su interés propio económico como opuesto a las normas universales de moralidad y justicia a las que esta sociedad se sujeta por necesidad, ha de ser subsumida [*aufgehoben*] en el omniabarcante Estado que Hegel deificó como los griegos lo habían hecho. En este Estado, el individuo y el grupo son ordenados como partes de un todo ético más alto y reconocen el interés general como su verdadero interés propio.

En su imagen de la sociedad civil vemos que Hegel no usó el "concepto de clase" de los sociólogos franceses, sino que empleó el concepto de "estamentos" [*Stände*]. Su pupilo Lorenz von Stein, quien buscó establecer una conexión entre la concepción del Estado y la sociedad de Hegel, y los sociólogos franceses, fue el primero en hacer nuevamente del concepto de clase de Saint-Simon el punto focal de su análisis de la sociedad civil, sin sacrificar, sin embargo, el concepto hegeliano de estamento.

De este modo, tanto el concepto de clase como el concepto de estamento se han vuelto parte constitutiva del marco conceptual de la sociología moderna y han sido el tema de extensos estudios, en particular por el sociólogo francés Ferdinand Tönnies. Sin embargo, el modo en que estos conceptos indudablemente importantes fueron configurados y utilizados en la sociología claramente pone de manifiesto su origen humanista. Una adopción acrítica de ellos en su significado sociológico actual, dentro de una visión cristiana de la sociedad, es por lo tanto muy irresponsable. Particularmente en la arena política, estos conceptos han sido manipulados de un modo extremadamente peligroso.

La teoría y la ideología humanistas intentaron continuamente presentar su visión de la realidad social como una explicación imparcial de los hechos sociales mismos. En realidad, sin embargo, este enfoque estuvo estrictamente determinado por el motivo religioso básico del humanismo —el motivo básico de la naturaleza y la libertad— con su irreconciliable tensión entre el ideal clásico de la ciencia, que busca controlar toda la realidad siguiendo el modelo del pensamiento científico natural, y el ideal de la personalidad que levanta los valores de la libertad humana, la autonomía y la dignidad.

El concepto de clase usado en la sociología francesa temprana estuvo en armonía con el patrón de pensamiento científico natural de la Ilustración. Solamente encajaba en una concepción *individualista* de la sociedad que considera el interés propio económico del individuo como la causa real y fuerza motriz del desarrollo social. Si la historia entera de la sociedad no es nada más que la historia de la lucha de clases, entonces no hay ningún espacio en tal sociedad para una verdadera comunidad. En ese caso, el Estado también puede ser considerado sólo como un instrumento del dominio de clase.

Las escuelas fisiócrata y clásica en economía simplemente no habían llegado a una teoría de la lucha de clases porque soñaban en una "armonía natural" entre los intereses individuales y porque se habían aliado con la teoría humanista iusnaturalista de los derechos inalienables, en los cuales había encontrado expresión el ideal humanista de la personalidad en su configuración individualista. A diferencia de esto, los sociólogos franceses tempranos habían roto con estas "especulaciones idealistas". Rechazaron la doctrina de los derechos naturales como "ociosa metafísica" para concentrarse exclusivamente en una explicación científica natural de los *hechos* sociales. Estos hechos no apuntaban hacia una "armonía natural" en la vida económica, sino a una lucha dura y despiadada entre la clase propietaria y la desposeída.

El concepto de estamento de Hegel, por otra parte, originaba una visión *universalista* de la sociedad civil que había surgido de la nueva concepción del motivo humanista de la libertad. Su limitado reconocimiento de las tendencias individualistas operantes en la sociedad civil moderna era sólo un punto de transición hacia su visión universalista de la sociedad. Esta concepción universalista consideraba a los individuos nuevamente como miembros de "estamentos ocupacionales" [*beroepsstanden*] a los que tenían que pertenecer si iban a desarrollar su individualidad. Pues solamente en una *comunidad* podía el individuo realizarse y experimentar una auténtica existencia. Un "estamento ocupacional" levanta su propio honor, sin el cual un individuo no puede alcanzar una existencia económica digna. Estos "estamentos ocupacionales", como la más alta expresión de la conciencia comunal en la "sociedad civil", deben así a su vez ser incorporados nuevamente como corporaciones autónomas en el Estado, el cual es la "totalidad ética".

De esta manera, los conceptos de *estamento* y *clase* deben ser vistos como expresiones de las tendencias polares dentro del entendimiento humanista de la sociedad. Ambos estaban orientados hacia una noción de "sociedad civil" que en un sentido general elevó el aspecto económico al rango de punto de partida de la entera concepción de la sociedad *ignorando totalmente los principios estructurales reales de la sociedad.*

La sociología universalista se ataría posteriormente al concepto de estamentos, de modo que pudiera construir la sociedad nuevamente como un "todo orgánico" en el que las tendencias revolucionarias novedosamente proclamadas pudieran tornarse innocuas. En contra de eso, la sociología individualista elaboraría aun más el concepto de clase que posteriormente, en el marxismo, se convirtió en el instrumento de la "revolución social". El concepto de estamentos pertenecía al ámbito conservador del pensamiento. El concepto de clase estaba permeado con el ardor combativo del espíritu de la revolución social, el cual, después de haber estado quemándose muy gentilmente, se encendería con temible intensidad en el *Manifiesto comunista*.

La teoría cristiana del Estado y la sociedad, especialmente en Alemania, en su oposición a la doctrina marxista revolucionaria de la lucha de clases, buscó apoyo en la concepción universalista de los "estamentos ocupacionales", así como en una fase anterior había buscado apoyo en la Escuela histórica en su batalla contra las ideas de la Revolución francesa. En ambos casos se cometió un error fundamental. Una concepción cristiana del orden social no debiera buscar un hogar en el campo conservador, ni en los patrones de pensamiento revolucionario, universalista o individualista de la sociología humanista. Sin embargo, el espíritu de acomodo evitó nuevamente la maduración de una perspectiva reformativa, verdaderamente escritural, de la sociedad humana.

PROBLEMAS BÁSICOS EN LA SOCIOLOGÍA

Cuando la sociología empezó a presentarse a principios del siglo diecinueve como una ciencia independiente, fue inmediatamente confrontada con una serie de problemas fundamentales. Desafortunadamente, desde el mismo comienzo la nueva ciencia no pudo ni siquiera formular estos problemas propiamente; y, aunque los sociólogos del siglo veinte tienden a mirar con desdén a los fundadores franceses de su ciencia, con un cierto aire de condescendencia, no han hecho ningún progreso siquiera en la formulación correcta de estas cuestiones básicas.

EL ALEGADO CARÁCTER LIBRE DE VALORES

Por el contrario, muchos sociólogos contemporáneos manifiestan una antipatía definida hacia esta tarea. Su argumento es que la sociología es todavía una ciencia joven que ha tenido que sufrir numerosos asaltos fundamentales de legos que le han reprochado su fracaso en destacar un campo de investigación independiente. Sin embargo, continúa su argumento, la sociología ha avanzado quietamente y, a través de los resultados de sus investigaciones, de hecho ha probado su derecho a existir. En este respecto ha tomado el camino que también ha sido seguido por las otras ciencias empíricas (esto es, las ciencias que se ocupan de los fenómenos encontrados en la experiencia). Todas estas ciencias gradualmente se separaron de la ilusión de que primero deben delimitar apriori sus campos respectivos de investigación. Esto era una demanda imposible, impuesta por la filosofía. La sociología, como las otras ciencias empíricas, también se ha disociado de este enfoque filosófico apriori. La investigación empírica misma debe mostrar primero el camino, y sólo entonces será posible distinguir los contornos del campo de investigación sociológica en un bosquejo progresivamente más claro. Después de que se haya hecho un progreso razonable en tal investigación, la investigación filosófica está destinada ciertamente a seguir.

Este razonamiento parece muy atractivo y convincente, pero ignora un número de realidades básicas. En primer lugar, ignora el problema de la investigación empírica en la sociología misma. Desde el comienzo se ha supuesto erróneamente que los "hechos sociales" se presentaban a nuestra percepción de una manera objetiva, similar a la que supuestamente se aplica a los fenómenos objetivos de las ciencias naturales. Para que estos hechos sociales puedan ser captados como datos objetivos, es necesario suspender todas las normas y estándares de evaluación. La ciencia, después de todo, no se ocupa del estado de cosas que *debiera* prevalecer en la sociedad, sino con la realidad que *es*. Esta posición ha permanecido como el gran dogma de la sociología moderna, incluso después de que la hegemonía de la metodología de las ciencias naturales había sido destrozada en este siglo y de que, siguiendo los pasos de Max Weber [1864-1920], el método histórico o "científico cultural" empezaba a ser aplicado a los fenómenos sociales.

Después de mis discusiones anteriores, el lector inmediatamente observará que esta sustitución del ideal histórico por el ideal clásico de la ciencia, el cual buscaba el control de la naturaleza, permanecía enraizado en el mismo motivo básico humanista de la naturaleza y la libertad. En ningún caso, por lo tanto, podía uno hablar de una metodología científica imparcial y carente de presuposiciones. Tanto bajo la supremacía de la metodología de las ciencias naturales, como bajo la supremacía de la actitud histórica, la sociología empezó a eliminar, como cuestión de principio, todas aquellas estructuras constantes de la sociedad, fundadas en el orden de la creación, que de hecho *hacían posible* nuestra experiencia de los variables fenómenos sociales. El motivo religioso básico del humanismo exigía tal concepción de la "ciencia verdadera".

Para entender esto claramente, uno debe darse cuenta de que las relaciones sociales siempre presuponen *normas* (reglas del *cómo debiera de ser*) sin las cuales tales relaciones simplemente no existen. Por ejemplo, si un sociólogo desea lanzar un estudio de las relaciones maritales en diferentes sociedades, es inmediatamente confrontando con la cuestión de qué ha de entenderse como "matrimonio". El matrimonio es en principio diferente del concubinato o cualquier otra relación sexual extramarital. Sin embargo, sin la aplicación de normas sociales esta diferencia fundamental no puede ser determinada. Tomemos otro ejemplo. Si alguien busca estudiar la naturaleza del Estado desde un punto de vista sociológico, la cuestión de lo que es un Estado no puede ser eludida. ¿Puede uno realmente llamar "Estados" a las comunidades primitivas del *sib*, el clan o la familia? ¿Eran los reinos y territorios feudales de hecho Estados? ¿Puede uno considerar a una banda de asaltantes como un "Estado"? Cualquiera que discuta la monarquía, el parlamento, los ministros, etcétera, se ocupa con realidades sociales que no pueden ser experimentadas como tales a menos que uno tome en cuenta su *autoridad* o *competencia* legal. Sin embargo, la autoridad y la competencia son estados de cosas *normativos*, que presuponen la validez de normas sociales. La autoridad y la competencia legal no pueden ser percibidas objetivamente por nuestros sentidos, al modo de las garras de un animal depredador o la fuerza muscular de un atleta.

Las clases sociales y los estamentos (que discutí anteriormente) no son tampoco, como tales, entidades sensorialmente perceptibles. Cualquiera que hable de clases "propietarias" y "desposeídas" presupone la noción de propiedad, la cual descansa sobre la validez de normas legales. Más aun, la división de la entera población de un país en "propietaria" y "desposeída" es una construcción que sólo tiene sentido si aceptamos la propiedad de los medios de producción como nuestro criterio; y sólo podemos determinar lo que es un medio de producción si empleamos normas económicas. Cuando uno habla de "estamentos" como categorías de personas ligadas por una conciencia de "honor social", entonces uno se ocupa de realidades sociales que no pueden existir sin la validez de normas de interacción social.

¿Qué "hechos sociales" quedarían entonces, si uno tomara seriamente el dogma de que la sociología, al ser una ciencia empírica, debe suspender todas las normas y estándares de evaluación? La respuesta seguramente será: "¡ninguno!" Sin normas, la sociedad humana realmente no puede existir. La realidad que es accesible a nuestra experiencia exhibe un gran número de aspectos normativos en los cuales es sujetada a leyes o reglas de *lo que debe ser*. Son exactamente estos aspectos normativos los que caracterizan primero las relaciones sociales humanas, incluso aunque estas relaciones también funcionen dentro de aspectos en los que la realidad no esté sujeta a normas, sino a las así llamadas leyes de la naturaleza.

Se ha dicho, desde luego, que como ciencia empírica la sociología debiera dirigir su foco teórico a una banda de asaltantes no menos que a organizaciones legítimas, y que por lo tanto la cuestión de si una formación específica de un grupo social actúa en armonía con un orden legal válido es irrelevante por lo que a la sociología concierne. Pero, si un sociólogo realmente desea estudiar una banda de *asaltantes*, en su organización y operación, entonces ciertamente tendrá que tomar en cuenta la distinción entre una organización delictiva y una no delictiva. De otra manera, verdaderamente no sabría cómo se las puede uno arreglar para investigar sociológicamente una banda de asaltantes y no honrar quizá por error a una organización caritativa, una iglesia o un Estado, con la atención de uno como científico. Sin embargo, si uno se toma en serio el dogma de que, al hacer tales distinciones, la sociología tiene que suspender todas las normas y estándares de evaluación, ¿de qué fuente derivará uno entonces un criterio para detectar una banda de asaltantes real?

Uno podría replicar que las normas sociales mismas, también, pueden ser tratadas científicamente como *hechos sociales puros*, observando que éstos son reconocidos como válidos dentro de una sociedad particular sin, sin embargo, investigar la cuestión de si estas normas realmente debieran tener cualquier validez. La tarea de la sociología está entonces limitada a la investigación científica de las circunstancias factuales a través de las cuales estas normas particulares han logrado tal reconocimiento. En otras palabras, las normas sociales mismas tienen que ser causalmente explicadas por los sociólogos como estados de cosas factuales que surgen de las circunstancias sociales de carácter no normativo. De esta manera, la ciencia sociológica es supuestamente capaz de suspender todos los estándares normativos de evaluación para estudiar los hechos sociales sin prejuicio o sesgo.

¿Qué hemos de pensar de esto? Aquí hemos obviamente tocado el corazón de la cuestión que nos ocupa. Puesto que estamos tratando con un problema de importancia cardinal para nuestro entero entendimiento de la sociología, tendremos que dedicar una atención especialmente cuidadosa a este viraje que ha sido dado al dogma de la neutralidad o imparcialidad científica.

Los sociólogos que piensan que realmente pueden suspender todos los puntos de vista normativos hablan de normas sociales sólo en el sentido de reglas de conducta de acuerdo con las cuales, en promedio, las personas se conducen *factualmente*. Aquí sería irrelevante si tal regularidad factual en el comportamiento humano se halla también de acuerdo con el orden legal oficial y la moralidad. Se supone, desde luego, que a lo largo de un periodo de tiempo esta regularidad factual crea un *sentimiento del deber* entre los miembros de un grupo social. Éste es designado entonces como el "poder normativo de los hechos". Así, esta regularidad factual conductual misma no es explicada sobre la base de un sentimiento de deber social, sino sobre la base de otros "hechos sociales", tales como la creciente división del trabajo y el acompañante incremento en la solidaridad y la mutua dependencia entre los miembros de la sociedad.

Es cierto que uno puede observar en un grupo social (para adoptar este término sociológico que suena vacío) patrones de comportamiento que por sí mismos nunca implican un sentimiento de "deber social". Uno podría pensar, por ejemplo, en el lamentable incremento, desde el periodo de la ocupación alemana, de los microrrobos cometidos por empleados, así como en otros "malos hábitos". Tales "malos hábitos" sólo pueden operar negativamente al socavar, dentro de ciertos límites, la conciencia general de las normas y los estándares. En otras palabras, pueden contribuir al sentimiento en el infractor de que lo que está haciendo "no está del todo mal"; pero ninguna persona tal mantendría jamás que "así es como debiera de ser". ¿Por qué no? La respuesta es que los "malos hábitos", tales como los mencionados, nunca pueden generar "orden social" sino llevar el estigma de ser "antisociales" y antinormativos. Sólo las normas sociales auténticas, *las que ordenan las relaciones sociales de una manera verdaderamente duradera,* pueden, cuando son seguidas, provocar un sentimiento de deber social. En otras palabras, un *sentimiento* de deber presupone una *norma* y por lo tanto no puede existir como la "causa" u "origen" de la segunda, así como la regularidad factual nunca puede por sí misma ser una "causa" de un sentimiento del deber.

Esta situación más bien simple (uno podría llamarla simple, puesto que cualquiera puede verificarla) nos conduce a una reflexión adicional sobre el *núcleo del problema* que hemos planteado; esto es, la cuestión concerniente al significado de la explicación causal en la sociología y la relación entre una visión "explicativa" y una "normativa" de las relaciones sociales.

EXPLICACIÓN CAUSAL *VERSUS* EVALUACIÓN NORMATIVA

La actual oposición entre explicación causal y evaluación normativa está profundamente enraizada en el motivo religioso básico de la visión humanista de la realidad, el motivo de la naturaleza y la libertad. El concepto de causalidad con el que operó la sociología del siglo diecinueve era el del ideal humanista clásico de la ciencia que, a su vez, lo había derivado de la física clásica. Este concepto portaba un carácter fuertemente determinista y por ello no hacía lugar a la libertad autónoma de la personalidad humana.

Saint-Simon y Comte, los dos fundadores de la sociología moderna como ciencia independiente, habían intentado eslabonar este modo científico natural con la perspectiva universalista del Romanticismo y la Escuela histórica. Es así que consideraron la sociedad como un todo orgánico e incluso enseñaron que ultimadamente la sociedad era mantenida en cohesión sólo por *ideas* comunales. Pero el eslabón que fue establecido entre el modo racionalista de pensar de las ciencias naturales y la perspectiva irracionalista del historicismo estuvo sujeto a una contradicción interna. El primer modo de pensar intentó analizar todos los fenómenos sociales complejos en sus "elementos" más simples y establecer, sobre la base de leyes generales de causa y efecto, una conexión entre estos elementos. Este método inevitablemente condujo a una visión individualista de la sociedad humana. El segundo modo de pensar, por otra parte, intentó entender todas las relaciones sociales como partes individuales de un todo individual, y así condujo inevitablemente a un rechazo del concepto científico natural de causalidad, así como de cualquier aceptación de leyes universales para el desarrollo de la sociedad humana.

Sin embargo, en la segunda mitad del siglo diecinueve, la influencia del idealismo alemán de la libertad, con su visión universalista e irracionalista de la realidad, empezó a declinar. El descubrimiento de la célula como el supuesto "elemento" básico de la vida orgánico inauguró una nueva era de supremacía para el modo de pensar racionalista científico natural. Comenzando en Inglaterra, la teoría de la evolución empezó su triunfal procesión.

Bajo la iniciativa del pensador inglés Herbert Spencer [1820-1903], la escuela biológica logró poner su pie en la sociología. Esta escuela se había divorciado completamente de las tensiones universalistas e idealistas en el sistema de Saint-Simon y Comte. La sociedad humana era vista enteramente desde un punto de vista biológico y, de acuerdo con el nuevo modo de pensar evolucionista, fue otra vez explicada sobre la base de sus "componentes elementales más simples". Es así que por lo pronto el concepto mecánico de causalidad de la ciencia natural clásica obtuvo la hegemonía exclusiva en el pensamiento sociológico.

Es sólo hacia el final del siglo diecinueve que encontramos una reacción nueva y decisiva, inspirada por el motivo humanista de la libertad, a este modo mecánico de pensar. La sicología del comportamiento humano empezó a atraer el centro de la atención, y se desarrolló la compenetración de que los motivos sicológicos de la acción humana no pueden ser captados en términos del concepto mecánico de causalidad característico de la biología evolucionista. Al mismo tiempo, un resurgimiento de la filosofía crítica de Kant, a lo largo de líneas así llamadas neokantianas, condujo a una reflexión renovada sobre los límites inherentes al método de pensamiento científico natural. Se trazó una línea de demarcación entre las ciencias naturales y las ciencias "espirituales" [*Geisteswissenschaften*], con las segundas fundamentadas en una sicología científica espiritual [*geisteswissenchaftliche Psychologie*]. Este contraste se complicó aun más por una distinción entre la ciencias naturales y las culturales; en las segundas, el método de la ciencia histórica fue elevado al rango de modelo del pensamiento. Empezando con el modo irracionalista de pensar del Romanticismo y la Escuela histórica, el pensador neokantiano Heinrich Rickert [1863-1936] formuló esta distinción como sigue: el método científico natural se ocupa del descubrimiento de *leyes generales* y ve todos los fenómenos completamente *aparte de cualesquiera valores y valoraciones*; las ciencias culturales, por el contrario, están especialmente interesadas en la *individualidad* de los fenómenos y buscan relacionar ésta con *valores* (p.e. belleza, justicia y poder) reconocidos en la sociedad.

Todo esto fue seguido en el siglo veinte por una gran revolución en la misma física, cuando resultó que los microfenómenos en los procesos físicos básicamente no están sujetos al concepto mecánico de causalidad, y que las así llamadas leyes naturales de la física clásica sólo pueden ser mantenidas como regularidades estadísticas para fenómenos que aparecen a gran escala. Con esto, la era de la supremacía para el ideal humanista de la ciencia en la visión de la realidad del hombre había llegado a su fin. Sin embargo, esto no significaba un regreso a los sistemas filosóficos especulativos apriori del idealismo alemán de la libertad (Fichte, Schelling y Hegel). Ya no era posible encontrar una base firme para el motivo libertad humanista en la antigua fe en las ideas eternas de la dignidad humana y la autonomía. En la medida que uno deseaba salvaguardar la libertad de la personalidad contra las exigencias del concepto determinista clásico de la causalidad, uno buscaba una base "empírica" en la más reciente investigación de la sicología.

La inconmovible fe del idealismo había sido desarraigada. Y, después de la revolución en la física del siglo veinte que acabamos de describir, el entero problema de la libertad retrocedió hacia el trasfondo. El historicismo irracionalista, que se había separado de sus raíces espirituales en el idealismo de la libertad, ganó la preeminencia por doquier. De este modo, se puso en movimiento el proceso de desarraigo religioso del humanismo.

La ciencia sociológica fue barrida en este proceso antes de que hubiera formulado propiamente las cuestiones realmente fundamentales relativas a cuál era de hecho su campo de investigación. Bajo estas circunstancias, no podemos esperar que los sociólogos hayan llegado a ninguna visión clara concerniente al significado del concepto de causalidad tal y como ellos lo empleaban. Intentaremos por lo tanto clarificar este asunto y demostrar, al mismo tiempo, que la distinción actual hecha en sociología entre el punto de vista *explicativo* y el *normativo* —una distinción que descansa sobre el motivo básico humanista de la naturaleza y la libertad— se halla en agudo conflicto con el orden de la realidad.

El concepto de causalidad, si ha de ser aplicado para que ofrezca una explicación científica de los fenómenos observables, requiere por encima de todo una posibilidad de comparación entre la causa y el efecto. Debe ser posible subsumir "causa y efecto" bajo un denominador común que yazca dentro del alcance de la determinación científica. El concepto de causalidad de la física clásica satisfizo este requerimiento completamente, puesto que estableció relaciones causales sólo entre fenómenos que ocurrieron *dentro del mismo aspecto de la realidad* —el aspecto del movimiento físico de la energía [*energie-beweging*]. Así, el calor y el movimiento mecánico, por ejemplo, eran desde luego entidades comparables cuando se les veía bajo este aspecto abstracto. Sin embargo, surge una situación enteramente diferente cuando se hace un intento por establecer un nexo causal entre el aspecto fisicoquímico de los fenómenos y el aspecto de la vida orgánica. Tal aplicación del concepto de causalidad sólo puede ser significativa para alguien que piensa que los fenómenos de la vida orgánica se pueden reducir en última instancia a procesos de un carácter puramente físico y químico. Sin embargo, tal pensamiento descansa sobre una presuposición o sesgo "materialista" que no tiene la mínima base en la realidad tal y como la experimentamos, pero que está completamente inspirado por el ideal humanista clásico de la ciencia y permanece enraizado en el motivo religioso básico del humanismo.

LA ESTRUCTURA DUAL DE LA REALIDAD

Pues la verdad es esta, que los *diferentes* aspectos de la realidad, tales como el movimiento físico, la vida orgánica, el sentimiento, el desarrollo histórico, el Derecho, la moralidad, etcétera, no pueden ser subsumidos bajo el *mismo* denominador científico. Son aspectos del ser mutuamente irreducibles, en los cuales se nos manifiesta la realidad. Es por lo tanto imposible que se hallen en relaciones *mutuas* de causa y efecto entre sí. Es por ello que en la sociología carece de sentido aseverar que el orden legal tiene su causa en un sentimiento de justicia o que las valoraciones económicas son "causadas" por sentimientos de placer y pena, pues el aspecto de sentimiento de la sociedad es fundamentalmente diferente del aspecto diquético o el económico. Cuando se ven bajo el aspecto del sentimiento, los fenómenos ponen de manifiesto un carácter enteramente diferente del que aparece cuando se investigan bajo el aspecto diquético o económico. Por lo tanto, no se ofrece ninguna explicación científica en lo absoluto cuando uno trata de establecer una conexión causal entre los varios aspectos distinguibles en la realidad, pues aquí sólo nos concierne los aspectos de la realidad que no admiten —en un sentido científico— ninguna comparación.

Superficialmente, desde luego, uno podría objetar a esta posición que todo mundo supone de hecho tales conexiones causales. Por ejemplo, si alguien es golpeado y muerto por un rayo, o si alguien se suicida tomando veneno, ¿no se supone sin cuestionar que existe una conexión causal entre los procesos puramente físicos y químicos, y los fenómenos de la vida orgánica? O, si alguien es impulsado por hambre a robar pan, ¿no se supone, nuevamente sin cuestionar, que existe una conexión entre los impulsos emocionales y la conducta ilegal? Sin embargo, la objeción sólo se sostendría si también en nuestro pensar cotidiano —la base de tales opiniones— viéramos los fenómenos bajo varios aspectos *aislados*. Pero, desde luego, esto no es en lo absoluto verdadero. En la experiencia no científica de nuestra vida diaria, percibimos y captamos cosas y eventos en su realidad concreta, y allí funcionan en todos los aspectos sin excepción. Para ponerlo de modo diferente, los procesos *puramente* fisicoquímicos no existen. De modo similar, no hay fenómenos en la realidad que estén enteramente contenidos dentro del aspecto de la vida orgánica o el aspecto del sentimiento. Las sustancias estudiadas por la física y la química bajo su aspecto físico funcionan no menos en los aspectos de la vida orgánica, el sentimiento conciente, la cultura histórica y la vida económica o jurídica. Es así que no podemos hablar de "venenos" dentro del aspecto de ser aislado por la física y la química. Sólo dentro del aspecto de la vida orgánica pueden ser venenosas ciertas sustancias; esto es, en relación con el funcionamiento vital de plantas, animales y seres humanos. De modo similar, dentro de la vida subjetiva del sentimiento, estas sustancias pueden operar como causas sólo en la medida que ellas mismas funcionen dentro del aspecto real del sentimiento. Pero, ¿cuáles son entonces las funciones que estas sustancias pueden desempeñar en los aspectos de la vida orgánica, el sentimiento, etcétera? Después de todo, suponemos que las sustancias —como los venenos— por sí mismas no poseen vida orgánica, o una facultad de sentimiento o de pensamiento lógico. ¿No son realmente estas sustancias de un carácter exclusivamente físico y químico, de modo que sólo la física y la química pueden enseñarnos lo que realmente son? Si esta es desde luego su opinión, entonces lo invito a que la ponga a prueba.

En nuestra manera cotidiana de experimentar la realidad, el nido de un pájaro es, sin duda, una cosa verdaderamente existente; y usted sabe, desde luego, que este nido está construido con materiales que por sí mismos carecen de vida orgánica. Pero, si la química le proveyera con las fórmulas químicas exactas de los materiales de construcción, la realidad completa del nido del pájaro no sería plenamente aprehendida. Estamos tratando con un producto animal que cumple una función típica en la existencia de un pájaro, una función que en este producto se ha manifestado de un modo objetivo. Esta es la *función de un objeto*, una función objetiva, como la designaríamos. Esta función objetiva caracteriza el nido sólo en su relación con la función subjetiva de la vida orgánica que caracteriza al pájaro y sus anidamientos. Así, en el nido del pájaro estamos confrontados con una relación típica entre sujeto y objeto, la cual es un componente esencial de la realidad de este producto. Es una relación que está ya expresada en el mismo término *nido de pájaro*. Si ignoramos esta relación, para estudiar el nido exclusivamente de acuerdo con los aspectos físico y químico de sus materiales, entonces el nido del pájaro se desvanece de nuestra vista y no nos quedamos con nada más que una abstracción científica.

Esto se volverá incluso más claro cuando observemos el papel jugado en la sociedad por cosas compuestas de materiales inorgánicos. Casas, oficinas, fábricas, museos, calles, carreteras, automóviles, trenes, aeroplanos, etcétera, sólo tienen existencia real en una relación sujeto-objeto dentro de la sociedad. Sin excepción, funcionan en todos los aspectos de la realidad: en el aspecto físico, en el aspecto de la vida orgánica, en el aspecto síquico del sentimiento (en sus propiedades sensoriales perceptibles), en el aspecto lógico (por virtud de sus características lógicas objetivas), en el aspecto histórico del desarrollo cultural (todas son productos de la cultura humana), en el aspecto del lenguaje (poseen un significado objetivo simbólico), en el aspecto de la interacción social, en el aspecto de la valoración económica (todas son bienes económicos), en el aspecto estético (todas son objetos de apreciación estética), en el aspecto diquético (todas son objeto de derechos humanos y transacciones legales), etcétera.

Pero nadie experimenta jamás la realidad de estas cosas como la simple suma total de las funciones que poseen dentro de los diferentes aspectos de la realidad. Más bien, las experimentamos exclusivamente como *estructuras de totalidad típicas*, en las cuales sus varios aspectos distintos están ordenados de un modo típico para formar un todo individual. Por lo tanto, estas estructuras de totalidad típicas de las cosas concretas han de ser claramente distinguidas de las estructuras constantes exhibidas por los aspectos específicos de la realidad que llamamos *estructuras modales* porque pertenecen a un modo o manera particular de ser dentro de un aspecto específico de la realidad. Sin una compenetración propia en estas estructuras modales, se hace imposible lograr una compenetración científica en las estructuras de totalidad típicas de la realidad. Y, sin compenetración en esta *estructura dual de la realidad*, es imposible usar en sociología el concepto de causalidad de una manera científicamente válida.

La sociología moderna, sin embargo, ha realmente intentado "explicar" los fenómenos de la sociedad humana después de que ha descartado —como asunto de principio— estas estructuras, las que hacen posible estos mismos fenómenos así como nuestra experiencia de ellos. Por lo tanto, el primer requerimiento básico para una sociología cristiana es separarse de los entendimientos humanistas de la realidad a los que se adhieren tácitamente las diferentes escuelas. En vista de esto, intentaremos descubrir las estructuras subyacentes de la realidad que ya hemos apuntado y que, bajo la influencia del motivo básico humanista, han sido proscritas de la perspectiva de la ciencia. La dificultad de esta empresa no debe desalentar a ningún lector que esté igualmente convencido con nosotros de la urgente necesidad de una sociología cristiana. Tal sociología sólo puede ser desarrollada de un modo gradual, pero nunca sin una conversión radical de nuestro entero entendimiento científico de la realidad, una conversión que debe ser efectuada por la dinámica espiritual del motivo básico de la Palabra-revelación de Dios —creación, caída en pecado y redención a través de Jesucristo.

TIPOS IDEALES Y ESTRUCTURAS CREACIONALES

Ultimadamente, todos los problemas fundamentales de la sociología parecen converger en la pregunta de cómo es posible juntar en una perspectiva teórica comprehensiva la gran diversidad de aspectos modales revelados por la sociedad. Las varias ciencias especiales ocupadas con las relaciones sociales, tales como la biología social, la sicología social, la historia, la lingüística, la economía, la teoría legal, etcétera, pueden restringirse a estudiar estas relaciones bajo un aspecto modal específico, tal como el aspecto de la vida orgánica, el aspecto del sentimiento, el aspecto histórico, el aspecto del lenguaje, el económico, o el aspecto diquético. Sin embargo, la sociología no puede adoptar esta perspectiva restringida de una ciencia especial. Más bien, es la tarea esencial de la sociología juntar todos estos aspectos en una perspectiva teórica comprehensiva típica. Esto presupone que uno tiene una idea de la mutua *interrelación y coherencia* de los aspectos, el *lugar* respectivo que cada uno de ellos ocupa en el entero orden de los aspectos, y, finalmente, de la *manera* en que los aspectos están ordenados dentro de las estructuras de totalidad típicas de la realidad, para formar todos individuales.

En otras palabras, nuestro entendimiento teórico entero de las estructuras subyacentes de la realidad está en juego aquí. Los problemas fundamentales que hemos planteado son indubitablemente de una naturaleza
intrínsecamente *filosófica*. Pero la sociología no gana nada si trata de trata
de dejar de lado estas cuestiones con el gesto de quien barre, proclamando
que está contento de conducir investigaciones sobre los fenómenos *empíricos*,
mientras que los problemas filosóficos de raíz pueden dejarse a la filosofía
social. Después de todo, ¿no es exactamente el asunto del carácter *empírico*
de la realidad de las relaciones sociales lo que está en cuestión aquí? Las
estructuras típicas, dentro de las que están ordenadas las relaciones sociales
empíricas —tales como la estructura del matrimonio, la familia nuclear, la
familia lineal, el Estado, la iglesia, los negocios, la escuela, la organización
laboral, la interacción social, las relaciones de guerra, etcétera—, no son
entidades sensorialmente perceptibles que se nos presenten en un espacio objetivo de percepción sensorial. En principio, estas estructuras típicas
abarcan todos los aspectos modales de la realidad sin excepción; ordenan o
agrupan estos aspectos de una manera típica para formar totalidades individuales; y hacen posible nuestra experiencia de los fenómenos sociales concretos y temporalmente variables. La pregunta concerniente a la *naturaleza
interna* de estas estructras sociales simplemente no puede ser evadida si uno
desea investigar los fenómenos empíricos de una manera verdaderamente
científica.

Tomemos un ejemplo de una investigación sociohistórica sobre el desarrollo factual de la vida del Estado. ¿No es imperativo primero reflexionar
sobre lo que uno entiende por "Estado"? ¿Fueron las primitivs comunidades de parentesco, los clanes, los sibs, y las comunidades tribales, realmente
"Estados"? Es correcto aplicar el término "Estado" al feudo medieval del
obispado de Utrecht? ¿Tuvo el Estado sus orígenes en la familia o en la
conquista? ¿Es el Estado meramente el instrumento de poder blandido por
la clase gobernante para mantener a la clase oprimida en sujeción? ¿Cómo
están el físico, el biótico, el síquico, el histórico, el económico, el diquético, el
ético, y otros aspectos interrelacionados dentro de la estructura del Estado?
¿Juega la ley el mismo papel en el Estado que en otras estructuras sociales;
o, en su realidad empírica, no es el Estado sino una organización de poder
histórico, mientras que la puesta en vigor del orden legal es sólo uno de los
numerosos *propósitos* del Estado y como tal es extraño a un entendimiento
sociológico del Estado? ¿Pueden ser contestadas todas estas preguntas objetivamente, sobre la base de la percepción sensorial? Seguramente, ¡cualquiera
que haya retenido alguna medida de conciencia crítica no afirmará que esto
es el caso!

¿Hay una solución alternativa? ¿Hemos de operar en sociología con los así
llamados conceptos de "tipos ideales" que hemos extraído de una manera

arbitraria de los variables fenómenos sociales tal y como éstos se nos presentan bajo el aspecto histórico de la realidad? Tales "tipos ideales" no son ultimadamente más que construcciones subjetivas que no pueden contribuir nada a nuestra compenetración en las estructuras de totalidad típicas de la *realidad*. Max Weber, el bien conocido académico alemán que introdujo estos así llamados "tipos ideales" en el marco conceptual de la sociología, expresamente reconoció su carácter derivado y relativamente arbitrario, y sólo deseaba utilizarlos como ayudas para un mejor entendimiento de la individualidad histórica de los fenómenos, especialmente del significado socio-histórico subjetivo de la acción humana. Explicó que los "tipos ideales" son logrados al exagerar concientemente ciertos rasgos dentro de la "realidad histórica" y al abstraer éstos de todos los otros rasgos. Prontamente admitió que uno nunca simplemente se topará con un tipo ideal tal en la realidad misma. Como ejemplo, uno puede señalar el tipo ideal del *homo economicus*, la imagen fantasiosa de una persona que es impulsada única y exclusivamente por su interés propio económico y que escoge, de una manera estrictamente racional, los medios mediante los cuales será capaz de realizar sus fines. De manera similar, uno podría construir un tipo ideal del Estado burocrático moderno, de la iglesia y la secta, de la ciudad medieval, de las artesanías medievales, etcétera.

Sin embargo, el problema estructural real que hemos sacado a la luz ni siquiera ha sido planteado aquí; esto es, la pregunta de cómo se ordenan los varios aspectos que se manifiestan en la sociedad dentro de las estructuras de totalidad distintamente típicas para formar entidades individuales completamente únicas. No obstante, esta es la cuestión básica de toda sociología. Uno lee mucho en varios escritos y en periódicos diarios acerca de las "estructuras" de la sociedad y acerca de los cambios estructurales. Pero dista de ser claro exactamente qué se entiende por esto. Muy frecuentemente estos términos esconden una noción científicamente defendida de que los factores económicos son realmente decisivos y determinan la entera coherencia de una "sociedad". También es muy común que la expresión "estructura social" esconda una concepción seudocientífica de la sociedad como un "equilibrio de fuerzas" cuya ruptura necesariamente efectuará cambios estructurales.

Cualquiera que haya visto la urgente necesidad del desarrollo de la sociología basada sobre un fundamento escritural cristiano debe asumir inevitablemente una actitud escéptica hacia esta metodología seudocientífica que elimina las verdaderas estructuras de la realidad, pues entiende que estas estructuras están fundamentadas en el orden de la creación. Hemos visto, desde luego, que la sociología moderna no recibió su dinámica espiritual del motivo básico del cristianismo —creación, caída en pecado, y salvación a través de Jesucristo— sino del ideal humanista de la ciencia, ya sea en su forma clásica científica natural, o en su moderna forma historicista. Y este ideal de ciencia dependía enteramente de la fe del hombre en su propia autonomía, entendida de una manera característicamente humanista. Esta fe no podía tolerar la aceptación de un orden de la creación al cual esté sujeto el hombre, muy independientemente de su propio pensamiento y volición subjetivas. Así, la sociología, inspirada por este ideal de ciencia, empezó inmediatamente con la eliminación de las estructuras modales de los aspectos y pensó que podía capturar la realidad empírica de la sociedad aparte de su matriz estructural subyacente.

La eliminación de una perspectiva normativa de la realidad social condujo, por necesidad, a la eliminación de todos aquellos aspectos de la realidad que, de acuerdo con su estructura modal, comportan un carácter normativo. Como hemos enfatizado, después de tal eliminación uno no es dejado con una realidad social empírica, sino con una construcción arbitraria, abstracta y científicamente inválida de esa realidad. La eliminación de las estructuras modales de los aspectos directamente implicaban la eliminación de las estructuras de totalidad típicas o estructuras de individualidad de la realidad social, puesto que éstas dependen de aquellas. Por lo tanto, puesto que nuestro primer objetivo debe ser el de lograr una compenetración en las estructuras de totalidad típicas de la sociedad, y en los diferentes modos en que estas estructuras están mutuamente entrelazadas, debemos empezar nuestra investigación con un análisis de las estructuras modales de los varios aspectos distintos de la sociedad. Veremos cómo tal análisis nos proporcionará, de una manera sorprendente, una compenetración en la entera secuencia estos aspectos y así en el lugar que cada aspecto ocupa en esta secuencia.[3]

[3] Esta fue la última contribución de Dooyeweerd a *Nieuw Nederland*. Fue publicada en el número con fecha del 13 de mayo de 1948. El lector que desee perseguir el argumento de Dooyeweerd puede consultar las siguientes de sus publicaciones en inglés y alemán: "The Sense of History and the Historicist World and Life View" ["El sentido de la historia y la cosmovisión historicista"] en *In the Twilight of Western Thought* [*En el crepúsculo del pensamiento occidental*] (Filadelfia: Presbyterian and Reformed, 1960), pp. 62-112; y "Die Philosophie der Gesetzesidee und ihre Bedeutung für die Rechts- und Sozialphilosophie" ["La filosofía de la idea-ley y su significado para la filosofía social y del Derecho"], *Archiv fur Rechts- und Sozialphilosophie*, vol. 53 (1967), pp. 1-20 y 465-513. La explicación más elaborada de Dooyeweerd de las así llamadas estructuras modales de la realidad y las estructuras de totalidad de la sociedad está contenida en los volúmenes segundo y tercero de su *A New Critique of Theoretical Thought* [*Una nueva crítica del pensamiento teórico*] (Amsterdam: H.J. Paris; Filadelfia: Presbyterian and Reformed, 1955 y 1957). Una bibliografía casi exhaustiva de las publicaciones de Dooyeweerd en inglés, francés y alemán antes de 1975, así como una lista de escritos acerca de él emitidos antes de esa fecha, se pueden encontrar en L. Kaalsbeek, *Contours of a Christian Philosophy: An Introduction to Herman Dooyeweerd's Thought* [*Contornos de una filosofía cristiana: una introducción al pensamiento de Herman Dooyeweerd*], publicado por Bernard Zylstra y Josina Zylstra (Toronto: Wedge, 1975), pp. 307-313. El Dooyeweerd Centre del Redeemer College en Ontario, Canadá, ha firmado un acuerdo con la Edwin Mellen Press para publicar la traducción al inglés de las obras completas de Dooyeweerd.

ÍNDICE DE NOMBRES

A

Abraham 103, 187
Aengenent, obispo 139
Agrícola, Rodolfo 154
Alejandro Magno 23
Anaximandro 17
Apolo 17, 18, 20
Aquino, Tomás de 121, 122, 125, 128, 137, 142, 156, 163, 200
Aristóteles 16, 23, 30, 35, 36, 118, 120, 122, 123, 126, 130, 138, 146, 156
Agustín 34, 117, 118, 119, 138
Augusto 24, 197, 205, 208

B

Ballanche, Pierre 193
Barth, Karl 60, 61, 68, 95, 143, 144, 145, 147, 149, 150, 151
Bodin, Jean 162, 163, 200
Bonald, Luis de 193
Brunner, Emil 68, 95, 147, 149, 150, 151

C

Calígula 24
Calvino, Juan 171
Cassirer, Ernest 107
Clovio 79
Codrington, Roberto 106
Comte, Augusto 197, 205, 208, 216, 217
Constantino el Grande 29
Copérnico 155, 157
Cromwell, Oliverio 159, 179

D

Descartes, René 159, 160, 161
Dooyeweerd, Herman 19, 30, 79, 131, 207, 208, 225
Durkheim, Emile 104
Duynstee, F.J.F.M. 136

E

Erasmo 154, 155
Esquilo 30

F

Fichte, Johann 183, 218

G

Galileo 155, 159, 197
Gierke, Otto van 79
Goethe 17, 42, 47, 48, 57, 105, 186
Gogarten, Friedrich 147
Groen van Prinsterer, Guilllaume 3, 4, 53, 55, 64, 68, 70, 129, 168, 193
Grocio, Hugo 154, 162, 163, 166, 200
Guillermo I 70
Guillermo de Orange 170

H

Haller, Ludwig von 193
Hegel 7, 91, 92, 209, 210, 211, 218
Hesíodo 18
Hitler 27, 80
Hobbes, Tomás 159, 160, 161, 166, 168, 169, 175, 179, 200, 204
Homero 17, 18, 19, 1
Huizinga, Johan 73
Hume, David 88, 165

J

Jesucristo 4, 12, 15, 29, 36, 38, 41, 49, 59, 60, 69, 89, 105, 112, 117, 121, 124, 134, 143, 144, 148, 149, 150, 154, 186, 188, 222, 224
Job 61
Juan, el apóstol 38, 58, 117, 145, 165
Juan XII 142

K

Kalsbeek, L. 225
Kant 38, 157, 167, 177, 178, 179, 181, 182, 183, 209, 218
Koenraadt, W.M.J. 132
Kors 140
Kuyper, Abraham 3, 4, 44, 50, 55, 56, 70, 94, 95, 187

L

León XIII 135, 136
Leonardo da Vinci 68
Locke, John 165, 166, 167, 169, 170, 172, 174, 200, 201, 209
Luis XI 206
Luis XIV 206
Lutero, Martín 143, 144, 145, 146, 147, 155

M

Maquiavelo, Nicolás 154, 168
Maistre, Joseph de 193
Marcuse, Herbert 53
Marx, Carlos 2, 11, 202, 203, 204, 205, 209, 212
Mekkes, J. P. A. 171
Melanchton 146, 147
Montesquieu 170, 172

N

Napoleón 52, 88, 185, 191
Newton 16, 155, 197

Nietzsche, Federico 11
Nilsson, Martin 19.

O

Occam, Guillermo de 141, 142, 143, 144, 145, 146

P

Pascal 110
Pablo 31, 38, 99, 100, 101, 123, 124, 125, 144
Pesch, Heinrich 132
Pío XI 126, 128, 132, 135, 139, 140
Platón 7, 29, 30, 35, 36
Pufendorff, Samuel 200

Q

Quesnay, François 209

R

Ricardo, David 203, 209
Rickert, Heinrich 218
Rousseau, Juan Jacobo 74, 165, 166, 167, 170, 171, 173, 174, 175, 176, 177

S

Say, J.B. 209
Saint-Simon, Henri de 205, 206, 207, 208, 209, 210, 217
Sassen, Ferdinand 140
Savigny, Karl von 196
Schelling, Friedrich 193, 194, 218
Schlegel, Friedrich 183
Sertillanges, Antonin 137
Smith, Adam 157, 203, 209
Spann, Othmar 131, 132
Spencer, Herbert 217
Stahl, Friedrich J. 53, 55, 68
Stein, Lorenz von 210

T

Thorbecke, J.R. 58
Tiberio 24
Tönnies, Ferdinand 210

V

Van Poll, Max 132

W

Weber, Max 213, 223

ÍNDICE TEMÁTICO

A

absolutismo (en el Estado) 29, 49, 128, 130, 161, 162, 175, 176, 200

absolutización 13, 30, 37, 39, 42, 57, 59, 87, 89, 108, 176, 178, 186, 191, 196

alma 18, 20, 21, 24, 30, 32, 33, 34, 35, 36, 37, 38, 44, 46, 72, 82, 93, 94, 95, 101, 108, 116, 118, 119, 120, 121, 122, 126, 133, 134, 135, 136, 137, 140, 147, 148, 158, 159, 160

amor

  –mandamiento 1, 31, 39, 119, 144, 146, 150

  –y justicia 68

  –a la cultura 92, 93

  –y ley 94, 144

  –amor libre 47, 50, 183

analogía 19, 97, 98, 99, 100, 101

Anangké 16, 18, 19, 29, 30, 37, 104, 148, 149

anarquismo 172, 183, 185

ançien régime 54, 58, 167

antihumanismo 11, 147, 153

antítesis, religiosa 1, 2, 3, 4, 5, 6, 8, 12, 13, 14, 15, 29, 30, 32, 33, 36, 39, 40, 41, 48, 49, 50, 86, 89, 95, 96, 102, 111, 112, 113, 138, 139, 140, 143, 147, 148, 175, 188;

  –teórica 7, 12;

  –y gracia común 39

apertura 75, 76, 81, 84, 91, 99, 100, 101, 102, 103, 104, 107, 108, 109, 111, 187, 191

Apolo 17, 18, 20

apostasía 3, 31, 33, 38, 39, 69, 93, 94, 103, 104, 105, 108, 111, 125

aspectos de la realidad 34, 41, 42, 44, 48, 96, 98, 219, 221, 224

  –irreducibilidad 44, 219; y causalidad 46, 59, 75, 178, 219

  –coherencia 44, 46, 48, 59, 75

  –diversidad 34, 39, 149, 178, 222

  –núcleo 14, 16, 46, 59, 66, 68, 87, 93, 96, 97, 98, 100, 158, 172, 216

  –normativo 18, 70, 74, 85, 86, 103, 107, 108, 186, 214, 215, 216, 224

  –y las ciencias 42, 156, 178, 207, 219

-diferentes aspectos: físico 60, 159, 218, 219; orgánico 60, 71, 146, 219, 220; lógico 71; lingual 98; histórico 64, 66, 196, 223; económico 211; síquico 219, 220; fe 93, 94

aspectos modales 221, 222, 224, 225

autoconocimiento 8, 34, 36, 106, 116, 134

autoridad 2, 3, 23, 24, 25, 26, 27, 28, 29, 49, 50, 54, 55, 58, 70, 71, 79, 80, 81, 84, 88, 99, 111, 112, 121, 122, 127, 132, 136, 137, 138, 139, 140, 142, 146, 149, 155, 157, 161, 162, 163, 164, 166, 167, 168, 169, 171, 175, 176, 177, 179, 185, 192, 196, 200, 205, 206, 214

autonomía 118, 124, 127

-religiosa 120, 137, 154

-social 55, 56, 57, 58, 59, 89, 127, 135, 166, 184

-y soberanía de las esferas 50, 54, 55, 56, 57, 58, 131

-del pensamiento 116, 138

-de la ciencia 138, 156

-de la personalidad humana 155, 156, 161, 165, 167, 169, 170, 173, 174, 176, 177, 182, 184, 224

B

balance de poderes 170, 172

banqueros 206

barthianismo 60, 143, 150, 180

Biblia (o Escritura) 4, 12, 14, 15, 29, 30, 31, 38, 40, 44, 45, 47, 49, 50, 53, 55, 56, 59, 60, 61, 63, 67, 69, 74, 76, 81

Biblicismo 59

bien común 53, 55, 58, 127, 128, 130, 169, 170, 191

bolchevismo 11

borbones 205

burguesía 206

C

caída en el pecado 37, 38, 94, 222, 224

calvinismo 85, 86, 133

catolicismo romano 10, 11, 14, 16, 120, 122, 131, 133, 134, 135, 138, 144, 145, 148, 149, 150, 161, 183

causalidad, 165, 216, 217, 221; y normas 218; y aspectos 219

ciencia 4, 6, 9, 11, 13, 48, 49, 51, 52, 55, 69, 77, 78, 82, 83, 84, 87, 88, 92, 105, 108, 109, 110, 118, 137, 138, 143, 157, 158, 159, 160, 161, 162, 164, 165, 166, 173, 179, 181, 182, 184, 185, 188, 189, 190, 211, 212, 213, 221, 224

-y aspectos 32, 42

-límites 82, 217

-y fe 99, 146, 176, 177, 178

-neutralidad de 15, 178, 210, 211, 212

-autonomía de 138, 156

-moderna 105, 109, 158, 159, 166, 178

-como libre de valores 218

ciencias especiales 34, 42, 222

-física 42, 51, 52, 179, 181, 190, 218, 219, 220, 221

-matemática 42, 52, 56, 157

-química 42, 51, 52, 60, 70, 219, 220, 221

-historia 42, 59, 65, 66, 198, 204, 218, 220

-sociología 42, 190, 192, 195, 196, 197, 198, 199, 200, 201, 204, 205, 208, 212, 213, 214, 215, 216, 217, 218, 219, 221, 223, 224

-economía 42, 57, 201, 202, 205, 208, 209

-sicología 42, 217, 218

-culturales 41, 218

-ver también teología

cínicos 22

civitas dei 111

civitas terrena 111

clases 2, 156, 164, 165, 196, 198, 207, 206, 208, 209, 211, 212, 214

coherencia 18, 42, 43, 44, 46, 47, 48, 49, 59, 71, 72, 75, 84, 92, 97, 98, 99, 100, 102, 109, 156, 164, 165, 196, 198, 207 222, 224

comportamiento 71, 215, 216, 217

comunidad religiosa radical de la humanidad 32, 49, 188

comunidad 2, 9, 22, 26, 30, 53, 54, 57, 58, 77, 78, 79, 84, 86, 91, 111, 129, 132, 133, 135, 181, 182, 183, 184, 187, 191, 192, 200, 207, 208, 214, 223

-religiosa 31, 32, 41, 49, 63, 78, 79, 84, 116, 131, 134, 135, 136, 146, 187, 193, 200

-definida 25, 54, 58, 207

-doméstica 25, 78, 79, 81

-social 49, 126, 127, 128, 129, 130, 168, 195, 204, 207, 211

-nacional 1, 76, 80, 88, 107, 184, 185, 187, 196, 197, 198, 199

-ideología de 89, 186

concepto de clase 205, 208

-individualista 207, 211

confesiones 33, 48

conflicto de clase 202, 205, 207, 208

conservadurismo 72

contemplación 21, 116

Contrarreforma 10

Contrarrevolución 70

contrato social 163, 166, 169, 170, 174, 182, 192, 196, 200, 201

conversión 41, 104, 117, 222

corpus christianum 78, 133

corazón 4, 13, 13, 31, 32, 34, 35, 36, 38, 41, 44, 46, 47, 61, 64, 66, 68, 92, 93, 94, 96, 97, 98, 99, 104

cosmovisión mecanicista 178

creencia *mana* 106

cruzadas 206

cuerpo 21

-visión bíblica 30, 32, 38, 44

-visión escolástica 95, 120, 121, 126, 134, 148

-visión moderna 159, 160

Cuerpo de Cristo 116

culpa 3, 27, 37, 71

culto al emperador 23, 24

cultura 4, 7, 8, 9, 11, 12, 14, 15, 29, 31, 33, 38, 39, 40, 41, 42, 49, 51, 52, 65, 66, 67, 69, 71, 72, 73, 74, 75, 76, 77, 78, 80, 81, 82, 83, 84, 85, 86, 87, 88, 92, 104, 107, 108, 109, 110, 111, 112, 115, 120, 141, 143, 151, 153, 166, 178, 181, 185, 189, 190, 191, 192, 196, 213, 217, 218, 221

-griega 10, 16, 17, 18, 19, 20, 21, 22,
   23, 24, 25, 27, 28, 146, 148, 149, 161
-y poder 68, 83
-armonía en 87
-desarmonía en 109
-fe en 91, 93
-cerrada 86, 102
-apóstata 39, 40, 108
-cristiana 30, 149, 151
-en la Escuela Histórica 152, 169
cultura germánica 78, 87

                        D

darwinismo 11
Das Kapital 176
deidad (o: dios) 4, 9, 12, 13, 17, 28,
   29, 30, 31, 32, 34, 35, 36, 37, 38, 39,
   40, 41, 42, 43, 44, 45, 46, 47, 48, 49,
   50, 51, 52, 53, 54, 55, 56, 57, 58, 59,
   60, 61, 63, 64, 65, 66, 67, 68, 69, 70,
   71, 72, 74, 75, 76, 77, 79, 81, 82, 83,
   84, 86, 88, 89, 91, 92, 93, 94, 95, 96,
   97, 104, 115, 116, 117, 118, 120, 122,
   123, 124, 125, 127, 128, 134, 136,
   142, 143, 144, 145, 146, 147, 148,
   149, 150, 151, 152, 153, 156, 159,
   161, 163, 178, 182, 183, 187, 188,
   192, 203, 210, 214
-pruebas de la existencia de 123, 124
-dios como motor inmóvil 124
Demiurgo 29, 30
democracia 22, 67, 74, 89, 107, 172, 176,
   179
-visión griega 22
-industrial 89

-económica 170
-liberal 170, 171
-radical 170, 173, 174, 175
derechos
-del hombre 22, 23, 27, 63, 67, 74, 77,
   111, 166, 167, 172, 173, 174, 175,
   179, 184, 187, 191, 192, 193, 201,
   221
-naturales 201, 211
-públicos-legales 26, 53, 58, 174
-civiles 26, 80, 167, 170, 171, 201, 210
-de las esferas 50, 92, 188
-divinos 170
-de propiedad 25, 70, 174, 205
-constitucionales 174
descentralización 50, 89
dicotomía 36, 44
diferenciación 26, 54, 59, 76, 78, 81, 82,
   83, 84, 86, 87, 89, 102, 107, 109, 161,
   162, 167, 191, 202, 208
Dionisio 17, 18, 20, 23, 24
dioses olímpicos 10, 17, 18, 19, 20, 21,
   23, 24, 25, 29, 35, 49, 67, 149
dirección espiritual 1, 2, 4, 9, 41
dogma 2, 63, 92, 99, 100, 138, 142, 213,
   214, 215
dualismo 37, 38, 88, 111, 116, 117, 119,
   122, 128, 141, 144, 145, 146, 147,
   149, 150, 176, 183, 185, 186, 192,
   193, 199

                        E

economía 4, 29, 42, 52, 58, 72, 83, 87,
   89, 92, 109, 110, 132, 196, 198, 201,
   202, 203, 209, 211, 222

Egipto 108
élite 171, 172, 174, 175, 205
emancipación 153, 155, 163
empresario 202, 203, 205, 206, 209
encíclicas 125, 135
  –*Casti connubii* 132
  –*Immortale dei* 136
  –*Quadragesimo anno* 126, 128, 135
  –*Rerum novarum* 125, 135
era moderna 161, 162
escolástica 22, 32, 33, 35, 36, 94, 95, 118, 120, 121, 134, 138, 141, 145, 146, 150, 153, 154, 155, 156, 163, 200
Escuela biológica 217
Escuela clásica en economía 203
Escuela histórica 51, 52, 53, 54, 56, 58, 76, 193, 196, 197, 198, 199, 207, 212, 216, 218
Escuela órfica 20
Estado
  –idea del 53, 55, 58, 70, 161, 166, 175, 192, 200
  –formas del 168
  –Estado moderno temprano 55, 161, 200
  –y sociedad 198, 199, 200, 201, 202, 204
  –y soberanía de las esferas 28, 82, 92, 109, 127, 162
  –e iglesia 61, 82, 133, 137, 139, 142, 162, 192
  –visión griega 131
  –visión católicorromana 110, 125, 126, 127, 128, 129, 130, 135, 136, 137, 138, 200

  –visión humanista 161, 162, 168, 171, 174, 175, 195, 200, 201, 204
  –en Hegel 91, 210
  –en Brunner 68
  –visión teológica 92, 127
  –ver también *res publica*
estado de naturaleza 166, 201, 204
estoicismo 27
estructura
  –de la realidad 42, 45, 48, 61, 65, 78, 219, 224
  –de la fe 91, 93, 97, 98, 100, 102, 103, 104, 106, 108, 121, 130, 187
  –historica 67, 69, 74
  –aspectual (modal) 221, 224
  –de individualidad 224
  –social 9, 11, 25, 28, 29, 77, 81, 82, 89, 127, 129, 167, 172, 174, 192, 197, 203, 204, 207, 208, 212, 222, 224
  –de totalidad 133, 200, 221, 223, 224, 225
  –típica 222
estructura de la creación 59, 67, 81, 89, 222, 224
Estuardos 168, 169
ética
  –burguesa 182
  –en Kant 182
  –en el Romanticismo 182, 183
  –griega 37
  –humanista 37, 210
  –social 132, 196, 211
  –y teologia 42, 117, 119
evolución 179, 217
exégesis 99, 154

experiencia, preteórica 4, 6, 45, 65, 84,
    121, 123, 124, 141, 189, 164, 177,
    213, 220, 221, 222

F

familia 25, 26, 79
familia 3, 7, 25, 28, 45, 48, 49, 54, 55,
    56, 57, 65, 76, 78, 106, 130, 184, 189,
    191, 204, 222
  –romana 26, 27, 79, 81
  –visión católicorromana 135
  –como origen de la sociedad 28
  –en la sociedad industrial 187
  –y estado 110, 126, 129, 187, 199, 208,
    214, 223
fascismo 11, 67, 128
Fausto 17, 18, 42, 47, 87, 105
fe
  –estructura de 91, 97, 98, 99, 106
  –y cultura 91
  –y ciencia 177, 178
  –y filosofía 8
  –como aspecto límite 95
  –analogías de la 97, 98
  –cerrada 106
  –apóstata 93, 102, 103, 104, 105, 107,
    108, 109, 118
  –humanista 109, 177
feudalismo 19, 173, 202
filosofía 7, 8, 19
  –cristiana 138, 225
  –y religión 78, 137, 138; en Lutero 144,
    145, 146
  –y revelación 138

–griega 20, 22, 27, 29, 33, 95, 96, 116,
    118, 120, 146, 160
–humanista 159
–naturalista 42
–política 53, 64
–positiva 194, 195
–social 222
–tomista 125, 137, 138
–y sociología 138, 195, 213, 222
fisiócratas 201, 202
folklore 87, 106
formación histórica 68, 72, 75
Francia, historia de, en Saint-Simon 205,
    206, 208
francos 79, 80, 206
función objeto 94, 220, 221
función sujeto 220, 221
funciones 25, 32, 34, 35, 36, 49, 97, 104,
    108, 137, 172, 220, 221
  –sujeto 221
  –objeto 221

G

Geisteswissenschaften 217
genio en el Romanticismo 182, 183
gnosticismo 116, 117, 143
gobierno 10, 24, 49, 50, 54, 56, 59, 69,
    70, 82, 89, 91, 127, 131, 133, 135, 142,
    145, 162, 166, 168, 169, 175, 187,
    188, 192, 205, 206, 209
  –visión mecanicista del, 179
gracia
  –vs. Naturaleza 16, 78, 83, 94, 95, 119,
    120, 121, 122, 123, 124, 126, 133,

135, 138, 141, 142, 143, 144, 146, 147, 148, 149, 150, 153, 156, 157, 163, 176, 200

–como sobrenatural 95, 120, 133, 141, 142, 148, 156, 200

–ver motivo básico (naturaleza gracia)

gracia común 28, 37, 61, 112, 150

–y antítesis 39

gremios 54, 58, 78, 79, 80, 142, 193, 202, 203, 208

Grupo Cristóbal 139, 14150, 180

humanismo 2, 3, 7, 11, 14, 16, 22, 49, 50, 67, 85, 86, 95, 110, 150, 151, 152-180, 183, 184, 189, 190, 191, 192, 198, 199, 210, 213, 218, 219

–literario 146

–racionalista 51

–irracionalista 52

–idealista 195

–bíblico 10, 11, 153

–moderno 9, 10, 33, 37, 138, 143, 147

–crisis espiritual del 11, 153

H

Hannover, Casa de 173

hechos, sociales

–como normativos 195, 197, 210, 211, 213, 214, 215

hegelianismo 92, 21

helenismo 16, 17, 18, 19, 22

historia 9, 11, 17, 40, 42, 50, 58, 64, 65, 66, 67, 68, 69, 70, 72, 73, 74, 75, 76, 78, 83, 84, 85, 86, 87, 88, 89, 91, 92, 93, 99, 100, 101, 103, 109, 110, 111, 112, 115, 143, 155, 160, 167, 168, 188, 189, 190, 191, 196, 198, 206, 207, 208, 211, 222

–y soberanía de las esferas 51, 52, 53, 56, 58, 59, 89, 109

–e historicismo 63, 189, 225

–juicio de la, 109

–e ideal de la ciencia 42

historicismo 43, 48, 50, 51, 52, 56, 57, 59, 63, 64, 66, 67, 88, 190, 193, 194, 196, 197, 198, 217, 218

homo economicus 110

I

ideal de la ciencia

–ver motivos básicos (motivo naturaleza)

ideal de la personalidad

–ver motivos básicos (motivo libertad)

idealismo 186, 195, 207, 217, 218

ideología 11, 74, 112, 197, 204, 210

–de la comunidad 184, 186

–del *Volk* 51, 52, 76, 80, 84, 88, 185, 187, 188, 189, 193

idolatría 13, 14, 48

iglesia

–en la Edad Media 10, 82, 119, 141, 153, 200

–visión católicorromana de 134

–institucional 61, 78, 82, 121, 133, 134, 135, 136, 137, 146, 148

–visible 134

–como omniabarcante 135, 136

–y Estado 78, 139

–en Lutero 146

Iglesia católica romana 82, 83, 121, 122, 133, 135, 141, 149

igualdad 22, 27, 54, 163, 166, 167, 168, 169, 170, 171, 173, 174, 176, 179, 185, 192, 193, 197, 204

Ilustración 10, 22, 74, 87, 105, 109, 110, 111, 158, 159, 163, 165, 167, 177, 182, 191, 192, 194, 197, 199, 211

imagen de Dios 23, 30, 32, 36

imperio 10, 24, 27, 28, 49, 80, 84, 170
   –macedonio 23, 27
   –romano 10, 23, 24, 28
   –bizantino 10, 28, 49

imperio de la ley 170

imperio romano 28

individual 4, 16, 17, 23, 26, 28, 31, 34, 51, 52, 69, 74, 76, 77, 86, 89, 107, 110, 120, 124, 126, 128, 131, 132, 135, 148, 160, 173, 179, 182, 183, 184, 185, 186, 187, 188, 189, 190, 196, 198, 199, 202, 217, 221

individualidad 52, 84, 85, 86, 107, 182, 185, 186, 188, 191, 192, 199, 212, 218, 223, 224

individualismo 88, 111, 183, 185, 186, 192, 193

individualización 59, 84, 107

industrialización 203, 209

inmortalidad 21, 33, 34, 35, 36, 44, 108

interés público 58, 130, 175, 204

intereslabonamientos 207

irracionalismo 183, 188, 191, 198

irreducibilidad 44, 47, 66

ius gentium 26, 27, 28, 29, 81

J

juicio
   –en la historia 70, 72, 74, 81, 86, 88, 91, 92, 109, 111
   –final 33, 40

L

ley 38, 142-146
   –en la creación 125; en Occam 141; en Lutero 143; en Pablo 138, 144, 142, 143, 145, 146
   –ley natural 163, 166, 167, 200; en Hobbes 159, 168; en Grocio 163; en Locke 166; en Rousseau 174
   –ley folk o *ius gentium* 24, 28, 192, 193
   –en la naturaleza 142
   –ley y amor 38, 60, 124, 125
   –ley y evangelio 143, 144, 150
   –ley universal 26, 27, 52
   –ley moral, en Kant 182, 183
   –ley romana 27, 28, 163
   –ley común 162
   –ley criminal 92
   –ley positiva 72, 136
   –ley civil 24, 26, 27, 28, 38, 53, 54, 70, 81, 163, 167, 169, 174, 179, 191, 193, 201
   –ley privada 26, 27, 192, 193
   –ley pública 26, 27, 163, 168

liberalismo 167, 169, 170, 171, 173, 174, 179, 184, 204

libertad

–en el humanismo 153, 157, 158, 160, 164, 171, 175, 176, 177, 178, 185, 186, 188, 190, 191, 199, 200, 218
–en Rousseau 166, 167, 170, 173, 174, 175
–en Kant 177, 179, 183
–en el Romanticismo 182, 183, 185, 186, 190, 195
logos divino 30
luteranos 51, 146, 193, 196

M

magia 97, 108
mandato cultural 66, 69, 73
Manifiesto comunista 209, 212
marxismo 11, 212
materialismo en el pensamiento moderno 48, 160
matrimonio
–visión católicorromana del 119, 128, 130, 132, 135
–en Brunner 150
–en Kant 182
mecanización 203, 210
método científico
–natural científico 159, 177, 188, 197, 200, 206, 208; en Hobbes 159; en Grocio 162, 163; en Kant 182; en el positivismo 182, 198
–histórico 189, 199
–sociológico 198
–biológico 197, 198
–científico cultural 110
–científico espiritual 176

–sicológico 199
melanesios 106
mercantilismo 202
metafísica 118, 120, 165, 197, 204, 211
modernismo 87, 110
modos
–ver aspectos
monarquía 168, 170, 200, 206, 214
Moira 18, 19, 29, 148
Monte Olimpo 17, 149
motivo de la creación
–y pensamiento griego 21, 32, 67, 117, 120
–y soberanía de las esferas 41, 42, 43
motivos básicos
–bíblico 89, 99, 121, 122, 134, 175, 186
–secularización de 163
–motivo creación 29, 30, 44, 60, 61, 66, 69, 70, 72, 113, 121, 122, 128, 129, 149, 150, 156
–motivo caída 29
–griego 21, 36, 122, 124, 157
–motivo materia 21, 29
–motivo forma 136, 156, 176
–naturaleza-gracia 144, 146, 147
–humanista 138, 200
–motivo naturaleza 121, 122, 127, 128, 141, 151, 157, 159, 160, 165, 197, 198, 200
–motivo libertad 16, 158, 160, 163, 166, 171, 173, 175, 178, 185, 188, 198, 200, 211, 217
Movimiento Cristiano Histórico 53
movimiento mecánico 158, 160, 178, 190

Movimiento Nacional Holandés 1, 2, 3, 4, 7, 73, 85, 140

N

nación 1, 2, 3, 4, 5, 6, 22, 51, 52, 53, 56, 58, 70, 72, 74, 76, 80, 85, 91, 96, 173, 184, 188, 191
  –identidad nacional 86
  –holandesa 4, 49, 89, 140
  –ver también *Volk, Volksgeist*
nacionalismo y *Volksgeist* 79, 189
nacional socialismo 11, 27, 28, 52, 67, 72, 74, 80, 81, 84, 87, 92, 128, 147, 193
naturaleza
  –visión griega 16, 22, 23, 24
  –visión moderna 37, 160
  –en la visión católicorromana 37, 123, 156
  –en Tomás de Aquino 121, 122
  –en Lutero 144, 145, 146, 147
  –en Barth 95, 145, 147, 149, 150
  –visión bíblica
  –ver orden de la creación
  –como pecado, 95, 120
naturaleza humana
  –visión griega 20, 95, 155
  –visión escolástica 94, 95, 126, 127, 134
  –como racional 122, 128, 163, 182
  –en el humanismo 31, 32, 182
naturaleza libre de valores de la ciencia social 218, 222
nazismo 52, 74, 88, 192

neokantismo 217, 218
neutralidad de la ciencia 178
nido de ave 220, 221
normas
  –como hechos 215
  –para la fe 94, 99, 100, 105
  –para la sociedad 61, 91, 177, 213, 214, 215, 216
núcleo de un aspecto 66, 93, 97
Nueva Guinea 77

O

orden de la creación 32, 48, 57, 60, 65, 66, 70, 71, 73, 75, 81, 83, 92, 112, 122, 150, 156, 161, 178, 213, 224
ordenanzas de la creación, 38, 39, 60, 61, 66, 143, 150
Osiris 108

P

padres de la iglesia 117, 136, 154
Palabra de Dios 12, 13, 32, 37, 43, 44, 56, 60, 63, 72, 74, 93, 99, 100, 101, 103, 104, 105, 112, 113, 122, 145, 147, 149, 151, 188
Palabra-revelación 29, 36, 60, 66, 99, 100, 102, 103, 105, 222
papado 149
parlamento 141, 469, 170, 171, 172, 173, 214
Partido Antirrevolucionario 70
pater familias 25, 26
partidos políticos
  –Antirrevolucionario 70

–Católico Romano 140, 141

–Laboral 139, 140, 141

pecado 3, 31, 36, 38, 40, 41, 61, 69, 94, 95, 96, 120, 121, 123, 145, 147, 155, 166

–efectos del 38, 61

–original 37, 119

pensamiento antirrevolucionario

–Stahl 53, 55

–Groen van Prinsterer 53, 55, 70

percepción sensorial 21, 32, 93, 164, 178, 222, 223

poder

–motivo del 24

–de la espada 26, 69, 82, 91, 168

–en la creación 69, 113, 117, 121

–espiritual 69, 82, 112

–y cultura 9, 11, 69, 73, 78, 82, 85

–y justicia 72, 132, 136, 218

polis 10, 19, 22, 27, 49, 183

positivismo 195, 204

principio Führer, 80

principio(s) 37, 38, 44, 45, 48, 50, 51, 56, 79, 80, 83, 87, 89, 93, 104, 119, 122, 123, 126, 128, 129, 130, 131, 133, 173, 175, 176, 187, 192

progreso 73, 74, 83, 87, 109, 110, 111, 191, 212, 213

proletariado 203, 204

propiedades (estates) 58, 79, 205, 206

protestantismo 11, 143, 149, 162

providencia

–en la Escuela histórica 52, 53, 76, 193, 198

prueba de la existencia de Dios 123, 124

sicología 9, 33, 34, 35, 42, 217, 218, 222

R

raíz religiosa 12, 37, 38, 39, 41, 46, 49, 50, 94, 97, 102, 105, 108, 121, 134, 137, 146, 151, 165, 166

raza 22, 61, 74, 77, 84, 87, 88, 130, 131, 135, 155, 187, 191

racionalismo 87, 111, 182, 183, 184, 188, 193, 194

razón 35, 37, 53

–divina 30, 122, 142

–y pecado 120

–y fe 177

–natural 95, 138, 145, 146, 156, 121, 123

–en el humanismo 138, 166, 182, 210

–en Lutero 145, 146

–en Grocio 163

–en Kant 157, 177

–en Hegel 210

Rechtsstaat 111, 170, 171

redención 12, 15, 29, 36, 38, 89, 105, 112, 113, 117, 121, 124, 134, 137, 143, 145, 148, 150, 151, 154, 161, 186, 194, 200, 222

–en Lutero 145

Reforma 10, 11, 14, 20, 68, 111, 118, 119, 131, 143, 146, 149, 150, 153, 161, 162, 177

Reino de Dios 98, 111, 134

reino franco 79, 80

reino merovingio 79

relación sujeto-objeto 221

religión 2, 4, 8, 9, 10, 11, 14, 15, 16, 17, 18, 19, 20, 21, 22, 24, 29, 30, 33, 36, 39, 40, 41, 42, 43, 44, 48, 49, 50, 55, 58, 59, 67, 68, 69, 84, 85, 100, 102, 104, 107, 111, 112, 115, 116, 117, 118, 119, 120, 122, 123, 139, 141, 143, 145, 146, 148, 149, 154, 155, 156, 157, 160, 161, 165, 166, 194, 200

-naturaleza absoluta de la 8, 9, 42

-religión de la naturaleza 17, 84, 115, 154

-religión de la cultura 16, 17, 18, 19, 20, 107, 149, 123, 148, 160

-romana 24

-y nacionalidad 59, 85

-de la personalidad humana 143, 154, 157, 161, 165; crisis de la 11, 15, 33

Renacimiento 10, 20, 21, 23, 35, 38, 68, 94, 97, 104, 145, 153, 154, 155, 161, 189

representación

-en Hobbes 168, 169

-en Locke 169, 170, 171

-en Rousseau 174

república 10, 168, 171

res publica 10, 25, 26, 81, 168, 171, 175, 192, 204

Restauración, periodo de la 52, 70, 167, 181, 191, 192, 193, 195, 196, 197, 199

revelación

-de la creación 29, 36, 61, 103

-y fe 88, 93, 94, 95, 96, 98, 99, 100, 103, 104, 105, 108, 123, 177

-general 61, 106, 125, 123

Revolución francesa 43, 51, 54, 57, 58, 64, 70, 73, 74, 88, 167, 170, 173, 176, 181, 185, 189, 190, 191, 192, 193, 195, 197, 202, 204, 205, 206, 209, 212

Revolución puritana 169

romanticismo 52, 182, 183, 184, 185, 186, 198, 199, 216, 218

S

sacramentos 101, 133, 137, 146

Sacro Imperio Romano 10, 23

Santo Espíritu 12, 15, 29, 31, 93, 98, 100, 116, 124

Satanás 3, 38, 40, 47, 61

Secularización 163

sentimiento 9, 34, 35, 36, 41, 42, 44, 46, 47, 48, 60, 66, 69, 101, 166, 178, 215, 216, 219, 220, 221, 222

-en Rousseau 166

sindicato 69, 140, 147

síntesis 2, 7, 8, 12, 13, 14, 16, 30, 50, 85, 115, 118, 119, 141, 143, 146, 147, 149, 151, 153, 181, 199, 200, 213

-desintegración de 141

soberanía

-absoluta 162, 164, 200

-popular 168, 169, 171, 191, 192

-de la mayoría 170

-ver también soberanía de las esferas

soberanía de las esferas

-y creación 44, 55, 56, 58, 89

-aspectual 41, 44, 46, 47, 59

-social 48, 49

-y Estado 58, 92

-y derechos 92

-e historia 50, 55, 56, 68, 109

–y pensamiento griego 22, 23

–y ley romana 25, 26, 54

–y principio de subsidiariedad 129

socialismo 1, 2, 11, 27, 28, 50, 52, 67, 72, 74, 80, 81, 84, 87, 128, 147, 193

sociedad

  –y soberanía de las esferas 48, 46

  –visión católicorromana de la 136, 142

  –y sociología 195, 196, 199, 202, 204

  –sociedad cristiana 133, 134, 135, 142

  –civil 169, 170, 201, 202, 203, 204, 209, 210, 211

  – vs. el Estado 199, 201, 202, 204, 212

sociedad civil en Hegel 210, 211

  –y sociología 209

sociedad indiferenciada 76

sociedad medieval 70, 77, 79, 81, 153, 161, 193, 200

sociología 42, 132, 191, 195, 197, 198, 199, 202, 205, 207, 208, 211, 212, 213, 214, 215, 216, 217, 218, 219, 220, 221, 222, 223, 224

  –y la sociedad civil 204, 209, 210

  –carácter libre de valores 195, 215

  –cristiana 221, 222, 224

sofistas 20, 22

solidarismo 132

Sturm und Drang 182

subestructura 78, 128

subsidiariedad 128, 129, 130, 131, 133

substancia

  –fisicoquímica 220

superestructura 78, 79, 81, 135, 200

Superman 11

T

tensión dialéctica

  –religiosa 13, 14, 18, 21, 121, 141, 145, 147, 151, 157, 188, 211, 216

  –teórica 22

teología 12, 13, 16, 33, 36, 42, 94, 96, 99, 102, 117, 123, 124, 194

  –e historicismo 45, 63

  –dialéctica 147, 149, 150, 151

  –y filosofía 94, 117, 118

  –natural 102, 123, 124

  –como reina de las ciencias 118

teología dialéctica 147, 149, 150, 151

teoría política moderna 162, 169, 179, 202

teoría y verdad bíblica 8

theoria 21

tiempo (de) 50, 97, 162

tipo ideal 223

tolerancia 162

totalitarismo 133

tomismo 129, 130, 138

trabajo, división del en Hegel 210, 214, 216

tradición 3, 4, 10, 53, 72, 73, 74, 75, 76, 77, 86, 87, 108, 109, 111, 145, 146, 173, 189, 191, 192, 196, 197, 198

  –en la Escuela histórica 52, 196

tribu papuana 77

U

universalidad de las esferas 30, 45, 47, 59, 84

universalismo 131, 132, 184, 186, 187, 188, 190, 193, 199

Volk 76, 80, 84, 88, 185, 187, 188, 193
Volksgeist 51, 76, 185, 189
volonté général 175

V

valores 43, 63, 211, 212, 218
veneno 219
vitalismo 48

Z

Zeus 18, 19
zoroastrianismo 115

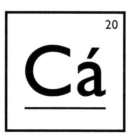

Acerca del Cántaro Institute
Heredando, Informando, Inspirando

El Cántaro Institute es una organización cristiana evangélica confesional establecida en el año 2020, la cual busca recuperar las riquezas del protestantismo histórico para la renovación y edificación de la Iglesia contemporánea y promover la filosofía cristiana de la vida para la reforma religiosa del Occidente y el mundo Iberoaméricano.

Creemos que a medida que la Iglesia cristiana regresa a la fuente de las Escrituras como su última autoridad para todo conocimiento y vida, y sabiamente aplica la verdad de Dios a cada aspecto de la vida, fiel en espíritu a los reformadores, su actividad misiológica resultará no solo en la renovación de la persona humana, sino también en la reforma de la cultura, un resultado inevitable cuando la verdadera amplitud y naturaleza del evangelio es expuesta y aplicada.

.

Milton Keynes UK
Ingram Content Group UK Ltd.
UKHW050251230324
439834UK00014B/547